テロリストのパラソル

藤原伊織

角川文庫
14693

1

十月のその土曜日、長く続いた雨があがった。

目が覚めたのは、いつものように十時過ぎだった。蛍光灯のスイッチをいれ、いつものように窓から首をつきだした。陽のささない部屋の住人が、いつのまにか身につけた習慣だ。ひとつしかない窓からは隣のビルに手が届く。だが、空はみえる。ビルの輪郭にうすく切りとられた空にすぎないが、目に沁《し》みる青さが久しぶりだった。セーターに腕をとおし部屋を出た。そんな日には陽射しのなかにいるのも悪くない。一日の最初の一杯にとって、陽の当たる場所も悪くはない。だがなによりそれは、晴れた日の私の日課だった。くたびれたアル中の中年のバーテンにだって日課はある。

風はなかった。朝の光のなかを三十分ほど歩いた。甲州街道をぬけ、都庁をすぎて陸橋を渡る。公園の入り口近く、枯れた芝生の上で横になった。いつものポジションだ。ここしばらく身をひそめていた太陽は斜め頭上にあった。土曜日らしく、家族連れがのんびり歩いている。タンクトップのジョガーが息をはずませてすぎる。だれかがラジカセで鳴らす私の知らない音楽が遠くから届いてきた。抱えてきた紙袋から瓶をとりだし、ウイスキーをプラスチックの小さなカップにそそいだ。手が震えて少しこぼれた。一日の最初の一杯が喉《のど》を焼いてすぎた。

秋の陽射しはやわらかく、静かに降りそそいでいた。透明な光のなか、銀杏《いちょう》の落ち葉が平穏な世界を舞っている。問題はない。なにも問題はないのだ。あらゆる人間にいっときそんなふうに思わせる陽射し。午前十一時の光が降りそそいでいた。

いまのところ、とりあえず私にも問題はなにもない。周囲にも問題はない。平和な風景だった。もっとも、私や私に近しい存在がなければ、この公園もいっそう平和に見えるのかもしれない。私と同様、芝生に横たわっているホームレスが何人か見える。彼らも西口の人工灯から離れたいときだってあるだろう。私と同じように。

二杯目をそそいだ。また手が震え、ウイスキーがこぼれた。だが、しばらくすればそれもおさまることは知っている。なにしろ最初の一杯はすぎたのだ。瓶の中身がほぼなくなる夕方、私はしっかりしたまともな人間になっている。それから、きちんとではないにせよ、一応の仕事はやるだろう。この一年、同じ日課を経験している。震えるてのひらをぼんやり眺めた。

そのとき、見つめられていることに気づいた。顔をあげると、女の子が私を見おろしていた。五、六歳といった年ごろだ。赤いコートを身につけている。首をかしげて私を見つめ、私が見つめていた私の手を見る。

「寒いの？」女の子は、そういった。

「いや、寒くない。どうして」

「手が震えてる。ぶるぶる」

私は笑った。「ぶるぶる、か。たしかにそうだ。でも寒くはない」

「じゃあ、病気なの」

アルコール中毒ないしは重度の依存症。それは病気だろうか。わからなかった。考えたことがない。

「病気じゃないと思う。たぶん」

「ふうん。そうなの。でも手が震えてちゃ困ることあるでしょ」

「困らない」と私はいった。

「でも、バイオリンが上手に弾けないじゃない」

今度は声をだして笑った。

「私はバイオリニストじゃない。ピアニストでもない。だから、不便はあまり感じない。君はバイオリンを弾くのかい」

「うん。すごく上手なの」

「どれくらい上手なんだ」

彼女はコートのポケットに両手を入れた。どんなふうに答えていいものか迷っているようだった。ようやく彼女は口を開いた。

「んーとね。ヘンデルの三番がひける。ソナタの三番」

「ふうん。たいしたもんだ」

「わたしね、バイオリニストになるの」

「そりゃよかった」

「ねえ、わたし、バイオリニストになれると思う？」

少しのあいだ考えてからいった。

「なれるかもしれない。ツキに恵まれたなら」

「ツキ？」

「そう。幸運ともいうね」

「幸運に恵まれなくっちゃいけないの」

「そうだ」

ふうん。女の子はつぶやきながら、私を見つめた。壊れもののようなほっそりした身体つきでまっすぐに立ち、私を見つめた。私は寝そべったまま考えた。こんな年ごろの女の子と最後にしゃべったのはいつだったろう。

「ねえ」彼女がすました口調でいった。「おじさんって立派な人ね」

「なぜ、そう思うんだ？」私は聞いた。

「だって、みんな、きっとなれるっていうわよ。わたしの年でヘンデルひけるの、わたしだけだもん。おとなはみんな上手だってわたしのことほめるの。でも、そんなのってバカみたいでしょ。おじさんみたいなことという人、いないもん」

「世間にはいろんな考え方がある。みんなの方が正しいのかもしれない」

「正しくないわよ。そういう人はバカなのよ」

「そうかな。言葉はあまり軽率に使っちゃいけないようにも思える」

「どういうこと？」

「少なくとも私は立派な人間じゃない。酔っ払いの人間に立派な人はいないんだよ」

「おじさん、酔っ払いなの？　お酒を飲んでるの」

「そう。いまもそうだ」

「お酒なんか関係ないもん」

　その言葉についてしばらく考えていると、ゆったりした足取りで近づいてくる男が視界に入った。少し上だが、私に近い年齢だ。彼女の父親だろう。銀ぶちの眼鏡をかけている。それにヘリンボーンのジャケットにペーズリーのアスコットタイ。四十代後半の男が休日をより休日らしくするためには、そんな方法もあるのかもしれない。しかし、私のすり切れたセーターとはあきらかな距離がある。

彼は女の子の肩に手をおいた。私と私のウイスキーにちらと視線を走らせたが、表情は変わらなかった。おだやかな声で女の子に語りかけた。

「おじさんのじゃまをしちゃ、ダメじゃないか」

彼女は顔をあげ、すぐ私に向きなおった。それから口をとがらせ、私にいった。

「わたし、なにかおじさんのじゃまをした？」

「いや、しない」

男は私に顔を向け、微笑した。礼儀をわきまえた微笑だった。

「女の子も、このくらいの年になると生意気になって……」

「ふたりで世の中の真理について話していたんです」

男はあいまいな表情になった。「それはどうも。なにやらご迷惑をおかけしたようですな。たいへん失礼しました」彼は、娘の手をとった。「さあ、行こう」

女の子はささやかな抵抗の素振りを見せたが、父親にしたがった。ふたりが歩み去っていくとき、彼女は私をふりかえった。もう少しなにかをいいたかったように。私も同じ気分だった。女の子に向けて小さく手を振った。彼女は、はにかんだような笑みを返した。それから父親の手を離れ、どこかへ駈けていった。

私はときに差別を受ける。身なりで。昼間から酒臭い息をしていることで。それには慣れている。理性で差別を抑える心の動きにも慣れている。しかし、最初から差別と無縁でいることのできるものも世界にはある。まれにしか出会わないがそういう存在もある。ぼんやりと酒を飲み続けた。小さな女の子の言葉について何度か考えた。それは甘い歌声のように頭のなかで響いた。お酒なんか関係ないもん。

カップを口に運ぶ回数を数えなくなったころ、今度は若い男が近づいてきた。髪を茶いろに染め、胸にチラシの固まりを抱えている。その一枚を私にさしだそうとした。

「神様についてお話ししませんか」と彼はいった。

「申しわけないが、いま仕事中なんでね」

「仕事？　なんの」

「これだよ」酒瓶をふった。「プロの酔っ払いでね」

「珍しいお仕事ですね」そういってから彼はニヤッと笑った。「やるじゃん、おっさん」

若い男はうなずいて、去っていった。

私は首をふった。彼に説得されて目覚め、信仰の道に入る者はいるだろうか。いるかもしれない。新宿という街では、なにが起きても不思議ではない。神様だって不思議には思わないだろう。さらに飲み続けた。手の震えがようやくおさまりはじめた。寝ころがったまま、仰向けになった。空には数本の細い雲がたなびいているだけだ。陽射しは相変わらず透きとおり、やわらかく降りそそいでいる。視界には周囲に林立するビルがあった。都心の真中にある公園。その陽だまり。それが奇跡のように酒を飲む場にふさわしい。

その音を聞いたのは、うとうとしはじめたころだった。地響きが伝わり身体が浮いた。続いて悲鳴が重なった。なにかが私に語りかけた。起きあがった。腹にずしりと響くその音を私は知っている。

爆薬の炸裂《さくれつ》。

煙がたち登っていた。その方角から大勢の人間が走ってきた。彼らは一様になにか叫んでいた。だが、なにを叫んでいるかは不明だった。中年の女がふたり、悲鳴をあげながら私の横をすりぬけていった。老人のグループがよたよた駈けてくる。その流れと逆にいつのまにか走っていた。新宿署は近い。時間を計算した。一分半。たぶんそれ以上の余裕はない。公園の中央に出た。一段低くなった噴水のある広場。左にある地下鉄工事用施設の壁と天井が吹きとび、鉄骨がむきだしになっている。それで広場が見渡せた。

一面に人が倒れていた。右手にはコンクリートに水の流れる人工の滝があり、その下、水際のそばに陥没ができていた。そこから黒い汚れが半円になって放射状に走っている。そのあたりでは、人間以外にも散乱しているものがあった。かつての人間の一部。裂けて原形を失ったもの。肉と血だ。石段を降りるとき、折れた枝のようなものが目に入った。最初、わからなかった。不自然に折れ曲がっていたのでわからなかった。根元からちぎれた腕だった。爪がワインレッドにきれいにマニキュアされていた。階段のすぐ下では、男がすわりながら祈るように自分の腹を抱えていた。その腕からやわらかいなにかがたれ、鈍いいろで光っている。はみでた腸だった。走る私の視界にそんな光景がすぎていった。呻《うめ》き声が重奏低音のように広場をおおい、ときおり絶叫がひと筋混じる。

爆心に向かい、走った。探すべき人物がひとりいた。この公園に残っていないことを願った。あれは何分まえだったろう。いや、時間単位か。そのとき、広場からだれかが向こう側の石段を駆け登るのが見えた。爆発の被害を受けた人間ではない。この惨状に興味を持つ人間が私以外にいるのかもしれなかった。周囲には死者と死者の破片が散らばっていた。四肢を失った胴体があり、半ばねじれた頭がそれにつながっていた。足が一本、ゴロリと転がっていた。骨の見える別のだれかの片腕が冗談のようにその上に乗っている。なにもかも焼けこげ、黒ずんでいた。そして血まみれだった。ごく短い時間にその光景が私の目に焼きついた。そのあたりには息絶えた者たち、絶えつつある者たちしかいなかった。硝煙の名残りのなか、彼らのあいだを走った。血の流れが何本か、蛇のようにうねって伸びた。それをぬって走り続けた。鼻をつく刺激臭があった。私が知る酸っぱい種類のにおいではない。そのなかに血のにおいがたちのぼっている。爆心から離れた、駅に面した側から呻き声が届いてくる。相変わらず透明な陽射しが降りそそいでいた。だが、世界はほんの少しまえと同じではなかった。一瞬にして狂ったのだ。いや、最初から狂っていたのか。呼び起こされる記憶があった。沼の底から浮かびあがる泡粒のように甦《よみがえ》ってきた。それを頭のなかから締めだした。

走りながら、爆音を聞いてからの時間を考えた。たぶん、一分くらい。タイムリミットだ。あきらめかけたとき、赤いコートが目に入った。広場の反対側、コンクリートで囲まれた植込みの陰にバイオリンの得意な女の子が倒れていた。意識はなく、顔が青ざめている。額から血が流れていた。しかし爆発が直接与えたものではないようだった。爆風で倒れたとき、どこかで打った裂傷だ。爆心からそれほど離れていない場所としては、奇跡に近い。身長以上に高さのあるコンクリート囲いが彼女を救ったように思われた。ただ内臓に損傷があるかどうかはわからない。首筋に手を当ててみた。脈に乱れはなかった。君にはどうやらツキがある。口にだしてつぶやいた。彼女を抱きあげ、近くの石段を登った。

人がいた。黒っぽいスーツに身をつつみ、サングラスをした男の後ろ姿があった。私の気配を感じたのか、すっと木立ちのなかに姿を消した。さっき階段を登っていった男かもしれない。私は男を無視した。サイレンの音がかすかに湧きあがっていた。優先課題は別にある。周囲を見回した。少しまえ、私に声をかけた茶髪の若い布教者が地面にすわりこんでいた。目が空《うつ》ろで口からよだれが流れている。私は男の頰を平手で殴った。

「大丈夫か」

「え、ああ」男の目にゆっくり焦点が戻った。それからようやく私に気づいたようだった。

「なんてこった。いったいどういう……」

男をさえぎった。「あんたは大丈夫だよ。ショックを受けてるだけだ。たぶん、この子も助かる」

「え」

「この女の子も助かるんだ。あんたにまかせる。神様に祈るだけじゃない。救急車が来たらこの子を真っ先に預けるんだ」

「なんでおれが……」

男をもう一度殴った。

「いいか。この子に万いちのことがあったら、あんたを殺す。覚えておいた方がいい。嘘じゃない」

「おれは……」

男の言葉は最後まで聞かなかった。ふりかえらず、その場をあとにした。陸橋を走ってわたった。途中、ふたりの制服警官とすれちがった。彼らは私に呼びかけたが、その内容はわからない。すでにサイレンが音量を競いあうようにふくれあがっている。私は後方の公園を指さした。彼らはうなずいてそちらに駈けていった。都庁のそばに群がるやじ馬にまぎれこんだとき、パトカーが重なりあって公園をとり巻いた。通りをはさんだホテル下の陸橋を警官が走っていた。公園の正面入り口の開口部あたりには、数台のクルマが壊れてとまっている。駅の方からさらに何人かの警官が駈けてきた。新宿中の警官がこの場所をめざしている。その姿をやりすごしてからようやく大きな息をついた。息切れしていた。

公園に背を向けて歩きはじめたとき、あることに思いいたった。あの若い布教者は私のことをいずれ警察に話すにちがいない。ウイスキーの瓶とカップを忘れた。そこには私の指紋が残っている。生乾きのコンクリートを踏んだ足跡のようにくっきり残っているはずだ。警察に保存されたものとの一致がわかるまで、それほど時間はかからないだろう。

2

西口の通路には、いつものように段ボールでできた住居が並んでいた。駅に向かい歩いていると、そのひとつから声がかかった。

「島さんよぉ」

私の知っているホームレスは多くない。段ボールから首をのぞかせているのは、そのひとりだった。本名を名乗らないのが彼らのあいだのルールだ。だがかつて彼は、タツと呼んでくれ、私にそういったことがある。

「なにがあったのさ。えらいうるさいじゃんか。お巡りが何人も走っていった」

その声は幼かった。年齢を聞いたことはない。だが、たぶん二十代後半だ。このあたりの段ボールハウスの住人ではいちばん若い。あるいは二十代は彼ひとりなのかもしれない。身をかがめた。背中まで伸びた髪がにおった。私が知る、私より強いにおいを放つ数少ない人間だった。

「爆弾が爆発したんだ」

「爆弾？」

「ああ」

「どういうことよ」

「わからない。ただ、ずいぶん死人がでたようだ。ここもいずれ、もっとうるさくはなる。お巡りがいろいろ聞きにやってくるよ、たぶんな。それは覚悟しといた方がいいかもしれない」

「そいつはめんどうだね。おれ、お巡りとのめんどうは世界でいっとう苦手なんだ。しばらくトンズラしようかな」

彼はあごひげをゆっくりなでまわした。年齢に似あわない立派なあごひげだった。赤くつぶれた鼻がその顔に愛敬をそえている。

「いや、動かない方がいいだろう」私はいった。「姿を消せば、よけいな疑いをかけられるだけだ。なにも知らないなら、知らないと正直に話した方がいいんじゃないか」

「ふうん、そうか。そうかもね。まあ、あんたがいうんならそうしようかな」

「たぶん、心配することはなにもないよ」

「だといいけどね」

彼の口調はのんびりしていた。いつもそうだ。あわてることの決してないのが彼の流儀だった。

少し考えてからいった。「なあ、タツ。ひとつ頼みがあるんだ」

「なにさ」

「きょう、私に会ったことは忘れてくれ」

彼はニヤリと笑った。「お巡りなんざ、金輪際なんにもしゃべりゃしないさ。目のまえで人が死んでたって教えてやんないよ」


五丁目まで歩いて戻った。部屋には寄らず、近所の食堂に入った。夕食をつくる気になれないときにいく大衆食堂だった。メニューにバラエティーがあり、たいがいのものがそろっている。だが、いま必要なのはテレビだった。私の部屋にテレビはない。

わりあい混んでいた。はじめて壁にある時計を見た。一時を少しすぎている。客層はいつもとちがった。私がこの店に来るのはたいてい五時まえころだ。そのころはアジア系の若い女の子たちとおかまでいっぱいになる。

競馬の予想紙を眺めながらラーメンをすすっているふたりの男に割りこみ、カウンターにすわった。耳のそばに白髪をわずかに残した亭主が目で注文を尋ねてきた。この店に唯一存在しないものはウイスキーだ。それが最大の欠点だった。

「ビール」と私はいった。

「ほかには？」

「いらない」

テレビでは、お笑いをやっていた。しばらく眺めていると、速報のチャイムが鳴った。続いてテロップが流れた。新宿で爆発事件発生。死傷者50人以上。

一時半になった。その局ではレギュラーを中断し、臨時のニュース番組をはじめた。アナウンサーがしゃべりはじめた。きょう、東京・新宿区の新宿区立新宿中央公園で午後零時四十分ころ、爆発事件がありました。死傷者がでました。いまのところ、判明している限りでは死者が十人以上。十人以上です。負傷者は四十数人。現在、救急車で近くの病院に運ばれているところです。詳しいことはわかっていませんが、大型の爆発物が爆発した模様です。それでは現場から中継をお届けします。

画面が局のスタジオから現場に切りかわった。公園は封鎖されていた。集まったパトカーを背景にしてその外側から、リポーターが事実の経過をひととおりしゃべった。カメラポジションは都庁側の角だった。次に、てばやくテレビ局のつかまえた目撃者の話があった。興奮したリポーターがサラリーマンふうの男に問いかけたが、目撃者の方が冷静だった。公園のなかにいてドーンという爆発音を聞いた。火柱と煙が公園の真ん中からあがるのを見て、まわりの人間といっしょに逃げた、といった。リポーターがふたたびしゃべりはじめた。それでわかったことは多くない。あの人工の滝がナイアガラの滝という呼び名を与えられていることとくらいだった。

映像はヘリからの空撮に変わった。東側、公園通りに面した地下鉄工事用の建物の天井は半ば以上吹きとんでいた。それがL字型をしていたことをはじめて知った。公園には大勢の人間が動いていた。警官と消防署員だ。被害者はほぼ全員が運びだされ、彼らは残されたものを拾い集めているようだった。散乱した人間の破片と遺留品。そこには私が残したウイスキーの瓶もふくまれているはずだ。現場検証を長いあいだ、カメラは写し続けた。しかし現実感は消えうせていた。揺れる映像からは、私の鼻をついた血のにおいがそぎおとされている。やがて画面が切りかわった。次に映ったのは病院の玄関だった。救急車は到着したあとらしく、負傷者についてリポーターがひとしきりしゃべった。情報の断片以上のものはなにもない。

ふたたびスタジオに戻り、アナウンサーと解説者がやりとりをはじめた。解説者は報道部の老記者だった。航空機事故の場合とはちがい、爆発物の専門家を探すのは難しいのだろう。もっとも、時間がたてばそれなりの専門家が登場するのかもしれない。テレビ局は必要と考えれば、なにもかも探しだす。

しかし、その記者の要領はよかった。過去の爆破事件の事例をいくつか並べた。なかでも、死者は過去最大の八人を数えた七四年の丸の内・三菱重工ビル爆破事件を上回る惨事となった。爆発物はそうとう強力なものと思われる。記者はそういった。丸の内事件の際には、ビルの谷間が爆風の通路となった。そのため周辺のビルからガラスの破片が落下したという条件もあり、負傷者は三百人を超えた。今回は現場となった広場から外へは、公園通りを通りかかったクルマを除けば、爆発の影響はおよんではいない。公園内でも、広場の外にいた人はほとんど無傷だった。広場は一種のすり鉢状になっており、爆風圧が周囲にある高さ数メートルの芝生の傾斜にさえぎられ上空へそれていったためと思われる。しかし広場にいた人々は、ほぼ即死状態か重症を負っている。死傷者に占める死者の数も異例に多い。驚くべき殺傷力というほかない。また広場に鉄筋で仮設されていた都営地下鉄12号線・西新宿第二工区のシールド工法用施設も全壊に近い。その金属パネルの壁がほとんど吹きとんで破片の一部が車道のクルマ数台に被害をおよぼし、死者はでていないものの約十人が負傷した。この点からもその破壊力がわかる。故意か偶発事故かはまったく不明。爆発物が盗難品か製造物かも不明。最大の疑問は、週末のそれも都心の公園にこうした爆発物が出現したその不可思議さである。それが個人によるものなのか、なんらかの組織が関与しているのか、それもまた不明だ。留意すべき点は地理的条件である。都庁は真向かい。新宿署も目と鼻の先にある。さらに先にあげた地下鉄工事施設。ちなみにこの施設は内部のクレーンによって縦穴を通し、地下工事現場に機材を降ろすためのものであり、事件当時、作業は行なわれていなかった。もしこの爆発がテロにかかわりがあるものとすれば、対象はそのどれかということも考えられる。とともに爆発物運搬中の事故であった可能性も排除できない。もちろん、いずれもあくまで推測の域をでるものではない。現時点ではあらゆる可能性が考えられる。報道記者はそういった。たしかに現時点では、それ以上の手際よいまとめ方は求むべくもないように思われた。

検問を受けるクルマの映像が映ったあと、また現場に戻った。リポーターが事件の経緯を確認するようにくりかえした。公園にいて爆発音を聞いた若い女が何人かあらわれて目撃談をしゃべった。どれも似たようなものだった。彼女たちは一様に興奮していた。ビッグニュースにささやかなかかわりを持った興奮が、顔と話しぶりにあらわれていた。

「ひでえな」カウンターの向こうで亭主がいった。

「ああ、ひどいな」私は答えた。

「あいつらだよ。あの小娘ども」彼はそういった。

「同感だ」と私はいった。

客はみんなテレビを見ていたが、情報がくりかえされる段階になると減りはじめた。私は待った。ようやく死傷者の名がでた。最初に死者二名。地下鉄工事施設の作業警備員だった。五十代、二十代の男ふたり。次にクルマに乗っていたものをふくむ負傷者の名前。判明分三十一名。十歳以下の女の子は、四人だった。大場みどり（2）。三枝潤子（5）。宮坂まゆ（6）。相良薫（7）。四十代の男は三人。服部礼二（45）。新村正一郎（49）。森本哲夫（41）。負傷の程度はでなかった。

しばらくたって、また死者の名がでた。判明分八名。十歳以下の女の子はいない。四十代の男はひとりだった。村上享（42）。

アナウンサーが、死者がひとり増えたといった。いまは身元不明をふくめ、十六人になっていた。負傷者は四十二人。

さらに待った。身元の判明した死傷者の名が少しずつ増えていった。私はそれらをすべて記憶した。三十代の同姓の男女一組が死に、別の三十代の男が死に、十代の少年が死に、四十代の女が死に、五十代の女がふたり死んでいた。二十代の男と女の名が新たに続いた。負傷者に、さらに十歳以下の女の子の名がひとり加わった。山根紗絵（6）。負傷者には、二十一、二の名前が多かった。なにかの集まりがあったのかもしれない。負傷者の家族が登場したときにそれは証明された。老いた母親が、きょう息子のクラス会があって、といった。それがどういうクラス会なのかは、わからない。土曜日の真昼に公園で行なわれるクラス会。それは私の想像を超えている。あるいは私の想像力に限界があるのかもしれない。いくつかの病院玄関で、恒例の遺族取材がはじまった。ある病院では初老の男が、息子夫婦が孫を残したまま、といったあと唇を嚙《か》みしめた。三十代男女の父親だった。その男にリポーターが、いまどんなお気持ちですか、とくりかえした。別の病院では、駆けつけた高校生くらいの少年が無遠慮にマイクをつきつけられていた。五十代女性の遺族らしい。母たちは俳句仲間で……。

「チャンネル、変えてくんないか」亭主が私のそばにあるリモコンを指さした。「テレビのやつら、いったい何様だと思ってんだ」

「いいさ。もうちょっと見てたいんだよ」

彼は短い時間をおいたあと「身内が関係してんのか」と聞いた。

「いや」と私は答えた。

それ以上、亭主はなにもたずねなかった。

四時近くになっていた。ほかの局で特番をやっていたとしても、もうどこも終わるころだ。現時点でわかっている事実関係をまとめますと……。アナウンサーがそういって、事件の経過をくりかえした。現在、病院で亡くなられた方をふくめ死者は十七人、負傷者は四十六人。うち身元判明者は死者十二人、負傷者三十六人。亡くなられた方の身元がまたおひとり、わかりました。宮坂徹さん。四十八歳。

可能性はあった。私が会ったあの女の子の父親である可能性だ。死傷者のなかで、十歳以下の負傷した女の子と四十代の男の姓が一致するケースははじめてだった。もちろん可能性にすぎない。あの父親は無事で、娘がけがをしただけなのかもしれない。ほかに名前のでた女の子は何人かいる。あの爆発現場では、死者の顔までわかる状況ではなかった。私は急いでもいた。だが、それがわかったところでなにになるだろう。いったい私はなにをしているのだ、と思った。たぶん、あの女の子のけがの程度を知りたいのだ。それに彼女が父親をなくしたのかどうか。しかしそれなら、病院か警察をあたればいい。だが、私は記者ではない。身内のふりをして探す方法もある。だが、私は彼女の名を知らない。夕刊には第一報しか間にあわないが、明日の朝刊にはたぶん死者の顔写真はでるだろう。それなら明日を待てばいいのだ。テレビの速報はそこまでカバーすることはない。死傷者が多すぎるし、まだ時間もたっていない。事件の概要さえ、わかったといえるほどではない。しかもその目的と意味についてはいまのところ、まるでわからない。それにテレビは私の計算すべきリスクまで教えてくれない。当たりまえの話だった。なら、いったい私はなにをしているのだ。無意味な時間をすごしビールを飲んでいるのだ。

腰をあげて、勘定、といった。

食堂をでると、陽はすでにかたむいていた。私にとってビールのアルコールはじゅうぶんとはいえない。店に戻るまで待てなかった。途中、酒屋の店先にある自販機でウイスキーの小瓶を買った。自販機に寄りかかりながら、キャップにそそいだ中身をあけた。歩きながら何度か立ちどまり、同じことをくりかえした。部屋に戻ったとき、瓶はからになっていた。

3

六時。

部屋をでて、ドア一枚を隔てた店に入った。いつものように電飾看板を表に運び、スイッチをいれた。店に戻って、ウイスキーをシングルで一杯だけ飲んだ。土曜日の客足はおそい。もう、世間並みに週休二日にすべき時期だった。だがその思いつきも、いまとなってはきのう栓を抜いたビールのように意味がない。そのことをしばらく考えた。警察が注目するその場所の真ん中に私は指紋を残した。彼らが私にたどりつくまでそれほど余裕はない。二、三日か一週間、それとも一ヵ月か。わからない。だがいずれ、必ず彼らは私にたどりつく。私に残された時間は長くない。私の肝臓が破滅にいたる期間より長くない。それだけはたしかだった。晴れた日、私があの公園で酒を飲む姿はだれかが見ている。それも大勢の人間が見ている。その種の日課を私は持つべきではなかったのだろう。だが、偶然との遭遇は予測を超えていた。あるいはこの生活に慣れすぎたのかもしれない。時間がきて、無意識のうちにきょうも店を開けた。私はまだいつものサイクルのなかに生きている。てのひらを眺めた。震えはおさまっていた。この店をはなれるべき時期について考えた。季節はまた、巡ってきたのだ。

私はかつて、この店の客だった。そのころは七十近い老夫婦がふたりで切り盛りしていた。ちょうどその主人がなくなったころである。私は失業していた。そのとき残された老未亡人から、この店をやらないか、と声をかけられた。あんたは信用できるから。彼女はそのころすでに私がアル中であることを知っていた。なのにそういった。三年まえだ。引退した彼女が私の雇用者となり、ふたりで利益を折半することになった。最近は、家賃と必要経費をさし引いたあと彼女に振りこむ月の金額が五万に満たないこともある。つまり私の月収もその程度だということだ。店は厚生年金会館の近く、靖国通りを少し入ったところにある。古めかしいビルの一階で、内装はおそろしくくたびれている。客席はカウンターの十人分とテーブル一席。不景気のさなかだ。この条件で売上げがどのレベルにあるのか、よくわからない。赤字にならないだけでも満足すべきなのかもしれない。ただ、彼女から苦情がでたことは一度もなかった。老夫婦が店をやっていたころ、彼らはこの近くに住んでいた。古くからある家だが土地は広かった。その地上げが彼女には恩恵となった。バブルピークの末期のころだ。この店のあがりは、さほど彼女の興味を引くほどのものではないのだろう。彼女はいま、郊外にアパートを持ち、その近所に住んでいる。彼女の連れあいは理想的な時期に去ったというべきなのだろう。いずれにせよ、私は彼らに感謝している。私の雇用者がもちかけた話は、私にとって幸運以外のなにものでもなかった。かって店の物置みたいに放置されていた四畳ほどの不相応に広いデッドスペースは、私の住居になった。私はここ三年間の居場所を与えられた。それになにより、はじめてひとりで働ける職場を得た。そして私は、正真正銘のアル中になった。

六時半をすぎたころドアが開き、最初の客が顔をのぞかせた。入ってきたのは、ふたりだった。はじめて見る顔だ。この店の客層はゴールデン街のそれに比較的近い。その点、ふたりは異質だった。この仕事を三年やっていれば、客の職業はたいていわかる。だが彼らの場合、そんな経験は必要がないように思われた。ネオンサインを背負って歩くようなものだ。教科書に載せてもいいくらい古典的な風体《ふうてい》だった。そろって頭髪を短く刈りこんでいる。ひとりは私と同じ年ごろでがっしりしていた。白いスーツに白いネクタイをしめている。もうひとりは南国の空を思わせる真っ青なスーツでまだ若く、きゃしゃだった。頬にナイフで彫ったような傷があり、はだけた胸に金の鎖が光っていた。白いスーツの方は左手の指が二本、第二関節から欠けていた。小指と薬指。薬指の欠けているのが不思議だった。

カウンターにすわったふたりは、しばらく店のなかを見まわした。はじめての客がたいていみせるしぐさだ。ほかのだれもが持つ印象を彼らも持ったようだった。ただひとつ、ちがったことがある。彼らはその印象を口にした。

「狭いですね」青いスーツがいった。

「ああ、狭いな。しかもうす汚い」白いスーツがいった。それから彼は値踏みするように私を見た。薄い氷のような目つきだった。

「ケチな店だ。ケチな店にケチなバーテンがいる」

逆の立場なら、私は彼に同意したかもしれない。

「なににしますか」と私はいった。

「ビール二本。それとメニュー」

冷蔵庫からビールをとりだし、栓を抜いた。コップといっしょにカウンターに置いてからいった。

「あいにくメニューがなくてね」

「なら、なにがあるんだよ」青いスーツがいった。

「ホットドッグ」

「ほかには？」

「いや、ホットドッグだけ」

青いスーツが白いスーツを見た。判断をあおぐような顔つきだった。白いスーツは、相変わらずとがった鋭い目つきで私を見すえたまま黙っている。青いスーツがいった。

「なんだよ。バーやってて、つまみがホットドッグだけってか」

うなずいた。

「冗談いってんじゃないだろうな」

「客商売です。冗談はいわない」

白いスーツがやっと口を開いた。「世も末だな。チンケなバーもあったもんだ。ホットドッグとはな」

「店の方針なんです。この単純さを気にいってくれるお客もいる。もし、なんでもそろってるようなところをお望みならここはふさわしいとはいえませんね。新宿は広い。お客さん向けの店なら腐るほどある」

「てめえ、だれにものいってんだ」青いスーツが声をあげた。

白いスーツがさえぎるようにゆっくり手をあげた。その指がそろった方の腕には、手首にロレックスの時計が光っていた。

「まあいい。そのホットドッグをふたつもらおうか」

オーブンレンジのスイッチをいれた。パンを手にとってふたつに割り、バターをひいた。ソーセージに包丁で刻みをいれる。それからキャベツを切りはじめた。やはり手は震えない。きょうも一日、アルコールをコントロールできた。

青いスーツが白いスーツにビールをつぎながら声をかけてきた。

「なんだ、注文があってからキャベツを切るのかよ」

「そうです」

「めんどうじゃねえか」

私は顔をあげた。「めんどうじゃないことをたくさんやるか、めんどうなことをひとつしかやらないか。どちらか選べっていわれたら、私はあとを選ぶタイプでね」

「ややこしいことをいいますね。このバーテン」

「ケチな男だよ」白いスーツが口を開いた。「実際、ケチな野郎だ。けどインテリだな。能書き並べるケチなインテリだ。そんなやつほど話に筋をとおそうとするんだ。おれのいちばん嫌いなタイプだ」

フライパンにバターを溶かし、ソーセージを軽く炒めた。次に千切りにしたキャベツを放りこんだ。塩と黒コショウ、それにカレー粉をふりかける。キャベツをパンにはさみ、ソーセージを乗せた。オーブンレンジにいれて待った。そのあいだ、ふたりの客は黙ってビールを飲んでいた。ころあいをみてパンをとりだし皿に乗せた。ケチャップとマスタードをスプーンで流し、カウンターに置いた。

青いスーツがホットドッグをひと口かじり、無邪気な声をあげた。「へえ。うまいですね、これ」

「ああ」白いスーツがうなずいた。その目からふっと氷が溶け去ったようにみえた。私の思いちがいかもしれない。

「おれの口にゃあわねえが。そうだな、たしかにこりゃよくできてる」白いスーツはそういった。

「それはどうも」

「かんたんなものほど、むずかしいんだ。このホットドッグは、たしかによくできてる」

白いスーツがくりかえした。

彼はしばらく黙ったまま、ホットドッグを食べ続けた。終わると、紙ナプキンではなく、ポケットからとりだしたハンカチで手を拭《ぬぐ》った。ウンガロのハンカチだった。彼はビールをひと口飲んでいった。「なあ、マスター。おまえさん、商売のコツを知ってるな」

「そのわりには流行《はや》っちゃいませんが」

「アル中がバーテンやってんじゃ、まあそうだろうよ」

おどろいて彼の顔を見かえした。それほど効果を信じているわけではないが、店を開くまえに私は口臭防止剤でうがいする。

「においますか」私はいった。

彼は首をふった。「顔をみりゃ、わかる。あんたみたいな顔はあきるほど見てきたよ。程度もわかるさ。もう、いかれっちまうまでそう長くはない」

溜《た》め息をついた。「そうかもしれない」

「ただ、ちょっとちがうかもな」

「最初見たとき、あんたはケチなアル中かと思った。けど、そうでもないかもしれんってことさ。なあ、おれたちの商売わかるか」

「なにが」

「デパートにお勤めですか」

彼はかすかに笑った。はじめてみせた笑いだった。

「冗談が好きなんだな、おまえさん。この店のオーナーか」

「いや、やとわれもんでね。店の名義は私じゃない」

「デパートじゃないけどな。おれたちもまあ、一種の客商売といっていい。少なくとも第三次産業のひとつにはちがいない」

私は黙ってうなずいた。この男は見かけに似あわないしゃべり方をする。彼は、短い時間をおいていった。

「うちはまだ、指定されちゃいないんだ」

「暴対法？」

「そうだ。まだ、中小企業なんだよ。客商売どうしのよしみでひとつ、忠告していいか」

「どうぞ」

「この店、ごへえっていったな」

「そう、吾兵衛。先代の名前でね」

「で、あんたの名前は島村圭介。そうだよな」

「よく知ってますね」

「中小企業が生き残る道は情報しかないんだよ。あんた、おれたちの業界でちょっとした噂になってる」

「それは知らなかった。いつごろから」

「きょうの午後だった。この店とあんたの名前を小耳にはさんだ。もっともごく狭い世間だからな。それほど知ってる人間は多くない。この意味は、わかるか」

「わかりませんね、組関係にはあまり詳しくないから」

組という言葉にも彼の顔つきは変わらなかった。「翻訳すると、それなりにきわどい立場にいるってこったな。ただおれにも、なんでおまえさんの名がこの業界でささやかれたのかがよくわからん」

「中小企業の限界ですか」

白いスーツは、もう一度笑った。

「そうかもしれん。きょう昼に、中央公園でどさくさがあった」

「そうみたいですね」

「あれだけのこった。マル暴の守備範囲じゃない。当然、公安が動く。連中はしゃかりきになるだろう」

「そうでしょうね」

「まあ、こういうときにゃ、だれでもこの近辺で動きにくくはある。たとえ、大手といえどもな」

「その忠告のために、この店に来てくれたんですか」

「いや、顔を一度見とこうと思った。中小企業にゃ、大手のやり方が気になるもんだ」

「顔は見たはずだ。なんで、業界の打ち明け話なんかしたんです？」

「さあな。ホットドッグが気にいったのかもしれん」

白いスーツが立ちあがった。青いスーツも立ちあがった。青いスーツが財布をとりだし一万円札を私によこした。だが「つりはいらんよ」と声をかけた方は白いスーツだった。

彼は私を見つめていた。

「ビール二本とホットドッグふたりぶん。三千円にもならない」

「いい。とっときな」

青いスーツがドアを開けた。白いスーツはまだ私を見ていた。

「もうひとつ、忠告してやろうか」

「どうぞ」

「客商売なら、着るもんにゃ気を配った方がいい。そのセーター、肘《ひじ》んとこに穴があいてる」

「それはどうも。気がつかなかった」

「おれは浅井ってんだ。興和商事の浅井志郎。また会うことがあるかもしれん」

「覚えておきます」

「ホットドッグ、うまかったよ」

　ふたりは出ていった。

　カウンターをかたづけたあと、ウイスキーをシングルで一杯飲んだ。それから、トイレの横の事務室というプレートのかかったドアを開けた。私の部屋だ。片隅につみあげた衣類の山から新しいセーターを探した。二週間ほどまえ、コインランドリーで洗ったものが見つかった。それに着替えた。浅井と名乗った男の忠告は、たしかにまっとうだった。少なくともひとつは。もうひとつはよくわからなかった。

　店に戻って、そのひとつをしばらく考えた。きょうの午後、と浅井はいった。結論はひとつしか考えつかなかった。ここはすでに聖域ではなくなっている。つけられたのだ。

　それからしばらく客はとだえた。八時過ぎ、近所のファッションビルに勤める店員が三人やってきた。二丁目から、おかまのヨシコも顔をみせた。いま、閑古鳥が鳴いてんのよ。彼女はそういって、ホットドッグを三本つめこみ、それでもあわただしく帰っていった。

続いて広告デザイナーをやっている女性客があり、医学書を専門に発行する出版社の編集者ふたりがやってきた。みんな顔なじみの客だった。おたがいどうしゃべっていた。そろって中央公園の事件を話題にした。まあ、過激派のしわざだろうな。みんながそういった。どのセクトによるものかが主要なテーマで若干の論議が交された。私が知っている以上の新しい情報はだれも持ちあわせがないようだった。客がいるあいだは飲まなかった。私にできることをやり続けた。ビールの栓を抜き、氷を砕き、ホットドッグを焼き続けた。

客はそれだけだった。一時過ぎになった。最後の客が帰って二十分たった。そのあいだ、客のひとりが残した夕刊を読んでいた。活字だけは大きいが、テレビで知った以上の情報はなにもない。新聞を折りたたんで腰をあげた。店を閉めるころあいだった。またウイスキーを一杯だけ飲んで、閉店の表示板を手にとり、電飾看板をとりこむために表にでた。

腹に重い衝撃を受けた。続いてこめかみに打撃がやってきた。身体がふたつに折れそうになった。なんとか耐えると、背中から腕が伸びてきた。私を組みこもうとする腕だ。鋭角にした右腕にはずみをつけ、上半身といっしょに肘をうしろに突きだした。かすかな呻《うめ》き声があがった。私は横へすり抜けるように動いた。まだ基本的なステップは身体が覚えていた。距離をとることに成功して、周囲を見まわした。三人の男がいた。はじめて見る顔ばかりだ。二十代かせいぜい三十代前半。浅井という男がいった大手なのかもしれない。全員が黒っぽい地味な服を着ていた。少なくとも、見える範囲では武器を手にした様子はない。彼らの目的がわからない。

いずれにせよ、私に勝てる見こみはまずなかった。くたびれきったアル中の中年に勝てるわけがない。それでも私は姿勢を整えた。あごをひいて、拳《こぶし》をかまえた。ボクサー崩れか、このおっさん。そんな声が聞こえ、すぐに彼らは襲ってきた。ひとりが腕をふりまわしてきた。素人だな、と思った。パンチは腰で打つという基本を知らない。スウェイして左の拳を短く突きだした。重要なのは左のリード。あごにきれいにヒットした。次に右。腹に入った。拳がのめりこみ、呻き声があがる。直後に身体をひねって次の男にまた左でフェイントをかけた。のけぞった男の股《また》ぐらを膝《ひざ》で蹴《け》りあげた。男は叫びながらしゃがみこんだ。その腕をつかんでねじりあげ、膝にたたきつけた。骨の折れる音が響きわたった。その瞬間、うしろから最後のひとりが突っこんできた。男の頭をかかえこみ、いっしょに倒れこんだ。それが失敗だとわかったのは、だれかにあばらを蹴りあげられたときだった。今度はこたえた。息がとまった。地面に横に転げまわりながら、これまでだなと思った。実際、そのとおりになった。内臓を守るため、身体をエビのように折り曲げた。すぐに革靴がうなりをあげてとびこんできた。全員がゆっくり態勢を整えて私を蹴りはじめた。革靴が肉にくいこむいやな音がした。すでに私は静止したサッカーボールと変わりがない。それていねいな連中だった。無傷な部分をどこにも残したくないと考えているやり方だ。それがどれくらい続いたのかはわからない。だんだん痛みを感じなくなりつつあった。血の味が口のなかにあふれた。殺されるかもしれない。はじめてそう思った。彼らにその意志がなくても限度を知らなければ、そう長くはもたない。そのときふいに、ストップ、という声が聞こえた。私が見た若い男たちの声ではない。五十代くらいの男の声だった。同じ声がやがて静かに上から降ってきた。

「これは警告なんですよ。いいですか。全部忘れることですね」

その言葉づかいのやわらかさが意外だった。私はやっとのことで声をだした。「なにを忘れるんだ」

「全部。きょう、君が見たかもしれないこと全部」

「私がなにを見たというんだ？　なにも見ちゃいない」

「それでいい。君はなにも見なかった。よけいなデマをまき散らすと、この次はもう少し危険な目に会うかもしれない」

「そういうことか。それにしちゃ、やり方が陳腐すぎるようだ」

「へらず口をたたくのは、承知してからの方がいいんじゃないかな」

「オーケイ」私はいった。「私はなにも見ちゃいない」

「君も無能ではないようだ。一応、警告はしましたよ」

だれかが私をひと蹴りした。力の入ったキックだった。私に腕を折られた男かもしれない。同じ足が執拗《しつよう》に私を蹴った。別のだれかがそれをとどめる気配があった。それから遠ざかっていく乱れた足音が聞こえた。私は長い時間、そのままじっとしていた。コンクリートのにおいをかいでいた。その冷たさが身体の奥に沁《し》みいってきた。肘で上半身を起こそうとした。じりじり力を加え、身体半分起きあがった。またしばらくそのままじっとしていた。それから片膝を立て、腕の反動で一気に立ちあがった。地面が揺れた。もちろん私の身体が揺れたのだ。よろめきながら店に戻った。タオルを探す余裕はなかった。カウンターにあった紙ナプキンを水で濡《ぬ》らし、顔中に貼りつけた。部屋に戻ろうとしたが、そのまま床に崩れおちた。意識がどこか遠くへ去っていく寸前、私は笑ったように思う。きょう一日で、忠告と警告のふたつを受けた。爆発と爆死者を見た。奇妙な一日だったと思った。女の子の言葉が甦《よみがえ》った。お酒なんか関係ないもん。いや、関係あるさ。私はつぶやいた。あんな連中に勝てなかったんだ。

直後に、世界がブラックアウトした。

4

目だけがうっすら開いた。視界に現実がぼんやり戻ってきた。うす暗い蛍光灯の光が目に入った。私は仰向けになって転がっていた。大型のゴキブリが一匹、顔の横をはっていった。視線を巡らすと時計がみえた。十時を少しすぎている。少なくとも体内時計は狂ってはいなかった。いつもどおりの起床時間だ。よろよろと起きあがった。身体が古綿でできているような気分だった。それでも起きあがることはできた。テーブル席の椅子にすわり裸になった。身体の動きを試してみた。機械を点検するようにていねいに動かした。いたるところに激痛が走る。だが外傷は華々しいものの、どうやら骨の折れたようすはない。脱臼《だっきゅう》もない。内臓もくたびれてはいるが、一応機能しているように思えた。てのひらを見つめた。震えていた。それは、一日が正常にはじまるしるしのようにも思われた。ウイスキーの瓶を手元に引きよせた。グラスにそそぎ、ひと息にあおった。すると今度は、痛みに似た空腹がやってきた。きのうの朝からなにも食べていないことを思いだした。

トイレで排尿してから鏡を見つめた。紙ナプキンが顔中に貼りついている。ゆっくりはがし顔を洗った。紙を洗いおとすと、傷だらけの顔が鏡のなかにあった。眼のまわりは黒い染みがおおっている。部屋でサングラスを探した。私は二十年ほどまえ、いつもサングラスをかけていた。その名残りだ。サングラスを絶やすことだけはない。それから表にでた。道ばたに転がっていた閉店の表示板を拾いあげ、ドアのノブにひっかけた。だれかが見張っているのかもしれないが、周囲は見なかった。いたとしても別にかまわない。めんどうを日中に起こそうと考える人間はいないはずだ。少なくとも民間人には。それに彼らはもう警告の仕事だけはじゅうぶん果たした。

きょうもよく晴れていた。歩き方を試してみる。ひどい痛みが両足のふくらはぎに走ったが、それ以外、歩行の障害はないようだった。朝の光のなかをゆっくり歩いていると、その痛みもやわらいでいくように思えた。日曜日の靖国通りは閑散としている。クルマも人出も少ない。陽射しはきのうと同じ朝の光のはずだが、どこかちがってみえた。それからようやく気づいた。サングラスのせいだ。地下鉄の三丁目までたどりつき、キオスクの朝刊を二紙買った。馴染《なじ》みのない牛丼屋に入り、大盛とビールを注文した。店員も客もだれも私に注目しない。私のような人間は見あきているのだろう。

新聞を開いた。きのうの夕刊と同じ大きな活字がまだ躍っていた。『新宿の爆破事件、死者十八、負傷四十七。週末の公園、白昼の惨事』。一面には死者の顔写真が住所、職業とともに載っていた。ひとりだけがまだ身元不明だった。縦に並んだ写真の最初に私の知った顔があった。私が見た、腹にたれた腸を抱きかかえていた男だった。佐田昇（三六）。

化学メーカーに勤める会社員。知った顔はもうひとつあった。彼とは短い会話を交した。あの女の子の父親だった。彼女はやはり父親を失っていた。宮坂徹（四八）。警察庁警備局公安第一課長・警視長。警察庁？　サブ見出しのひとつが目に入った。『死者に警察庁幹部、過激派の犯行か』。社会面を開いた。顔写真はないが、負傷者が収容病院別に分類されていた。すべての名前に目を通した。宮坂まゆ（六）。その名は、東陽医科大学付属病院の項目で別の何人かといっしょに並んでいた。全治三週間。住所は公安課長と一致していた。横浜市緑区。ビールの追加を注文した。十月に飲むには冷えすぎたビールだったが、ひと息にコップ一杯を飲んだ。マスコミ向けの全治三週間なら、たぶん予後を心配するほどではないだろう。ただし、精神的な損傷を除いての話である。彼女は父親を失ったのだ。バイオリニストになる夢。それもなんらかの影響は受けるかもしれない。私は自分が両親をなくしたときのことを考えた。彼女よりふたつ上のころだった。ふたりとも半年のあいだに続いて病気で死んだ。それだけだ。ほかにはなにも覚えていない。顔も忘れた。彼女が忘れるのは、いつのころだろうと思った。

私は一面を表に戻し、記事に目をとおした。

警視庁は昨日昼過ぎ、新宿署に刑事、公安両部合同の「新宿中央公園爆破事件特別捜査本部」を設けて本格的な捜査を始めた。捜査本部では目撃者探しに全力をあげるとともに爆発物の分析を急いでいるが、死者に警察庁幹部・宮坂徹さんがふくまれていたことに大きな衝撃を受けている。捜査本部は同日午後五時からの記者会見で、百人を超える目撃者から話を聞いていることを明らかにした。発表によると、グレーの大型の旅行鞄《かばん》が通称「ナイアガラの滝」下付近に置かれていたとのことで、十人以上の目撃者の話が一致している。もっとも早い時点では午前七時ころ、近くのホテルに宿泊していたジョギング中の米国人ビジネスマンが確認。この場所にはコンクリートの地面に直径約五十センチの穴があいていた。爆発物が同地点に長時間にわたって置かれていたことから、捜査本部は故意による爆破犯行と断定した。

警察庁幹部が死亡していることから爆破は過激派によるものとの見方が強いが、警察庁幹部を狙ったものか無差別テロか、目的は絞り切れていない。特定の個人を狙った犯行なら住居などを対象とするはずで、爆発物設置状況がやや不自然との理由からだ。また当初、東京地検特捜部が解明をすすめている一連のゼネコン疑惑との関連で地下鉄工事施設を狙った犯行との見方も一部にあったが、同工区を請け負う共同企業体（ＪＶ）を構成する建設五社のほとんどが名前を取り沙汰《ざた》されておらず、犯行目標とする理由にとぼしい。さらに爆発物を容易に設置できる隣接場所があるにもかかわらず、この点が無視されているため、当局はこの見方には否定的だ。こうした事情から、捜査本部は無差別テロ、警察庁幹部・宮坂さんを狙った犯行の両面から主に捜査をすすめるが、特に爆破が時限式か遠隔操作によるものかが重要なカギとなるため遺留品探しに全力をあげるとしている。ただ過去の国内のテロ事件では、遠隔操作によるものは事例がない。爆発物は警察庁科学警察研究所が分析中だが、火薬製造関連の民間企業にも問い合わせがあった模様だ。このことから爆発物は従来、過激派が主に製造、使用した事実のある塩素酸塩系火薬やダイナマイト以外のものであることも考えられる。なお専門家によれば、爆発物はその被害状況からみてダイナマイトにすれば約四十キロ、四百本以上に匹敵すると指摘している。

私は一時間かけ、記事のすべてを丹念に読んだ。もう一紙も読んだ。記事の内容はほぼ同じだった。『のどかな週末、一転。愚行にやりきれない怒り』の記事があり、『犯人検挙に全力。警視総監、異例の声明』の記事があり、『係官悩ます爆破事件捜査。遺留品がほぼ消滅』の記事があった。見出しどおり、雷管や起爆装置はいまのところまだ発見されていない旨を伝えていた。社会面で焦点となっているのは、宮坂徹という警察庁の公安課長だった。経歴を見る限り、彼はエリートコースを寸分の狂いもなく歩いていた。記事は周辺の話が主体で、死者への礼儀を割り引いてもその評判は悪くなかった。警察官僚を思わせないやわらかなもの腰。礼儀正しさ。私が公園で話したときの印象と同じだ。「娘さんと仲がいい方でした。奥さんが数年まえになくなられてから、いっしょに散歩したり、お出かけになる姿をよく見ましたね」近所の主婦が話していた。「ただ、警察の方だなんて思いもしませんでした」たしかにペーズリーのアスコットタイを身につける警察官僚は想像しにくい。だがなぜ、きのう新宿の公園にいたのかは不明だった。負傷したその娘自身が語った話も表にはでていない。

記事は、私が会った茶髪の布教者には触れていなかった。病院に収容された重傷者の話もほとんどない。社会面は主に犠牲者遺族、数少ない軽傷者、公園にいあわせた目撃者の話で構成されていた。都庁の四十五階にある展望室にいた観覧客の話もあった。その高さは二百二メートルとある。それなら公園のすべてを俯瞰《ふかん》できたはずだが、客たちは地響きと大きな揺れから地震ではないかと思い、全員がパニックに襲われたという。足元の事件に気づき、公園に面した東側窓に群がったのは爆発後数分たってからだった。向かいにあるホテルの高層階にいたものも同様だった。二紙の記事のすべてを読むと、主要なポイントにはフェンスがはりめぐらされている。警察組織の慣習であり、彼らにとって当然の処置だ。ほかにも伏せられた情報は少なくないだろう。記事はスペースのわりに、内容は希薄だった。いまのところ、情報管理については当局が砦《とりで》を固く守っている。この種の刑事事件で報道が先行できるケースは多くない。

ぼんやり考えていた。それから、ようやく店員が私に注目しはじめたことに気づいた。牛丼の大盛を半分残したまま、新聞をつかんで席を立った。また時間をかけて歩いた。店に戻って、ドアを開いた。消したはずの蛍光灯がついていた。

客が私を待っていた。

客はカウンターの椅子にすわり、タバコを吸っていた。私を見ると立ちあがった。私と同じくらい背がある。私は百七十五だ。しかし、体重は私の半分もないように思われた。それほどほっそりしていた。最初は少年かと思ったが、そうではなく女の子だった。頭はショートカットで、この季節だというのに黒いタンクトップのシャツを身につけ黒いジーンズをはいている。二十歳前後といった年ごろだ。店のドアに鍵《かぎ》をかけなかったな、と思った。しかし、もともとかける習慣などないのだ。盗まれるものはなにもない。

私の顔を見ると、彼女は「あなた、けがしたの?」いきなりそういった。

「どこで会ったかな」私はいった。彼女は店の客としてやってきたことはない。少なくともいままでは。

「ううん、はじめて」彼女がいった。「ねえ、けがしたの」

「そんなふうにみえるのか」

「みえるわよ。だれだってわかるんじゃないの、そんな腐ったリンゴみたいな顔をしてれば。けんかでもしたの」

「まあ、そんなところだ。君はだれなんだ」

彼女は腕を組んで、私を見つめた。タバコの煙をゆっくり大量にはきだした。それが巨大な固まりとなって流れ、私を包んだ。ほっそりした身体つきながら、肺活量だけはたいしたものだった。

「あなた、菊池さんでしょ。菊池俊彦。いまは島村圭介ともいうらしいけど」

私は彼女をじっと見つめた。この二十年あまりではじめて、私の本名を口にした女の子を見つめた。

「いまどきの女の子は、質問に質問で答えるのか。君はだれなんだ」

「名前は、松下塔子」

私は手をさしだした。「身分証明書」

「ふうん。あなた、お客にいつもそんな失礼なことをいうの」

「いまは閉店中なんだよ。君は客じゃない。侵入者なんだ」

「注意深いのね。ぬけた顔をしているわりには」

苦笑した。彼女はその私を見つめニヤリと笑うと、おとなしくバッグから紙片をとりだした。さしだした私のてのひらに乗せる。上智の学生証だった。名前は彼女のいうとおり。住所は渋谷の上原。一九七二年一月生まれ。二十一歳。

学生証を彼女にかえした。「もし、私が人ちがいだといったら？」

「人ちがいじゃないわよ。いまのあなたの笑い方ではっきりしたから。まったくノーテンキな笑い方。母がいったこと、全然正しかったわね。母の話よりお釣りがくるくらいノーテンキ」

「母？」

「園堂《えんどう》優子。旧姓だけどね。園堂は公園の園に、お堂の堂。覚えてるでしょ」

私が彼女をもう一度、黙ったままじっと見つめていると、彼女は口をとがらせた。

「そんなに見つめないでよ。男に見つめられるのはなれてるけど、無神経に見つめられるとぶん殴りたくなってくるのよ」

「お母さんのことは覚えているよ」と私はいった。

「当たりまえじゃない。いっしょに暮らした女のこと忘れるようじゃ、パーじゃない。それともあなた、数えられないくらい奥さんもらったの」

「いや、共同生活を経験したのは一度だけだ」

彼女は手元にあった灰皿でタバコをもみ消した。細い指がショートホープをフィルターのところできれいにふたつに折った。

「母とあなたが暮らしたのは、三ヵ月だけでしょ」

「そう、その三ヵ月だけだ」

「サングラスをとりなさい」彼女がいった。

「なぜ」

「けがのぐあいをみてあげる」

「いいさ。ほっときゃなおる。こういうのは、なれてるんだ。君が男に見つめられるくらいにはなれてる」

「ふうん」彼女がつぶやいた。「こんな都会じゃ、あなたみたいな野蛮なタイプは絶滅したと思ってた」

「こんな都会だから、まだ生きのびてるんだ。ゴキブリをみればわかる」

「母は、あなたは身体だけは頑丈だっていってたわね。頭より身体、それにへらず口だけがとりえだって」

「私もそう思う。しかし、なぜこの店を君が知っている」

「母が教えてくれたの」

一瞬、声がでなかった。優子がこの場所を知っていた……。しばらくしてから私はいった。

「お母さんは、なぜこの場所を知っていたんだ」

「クルマで靖国通りをとおりかかったとき、偶然あなたを見かけたんだって。それで、クルマをとめてつけたのよ。店に入るのを見て、吾兵衛って看板をたしかめた。しばらく待ってたら、お客が出入りしはじめた。そのひとりに人相、風体を聞いたら、あなたがバーテンなんだとわかった。名前も気楽に教えてくれたって」

溜《た》め息をついた。私はある種のガン患者と同じだった。周囲がすべてを知っているのに、私だけがなにも知らない。

「変な親子だな。母親が娘にむかしの男のことを話して聞かせるのか。それで、お母さんはどうしている？」

「あなたが持ってる新聞に載ってるわよ」

新聞にあった爆発事件の負傷者一覧を思い浮かべた。その名はきのう、テレビのテロップでも見た。四十四歳。

「松下……、松下優子？　あれは彼女のことなのか」

彼女はおどろいたように私を見かえした。

「そう。負傷者の名前なんかよく覚えてたわね」

「ただ重傷とだけでていたが、けがのぐあいはどうなんだ」

「死んだわ。けさがた」

私は沈黙した。静寂が訪れた。吹いていた風がぱたりととだえる、そんな静けさだった。部屋の温度がいくらかさがったように思われた。人が死ぬことに私はなれていた。だが、それは思いちがいにすぎなかったかもしれない。カウンターのうしろにまわった。ウイスキーの瓶を手にとった。グラスにそそいだとき、瓶の口が震えた。グラスのふちと触れあい、カタカタ音をたてた。私はウイスキーをすすった。いつもとちがう味がした。まったく別のなにかを飲んだ気分だった。ウイスキーは金属の錆《さび》のような味を残し、腹の底に沈んでいった。ふたたび口をつけた。グラスはからになった。

彼女は観察するように私を見つめていたが、やがて口を開いた。

「手が震えているのは、ニュースを聞いたからだけじゃないみたいね」

「持病なんだ」

「アル中って、病気なの？」

きのう、私も同じことを考えたなと思った。二杯目のウイスキーをグラスについだ。

「それにしても、君はずいぶんおちついているんだな」

「死んでから六時間たつわ。お通夜や告別式のことを相談しなきゃいけなかったのよ。あれは便利な制度よね。あれは人が死者のことをしばらく忘れるようにできている制度だってわかった」

私は目をおとしてグラスを眺めた。そのまま黙っていた。少したって、彼女の声が聞こえてきた。

「母がいってたわよ。何度も聞いたことがあるの。あなたはノーテンキだけど、精神的な打撃に弱いタイプだって。だから逃げまわってるんだって。もう七一年の事件は時効になってるのに」

「ちょっと待ってくれ」私は顔をあげた。「君は母親が死んだばかりだっていうのに、なぜ、そんなときにここにいるんだ」

「いい質問ね」彼女がいった。「母の死をあなたに伝えたかったのよ。ノーテンキな男に伝えなきゃと思った。なぜだかわからないけど、そうしなきゃと思ったのよ」

「それだけか」

「それに知りたいこともある」

「私の方もそうだ。しかし、時間がない。実はすぐにもここは引きはらうつもりだった。理由があって警察がやってくる。早ければきょうあたり、やってくるかもしれない」

「やってくるのは公安？」彼女が聞いた。

「いや、いまはもう、公安とは限らない」

そのことは駅からの帰りにずっと考えていた。朝刊を読んで事情が変わった。十八人が死んでいる。いや、いまは十九人。そのひとりは警察庁のキャリアだ。警察組織すべてにわたる問題だった。浅井がいった、しゃかりきになる以上のことを彼らはやるだろう。すでにやくざが知っている。やくざが知っている以上、いずれ四課が知る。指紋が割れ、いまの私と菊池俊彦がつながるのはもう時間の問題だった。それも決して長い時間ではない。さらにいま、新しい事情が加わった。園堂優子が私のことを知っていた。ひとりが知っているということは、複数が知っているということだ。事実かどうかの問題ではない。それは私の生活が前提にすべき鉄則だった。実際、目のまえにいる優子の娘が知っている。

「なぜ、警察なんかがいまごろやってくるのよ。あなた、あの事件に関係してるの」

「いい質問だ」私はいった。「実は事件当時、現場近くにいた。私は外野のひとりにすぎないんだが、近くに指紋を残した。ただ、いまは詳しい話をする時間がない。君の電話番号を聞いておく」

「あなたはどうするのよ」

「君が知る必要はない。気を悪くしないでくれ。知っていると君に迷惑がかかる可能性がある。私はそっちの方の専門家なんだ」

「ずいぶんぬけたところのある専門家のようだけど」

「認める」私はいった。たしかに反論の余地はない。

彼女はカウンターのメモ用紙をとりあげようとした。

「書くな」強い声でいった。

彼女は怪訝《けげん》そうに私を見た。

「なにも残したくないんだ。口でいってくれ」

彼女が告げる電話番号を記憶してから私はいった。

「君はこの店に入ってからどこに触った？」

「指紋のことをいってるの」

うなずいた。指紋を消せば、もちろんあとが不自然にはなる。だが彼女のものが残るよりましだろう。警察は必ず、ここの指紋はすべて採取する。そして、園堂優子の娘がここに客としてやってきたとは、彼らは絶対に考えない。

「指紋を消す必要なんかあるの」

「公安が私のことをすべて知っている。私と君のお母さんの関係も知っている。よけいな疑いのかかる要素はすべて排除しておきたい」

事件の規模を考えれば、この店にやってきた客のすべてに関係者指紋を警察が要請する可能性がある。やはりとり除いておく必要はある。ウォッカの瓶を選び、ダスターをその中身で濡《ぬ》らした。アルコールの効果は一般に知られているものだけではない。指紋を消す場合にも発揮される。それを使い、彼女が黙って指さすところをすべて拭《ぬぐ》った。カウンターのふち、スツールの背、電灯のスイッチ。彼女は私の部屋のドアのノブも指さした。

あきれて彼女を見た。「私の部屋までのぞいたのか」

「この世界で最悪の場所を見たような気がするわ、私。あれなら地獄の方がいくぶんマシなんじゃないかしら」

頭をふってドアのノブを拭い、最後にタバコの吸殻をポケットにいれ、灰皿を水で流した。

作業が終わると私はいった。

「病院に戻らなくていいのか。お母さんのところへ」

「母の遺体は司法解剖の最中なの。あすの朝までには戻るそうだけど。実は、祖父は阻止しようとしたのよ。それでも無駄だった。祖父が何者かは知ってるでしょ」

そうだった。園堂雅衛《まさえ》。大蔵省出身で通産大臣とほかの大臣をふたつかみっつ経験した。

いまはリベラルな長老の衆院議員として世間に知られている。その家が松濤《しょうとう》にあることは知っている。彼女の住む上原からも近い。だが、その父親の権力さえ効果を発揮しなかった。この事件への警察組織の力の入れ方は想像がつく。

「聞いておきたいんだが、彼女の負傷はどうだったんだ。つまり、けがのぐあいってことだけど」

「内臓破裂。両足切断」彼女は事務的な口調でいった。「けさ再手術の必要があったの。で、身体がもたなかった」

彼女は私を見つめた。そのとき突然、その目に涙の粒がふくれあがった。みるみるうちにそれは表面張力の限界を越えた。頰に流れ、尾を引いて静かにおちた。まっすぐおちていった。私は黙ったまま、それを眺めていた。園堂優子。彼女もこんなふうに泣いたことがある。ただ一度だけ泣いたことがある。ぼんやりそんなことを考えた。やがて、彼女が私を見つめていった。すでにおちついた声音に戻っていた。

「なぜ、母があんな目にあわなきゃいけないの。これがどういうことなのか、あなた、教えてくれる？」

私は答えた。

「私もその理由を知りたい」

「君はきょう、時間がとれるか」

「いつごろ？」

「できれば、暗くなってから」

彼女はうなずいた。映像のカットが切りかわるように、涙のあとは消えていた。すみやかな回復は彼女の能力のひとつかもしれない。新しいショートホープをとりだし、ジッポのライターで火をつけた。「いいわ」彼女はいった。「お通夜はあすになるし、弔問客もどうせ、私と関係ないもの。たぶん、祖父の秘書が相手するでしょう」

「弔問客のほかに警察の相手をする必要もある。秘書にはできない」

彼女は首をかしげて私を見た。

「だって、きのうの夜、病院で刑事にはもうずいぶんいろんなこと聞かれたわよ。母が瀕《ひん》死《し》状態だっていうのに。母が公園に行った理由はなにか。だれかと約束があったのか。ほかの犠牲者の名は知らなかったかとか。そんなことばかり。なにも知らないといったら、心当たりはないか。最後に会ったのはいつか。祖父はいなかったけど、あれならあちらにもたぶん警察はいったでしょうね。私の方は、ねちっこい質問ばかり受けたけど、まあ、現職議員の身内への遠慮はあったみたい。言葉づかいがひどくていねいだったから」

「君はどう答えた？」

「なにもわからない。だってそのとおりだもの。もちろん、あなたのことは話しちゃいないわよ」

「最後に会ったといったが、君はひとり暮らしなのか」

「そう。母もひとりで青山に住んでいた。まだ、警察は私のところにやってくるの？」

「当たりまえだ。それが連中の仕事なんだ。公平にみて、彼らはそれなりに優秀だし使命感もじゅうぶんにある。君の母親は被害者なんだぜ。それも、もう負傷者じゃない。おまけに私とかかわりのあることを彼らは知っている。あるいはもうすぐ思いだす。事件で彼らが何百人に話を聞いているか知らないが、彼女はいちばん興味を持たれる被害者のひとりなんだ。とくに君は注目される。君は君の母親ともっとも身近な関係を持っていた人物だ。それに現職の国会議員より、君の方が接近しやすい」

彼女は、しばらく考えていた。

「ねえ、あなたがよければ、私の部屋にこない？」

「だめだ。また警察がやってくる」

「ううん。彼らは知らないのよ。きのう聞かれたけど、実家の方の住所を答えておいたから、いまはまだ私の部屋は知らないはずなの」

少しのあいだ考えた。リスクのもっとも少ない方法を考えた。彼女のいうとおりなら、きょう一日くらいはもつかもしれない。いまは危険が皆無という方法はなにもない。

「わかった。七時にたずねていっていいか」

彼女は微笑を浮かべた。「どうやら、ウイスキーを買っといた方がいいみたいね」

「そうしてくれれば助かる」正直にいった。「それから、君がここを出てからのことだが」

この店を出たあと、どうふるまうべきか説明すると、彼女は煙をはきだしながら溜《た》め息をついた。

「そんなバカなことまでしなきゃいけないの」

「そのバカみたいなことを私がやらなかったおかげで、この場所を知った人間がいる。だれだかわからない。理由もわからない。だけど私はつけられた。うかつだった。散漫になっていたんだ。この生活に慣れすぎたせいかもしれない。いまだって、ここは見張られている可能性はある。思い過ごしかもしれないが、注意するに越したことはない。それに君にいま説明したのは、いわばマニュアルのダイジェスト版なんだ」

「あなたをつけたのは刑事じゃないのね」

「もしそうなら、私はもう引っ張られている。連中はどんな理由だって創作できる」

「わかった」彼女はいった。「すぐ行動した方がいいみたいね」

私がうなずくと、彼女はドアに手をかけふりかえった。

「ウイスキーの銘柄はなにがいいの」

「なんでもいい。アルコールさえ入っていればいい」

彼女はまた微笑を浮かべた。男たちが彼女を見つめる気持ちがわかるような気がした。

彼女はタバコを口にくわえると、あとをふり返りもせず店を出ていった。たしかに行動的だ。

十五分待った。そのあいだ、ウイスキーをダブルでゆっくり飲んだ。てのひらを眺めた。まだ、震えは残っている。優子のことを考えた。ぼんやり彼女の顔が浮かびあがり、消えた。二十年以上まえのその表情。私は頭をふって部屋に入った。久しぶりのコートに腕をとおし、時計を身につけた。売上げをすべてポケットにいれた。最後に封を切っていない瓶を紙袋につつんだ。それだけを抱え、表のドアのノブをダスターで拭った。店をでたときは一時を少しまわっていた。ここに戻る可能性は低いが、それでもドアに鍵《かぎ》をかけた。

まわりは見なかった。新宿三丁目まで歩き、改札を入る。ホームに入線した新宿行きの地下鉄に乗った。ドアが閉まる寸前、こじあけるようにして降りた。すぐに反対方向からやってきた丸ノ内線に乗った。池袋で降り、西口のデパートに入った。日曜の店内は混雑していた。エスカレーターで六階まで登ると、見当をつけたエレベーターまで足早に移動した。ふたたび一階まで降りていくエレベーターのなかは買物客だけのようにみえた。入ったところとは別の通路から出て上野回りの山手線に乗った。次に降りた東京駅では銀行のATMから預金のすべてをおろした。十二万五千円。それが私の全財産だった。しばらくのあいだ、広い地下街を歩いて時間をつぶした。ウイスキーを飲みたかったが、欲求に耐えた。もう一度、丸ノ内線に乗り、今度は赤坂見附のホームに降りた。半蔵門線の永田町への連絡通路は人通りが少ない。はじめてうしろをふりかえった。視界には中年の女が三人、礼服を着て風呂敷《ふろしき》を持った男が数人、それに高校生らしいグループがいる。それだけだった。表参道まで半蔵門線で移動した。そんな手間をかける必要はないのかもしれない。だが、私のなかにはいつのまにか二十年あまりまえの習慣が甦《よみがえ》っている。

駅を出て、公衆電話のボックスに入った。期待してはいなかったが、番号案内はあっけないほどかんたんに教えてくれた。その番号を押すとぶっきらぼうな男の声が単語だけで答えた。

「興和商事」

「浅井さんはいるかな」と私はいった。

「だれだ、あんた」男がいった。

「島村」

「いま、社長はいないよ」

「何時ころ帰る？」

「さあ、わかんねえな」

「じゃあ、浅井さんといつもいっしょにいる若いのを頼む。たいてい派手な青いスーツを着てる若いの。名前は忘れたんだが」

「青いスーツ？　望月さんか」

私の投げた球は的外れでもなかったらしい。いつも彼はあの種のスーツを着ているのだろう。「そう、望月」と私はいった。

「あんた、島村といったな。どこの島村なんだ」

「吾兵衛の島村といってもらえればわかる。重要な用件なんだ」

コードレス電話の移動している気配があった。音の流れが変わっていく。かすかなざわめきが届いてきた。だれかの声が、十本いれてくれ、といった。アウト、と叫ぶ別の声も伝わってきた。

しばらくたって、あの青いスーツの声が聞こえた。怒鳴っていた。こっちの方へ持ってくるなといったろ。それから同じ声が受話器をとおし、耳に入った。「きのうのバーテンか？」

「そうだ。浅井と話がしたい。やつはいつ帰る？」

「……おまえんとこじゃ、客を呼び捨てにすんのか」

「もう客じゃない。店はきょう、たたんだ」

望月という男は沈黙した。次にしゃべりはじめたとき、探るような声音に変わっていた。

「こっちから電話いれてやるよ。店にいないんなら、そっちの番号教えろ」

「私には連絡をつける方法がない。六時ごろ、もう一度電話する。もしつかまったら浅井にそう伝えておいてくれ」

そのまま受話器を置いた。テレホンカードを忘れないようにとの警告音を聞きながらしばらく考えていた。もう一度カードを差しこみ、一〇四を押した。その番号にかけると、また、ぶっきらぼうな男の声が答えた。日曜に働く男たちは、すべからくぶっきらぼうになるよう宿命づけられているのだろう。

「はい、週刊サン編集部」

「デスクの森さんをお願いします」

「失礼ですが」

「島村といいます」

今度は保留音がなった。森とは、私がまだ私の店の客だったころからの顔見知りだ。彼はいまも私の店の常連だった。たいてい火曜の夜にやってくる。ときには月曜遅く。週刊サンの発売日は木曜だ。彼は、私が客相手の言葉づかいをしない客のひとりだった。

森の声がした。「島さんか。珍しいな、なんか用かい」

「いま、いそがしいんだろうな」

「ああ、例の新宿の件でな。おかげできょうも徹夜だよ。で、用件は？」

「爆発事件じゃその後、なにか新しい情報は入ったのか」

「まあ、少しは。きょうもこれから新宿署で記者発表がある。連中がどれだけ表にだすか、見ものではあるな」

「週刊サンもだれかでるのか」

森の笑い声がした。「週刊誌が売れるのは、なにが理由だと思う？　記者クラブに入ってないからなんだぜ。官製発表を載っけるだけなら、新聞とってる連中はだれも週刊誌なんざ買やしないさ」

「しかし、基礎的な情報はいるだろう」

「共同からすぐ流れてくる。それでじゅうぶんだ。おれたちは付加価値だけで勝負してるんだ。なんか、あの事件で知りたいことがあるのか」

「いや」と私はいった。「それには興味がない。実はやくざといざこざがあってね。あんた、組関係に詳しいか」

「おれはそっちの方はだめだな。ただ、ひとり詳しいのがいるよ。フリーのスタッフだけど、いま席にいる。直接、話するか？」

できればそうしたい、と私はいった。森とのあいだでは話が早い。あるいは時間を無駄にしたくないのかもしれない。おーい、松田ぁ。叫ぶ森の声が聞こえた。おれの知りあいなんだ。やっちゃんのことでなんか聞きたいそうだ。なんでも教えてやってくれ。

「お電話かわりました。松田裕一です」礼儀正しい声がフルネームで答えた。

「島村といいます。松田さんは暴力団関係に詳しいそうですね」

「いや、それほどでも。どういうご用件でしょう」

「ある組について知りたいんですが」

「どこですか」

「新宿の興和商事」

「ああ、それなら知っている。歌舞伎町に事務所のある新興筋ですね。去年の暴対法施行のまえ、あそこがいちばん早く株式会社に衣替えしたんじゃなかったかな。先を読む目があるんですよ。組長というか、代表は浅井というんですが、これが切れる。あの業界じゃちょっとした評判ですよ。シノギは倒産整理、それに債権の取り立てといったところで、経済やくざとしちゃとくに変わったところはない。ただ、浅井が法規と経済に明るいらしくてね。やり方が水際だっているようです。ずいぶんスマートにやってて、弁護士と対等以上にわたりあってるという話もある」

「その浅井という男の前歴はご存じでしょうか」

「以前、成州連合の江口組にいたようです。ご存じかもしれませんが、もちろん成州連合は暴対法の広域暴力団指定団体です」

「すると、江口組の企業舎弟なのかな」

「いや、そうでもないみたいですよ。ちょっと変わったケースでね。江口組でむかし頭角をあらわしたんですが、なにかトラブったらしくて独立したようです。組とは切れたようなんですが。あの業界でこういうケースはめったにない」

　私は、アウト、と受話器から聞こえた声を思いうかべた。換金の合図の声だ。十本は一万円。

「興和商事はポーカーゲームの店もやっているようですが」

「ええ、事務所に隣接した店でね。しかし、あれは趣味みたいなもんですよ。歌舞伎町にはあんな店は何十軒もありますが、藪蚊《やぶか》の大群と同じで、いちいち警察は手をいれない。ただ、これからはちょっと事情がちがうかもしれないな」

「なぜですか」

　少しのあいだ、考えているような気配があった。

「失礼ですが、島村さんのご職業は？」

「バーをやってます。一応健全な店ですよ。森さんが来るような店だから自信はないけれど」

　松田の笑い声が届いてきた。「それで興和とトラブってる？」

「そんなところです」

「まあ、いいでしょう」松田はいった。「浅井は引っ張られる可能性がありますよ。それなら、あなたも枕を高くしていられる」

「なぜですか」

「これは絶対口外しないでくださいね。まあ、うち以外にもつかんでいるところはあるんでしょうが」松田は声をひそめた。「ただ、ほかは知ってても正式発表までは書けないかもしれないな。中央公園の方が話がでかいから、どこもいまは警察に借りをつくりたくない。実は、桜田門の捜査二課が動いているんです。赤坂署でゲーム賭博《とばく》屋が防犯の巡査部長クラスに贈賄しているという話がある。ガサ入れ情報の見返りにね。で、新宿署もふくめて、ことが露見するまでに桜田門が先手を打って所轄に手をいれさせる可能性があるんです。一応、タイムラグをつくったうえで類似犯をあげといて、赤坂の方はレアケースというミミエの格好をつくるためにね」

「でも、新宿署はいまそれどころじゃないでしょう」

「そうです。だから、中央公園の件に目途がついたときセットにしてプラマイゼロにするか、あるいは行き詰まったときやるんじゃないかな。ただ時間がないから、タイミングを考えれば、たぶん一週間くらいあとでしょうね」

「なるほど」と私はいった。「週刊サンはいいスタッフを抱えている」

笑い声が聞こえた。「さすが客商売ですね。お世辞がうまい。連中の話でなにかおもしろいことがあれば、知らせてくれますか」

必ずそうする、と私はいった。礼をいい、森によろしくいってほしいといって電話を切った。

電話ボックスをでると、冷たい風が吹いた。表参道から原宿に向かって歩いた。けさがたからの痛みはかなりやわらいでいる。三十分ほど歩き、代々木公園に入った。時計を見ると四時半だった。芝生の上に横になった。てのひらを眺めた。もう震えはおさまっている。指のあいだをとおして太陽がみえた。淡いいろに変わり、すでにかたむきつつある。ウイスキーの封を切った。キャップにそそいだが、こぼれることはなかった。日曜日で公園の人出は多い。だが、私に注目するものはだれもいなかった。ウイスキーを飲みはじめた。私の趣味は豊かとはいいがたい。時間をすごす方法をこれしか知らない。いつもと同じだった。ただ、きのうまでとちがうことはある。そのことを考えた。ひとつは、帰るところを私が失ったということだ。しかし、それはたいしたことではない。アル中が寝ぐらを失うのは、やくざが小指を失う確率より低くはないだろう。水の流れのようなものだ。行きつくべきところへ行きついた。それだけのことだ。もうひとつは、園堂優子の消息を私が知った、そのことだった。そして私が知ったとき、彼女は死んでいた。この二十年あまりのあいだ、私が彼女にもっとも接近したのはきのうのあの公園だった。あのとき、硝煙のなかに私は彼女を見たのかもしれない。あるいは彼女の一部、それを私は見たのかもしれない。彼女の声さえ私は聞いたのかもしれない。たちのぼる血のにおいをかぎながら走っていたあのとき。きのうの光景を再現しようとした。だが、そのなかに優子を見わけることはできなかった。その声を聞きわけることもできなかった。彼女は二十年以上の歳月を経て、どんなふうに変わっていたのだろう。優子のその表情を思いうかべようとした。うまくいかなかった。おちていく太陽がそのいろを少しずつ変えていくのを私はぼんやり眺めていた。

陽が暮れ、暗くなっても同じ姿勢でいた。気がつくと、周囲はアベックばかりになっていた。空気もすっかり冷えている。時計を見た。六時過ぎ。立ちあがり、ようやく歩きはじめた。公園沿いに山手通りに向かって歩いた。山手通りを越えれば、上原は遠くない。途中で電話ボックスに入った。番号ボタンを押すと、私が名乗るまえに声がいった。

「よう、アル中。店仕舞いしたんだってな」

浅井の声だった。

私はいった。「あんたが忠告したことは正しかった」

「知ってるよ」

「知ってる？」

「ああ。大手の動きがあんなに早いとは思わなかったがな。けど、おまえさん、ずいぶん連中をてこずらせたそうじゃないか。ボクシングの心得があるそうだな。ひとりは腕を折られたって話だ」

「江口組のだれから聞いたんだ」

沈黙があった。いまは、なんの物音もしなかった。やがて浅井の声が届いてきた。なにかを楽しんでいるような声だった。

「なんでそれを知ってる」

「あんたがいったんだ。中小企業が生き残るためには情報が必要だってな。私みたいな零細な個人にも情報は必要なときがある」

「ふうん」彼がつぶやいた。「見こんだとおりだ。あんたはやっぱ、ただもんじゃないな」

「ただのくたびれたアル中だよ。ひとつ聞きたいことがある」

「なんだ」

「あんたの知ってる江口組の人間は、どんな話のなかで私の名前をだした?」

「それをしゃべって、おれになにかメリットがあるのか」

「いや、なにもない」

笑い声が聞こえてきた。「なあ、おまえさん。この業界にもルールはあるんだぜ。一をもらうなら一を渡す。十なら十ってな。大昔にゃ、このルールは仁義といった」

「コンピューター相手のポーカーはそうはいかないんじゃないか」

浅井は、また低い声をあげて笑った。「カンがいいんだな、あんた。うちの若いのが、受話器を持ち歩いたことは聞いてる」

「店の客といっしょに一度行ったことがあるんだ。私は一日の売り上げをなくしただけだが、連れの方は三月分の生活費が消えた」

「そういうこともあるさ。まあ、それはともかく、あんたが聞いているのは、おれには答えにくい類《たぐ》いの質問なんだぜ」

「しかし、きのうは私に忠告してくれた」

「おれにだってきまぐれはある。ホットドッグのせいかもしれんな。あれはプロの仕事だった。おれはプロの仕事を見るのが好きなんだ。だがな、きまぐれは毎日続くもんじゃない」

少し考えてからいった。「わかった。じゃ、別の方法を探すよ」

「どんな方法だ」

「あんたはしぶとそうだ。だが、望月というチンピラなら私でも相手ができるかもしれない」

「おい、そういういい方はあんまり愉快じゃないぜ。おれは差別用語は嫌いなんだ。チンピラなんてな」

「そうか。悪かったな」私はいった。「じゃあ、サンピンと訂正しておこう。だがまあ、もっと別の方法を探すことにするよ」

「そうした方がいい」

「ひとつ忠告していいか」

「あんたがおれなら、どうぞっていうんだろうな。なんの忠告だ」

「おたくの方も、しばらく店は閉めた方がいいように思う」

沈黙があった。やがて浅井がいった。

「理由は？」

「いえない。約束したんだ」

また、沈黙。

「赤坂の絡みかな」

私は答えなかった。

「なあ、島村」浅井の声の調子が少し変わった。「あんたは最初の取り引きにその材料は使えたはずだ。おれにも少しは情報が入ってる。なんでそいつを取り引きに使わない」

「私はあんた方の業界のルールは知らない。ただ、きのうの夜、あんたは好意で私に忠告してくれたように思えた」

また、しばらくの間があった。

「おまえさん、いま、どこにいるんだ」

「都内某所」

「きょうは店に戻らないのか」

「戻らない。だがなぜ、そんなことに興味がある」

「ちょっと顔を見たくなった」

「こちらはもう、とくにそんな気分でもない」

「あすはどこにいる」

「なぜ、こだわるんだ」

「あんたの質問に答えたくなったといったら?」

短いあいだ考えてから、私は「わかった」といった。「じゃあ、あした、午前中に私の方から連絡する」

彼は数字を並べた。おれの携帯電話の番号だ、電話ならこっちの方にかけてくれるか。

私は、そうする、と答えて受話器を置いた。ボックスをでて井ノ頭通りに入ると、十月の風はさらに冷たくなっていた。コートの裾《すそ》をはためかせながら、切りつけるような風が吹いた。丸まった紙クズがひとつ、足元を転がっていった。私はサングラスをコートのポケットにいれた。

5

七時十分まえ、そのマンションのまえに立った。マンションは五階建てで、ベージュいろのタイルにつつまれていた。想像とちがい、単身者用ではなくファミリータイプのものだ。見あげると、どの部屋からも明かりがもれ、ベランダの凝った手すりの影が映っている。遠回りして周辺を歩いてきた。閑静な住宅街で、不審な人物はみあたらず、不審なクルマもとまってはいない。私服らしい姿もない。

瀟洒《しょうしゃ》なつくりの階段を三階まで登った。廊下にドアは六つ並んでいた。ふたつめのドアに、松下塔子のネームプレートがあった。ドアホンを鳴らすとすぐにドアが開き、彼女が顔をのぞかせた。化粧気がないのは昼と同じだが、服装はちがう。シンプルな白のワンピース。シンプルな分だけ彼女は優雅にみえた。どういうわけか、その白さのために中性的で硬質な印象が強調されている。なのに優雅にみえた。私が若い男であったなら、花を買わずにきたことを後悔したかもしれない。

何度も訪れた友人を迎えるように彼女はごく自然に軽く私の胸をつついた。「アルコール中毒と時間の正確さは矛盾しないみたいね」

そのようだ。私はつぶやきながら、スニーカーを拾いあげた。

彼女は先にたち、無造作に部屋に入っていった。案内されたところはリビングルームだった。こざっぱりして、視界には余計な装飾がいっさいない。女の子の住まいとしては、彼女のファッション同様、シンプルにすぎるようにも思えた。壁ぎわに本のつまった大きい本棚がふたつある。全部、ハードカバーだった。それにテレビが一体となったオーディオ装置、テーブルと椅子のセット。机にはパソコンが一台置いてある。それだけだった。私は部屋を横切り、窓を開いた。ベランダに立って周辺を眺めてから、スニーカーを外に置いたまま部屋に戻った。ドアが開いても直接見えないことを確認し、アーリーアメリカン調の木組に置かれたクッションにウイスキーの瓶とともに腰をおろした。

私の動きを黙ったまま追っていた彼女はウイスキーを一本、それにグラスをひとつ、ガラストップのテーブルに置いた。それからゆっくりした動作で向かい側にすわり、形のいい長い足を組んだ。

「いい部屋だな」と私はいった。

「祖父にお金があるのは、私の責任じゃないわ」彼女はそっけなくいった。「ここは祖父の部屋なの。最後に閣僚資産が公開されてから手にいれたものだから、公表されてはいないわよ。私は借住まいなの。それはそうと、ついさっきニュースを見たわよ」

「君のお母さんのことがでていた？」

彼女はうなずいた。「衆院議員の長女が死亡ってね。でも、それより大きなニュースがあった。あなたのことよ」

おどろきはしなかったが、予想以上にテンポが早い。もちろん、私の指紋は割れてはいるだろう。コンピューターにかかれば、数分で自動識別される時代だ。そこまでのステップにいくらか時間はかかるにしても、すでに一日以上がすぎている。たぶん、きのうのうちには割れている。それにしても発表のタイミングが早すぎた。考えられることはひとつしかない。私の店がすでに手入れを受けたのだ。いまの私と菊池俊彦はすでにつながっている。

持参したウイスキーをグラスにそそぎながら、たずねた。

「どんなふうにでていたんだ」

彼女はショートホープをとりだして火をつけた。それから時計を眺め、リモコンのスイッチをいれた。ちょうど七時のＮＨＫニュースがはじまるところだった。政局よりさきにそのニュースが流れた。

昨日昼、新宿中央公園で起きた爆破事件による死者でひとり身元不明者が残っていましたが、この人の身元が判明しました。桑野誠さん。四十五歳です。

私はウイスキーを飲む手をとめた。

桑野さんは元東大生で七一年四月、渋谷区富ヶ谷で起きた車爆弾事件で殺人罪、爆発物取締罰則違反などの容疑で指名手配されていました。この爆弾事件では警察官ひとりが死亡しています。容疑のうち、刑事訴訟法でもっとも重い殺人罪の時効は十五年ですが、桑野さんは海外逃亡による中断期間があるため、時効が完成しているかどうかはわかっておりません。桑野さんが最後に確認されたのは七五年十月、フランスのパリ大学に在学時。このときICPO、国際刑事警察機構の協力で所在がわかりましたが、通知を受けた日本とフランス合同の捜査陣の追及を逃れ、逃亡したとされています。いつ帰国したのかは不明。今回の事件で身元判明に時間がかかったのは関係者が名乗りでず、また被害者の遺体が爆発の中心にあって四散していたためですが、遺体からの指紋照合により判明したものです。このため捜査本部では、桑野さんが被害者である可能性とともに、なんらかのかたちで事件にかかわっていたことも考えられるとしており、事件は複雑な様相をみせています。さらに事件現場となった中央公園内の爆発地点近くから、桑野さんと同じ殺人罪などの共犯容疑で指名手配され、当時東大生であったA元容疑者、四十四歳の指紋も発見されました。A元容疑者の場合は国外へ出た形跡はなく、当時の容疑についてはすでに時効となっている模様です。桑野さん、A元容疑者はともに過激派でどのセクトにも属さず活動していましたが、警察では今回の爆破が七一年の事件と類似点が多いことから関連を追及しており、A元容疑者が事情に詳しいのではないかとみて、重要参考人として行方を追っています。

ニュースは、七一年の事件の再現と解説をはじめた。

もう聞いてはいなかった。私は凍りついていた。しばらくたってようやく目をおとし、手にしたウイスキーを眺めた。そのセピアいろの表面が小さな波をたて揺れていた。手が震えている。だが、アルコール不足のためではない。桑野が死んだ。遺体からの指紋照合とアナウンサーはいった。そうか、桑野は死んだのか。あっけない幕切れだった。二十二年間の幕切れはこんなふうにやってくるのか。桑野と別れての時間。それがバタンと音たて、ふたを閉じられた。もう開くことはない。公安の影を感じるたびに職と住所を変えた歳月。二十二年。それだけの時間が私の身体から切りとられ、なにかの固まりになって目のまえにある。そんな気がした。はじまりがあり、終わりがある。しかし入り口と出口はもう失われた。二十二年は、用なしになったただの時間の固まりだった。それはたしかに目のまえにあった。アルコールの海にユラユラ漂いながら揺れていた。

「A元容疑者」塔子が歌うようにいった。「有名人になった気分はどう?」

目のまえの固まりが溶け去り、ゆっくり現実がとってかわっていった。だが、以前と同質の現実が戻ってきたというわけではない。桑野がいない世界の現実だった。正気をとり戻す必要がある。それにしても、と私は考えた。偶然がすぎる。冗談のように過剰にすぎる。桑野誠。園堂優子。現場近くにいた私。優子は私が共同生活をおくったただひとりの人物だった。そして、桑野。

彼女がテレビのスイッチを切った。静寂が戻ってきた。

私は溜《た》め息をついた。二十二年のあいだ私のなかにひそんでいた溜め息が開放され、静寂のなかに溶けていった。

「そういう気分にはほど遠いな」ようやく私はいった。「実名ではないし、写真付きでもない」

「いまのところはね。でも週刊誌はちがうでしょうね、きっと。実名に遠慮しないし、顔写真も載っけるんじゃない?」

「この二十年以上、私は写真を撮られたことがないんだ」

「でも、あなたを知ってる人はたくさんいるわよ。モンタージュ写真か似顔絵ができる。警察が百人くらい呼びつけて、ああだ、こうだってつくるんじゃないの。学生時代の写真もみつかるだろうし」

「たぶんね。君は、今度の事件に私が関係してるとは思わないのか」

塔子は首をふった。「私はそんな単細胞じゃないわよ。あなたの部屋をのぞいたのよ。爆弾なんて製造できる状態じゃないし動機もない。あるとしたら二十年あまりのあいだ、私の母に未練を感じ続けて大型爆弾使って殺人におよんだってことくらいでしょう? そんなのって、まともな人間じゃ考えられないわよ。それにあなたは、一風変わっててノーテンキだけど、指紋には慎重だった。犯行現場に残すような初歩的ミスを犯すとも思えない。今度の事件に関係ないってことくらいは、だれだってわかるわよ。警察も同じことを考えてるんじゃないかしら、重要参考人なんていってるけど」

彼女はタバコの煙を吐きだし、その行方を追ったあと、ふたたび視線を私に戻した。

「出頭するの」

「いや、しない」

「どうして。あなたが今度の事件に関係がないのなら、単に参考人じゃない。昔の事件はもう時効になってるのよ。母はあれは事故にちがいないと断言してたけれど」

「もちろん、昔の件では起訴できないさ。任意という名目で、警察の強制が何日にもわたって続くだけだ」

「それくらいなら耐えられるでしょ。なぜ、出頭しないの」

「抵抗がある」

「〝警察は国家権力の暴力装置〟だから?」

「いまはそういう感じでもない。趣味の問題という気がしないでもない」

彼女があきれたように口を開き、私をまじまじと見つめた。

「どうかしてるんじゃないの、あなた」

「二十二年間、同じ生活をおくってきた。私の生きてきた時間の半分だ。いまさら、習慣を変える気はしない」

彼女は無言のまま、私の上に視線を置いていたが、しばらくたって口を開いた。

「私、いったわよね。あなたみたいな種族は絶滅したって」

グラスのウイスキーを口にし、私はいった。「母がなぜあんな目にあわなきゃいけないのか知りたい、といったのも君なんだぜ。釈然としないんだ。どう考えても偶然の要素が多すぎる。隕石《いんせき》の直撃を受けるのと同じクラスの偶然が起きた。私もその理由を知りたい。警察からではなく、マスコミからでもなく」

「もう、気持ちの整理がついたのよ、私の方は」彼女はいったん目を伏せたが、やがて顔をあげた。いま、その表情にかすかな笑いが生まれていた。「あなたって、とことん珍種なのね。この時代とは、なんかずれてるわね。いまは世紀末なのよ。知ってるの」

「知ってるさ。自分が時代遅れの人間であることくらいは、知っている。だが、仕方ないだろう。そんなことは矯正しようがないんだ。アル中からぬけられないのと同じなんだ」

彼女の表情には、まだ微笑がとどまっている。おちついた声でいった。「なら、今度の事件のことを詳しく話しなさいよ」

少し考えた。彼女に話す理由があるかどうかを考えた。ある。私は、死んだ彼女の母親の関係者だ。その死を教えてくれたのは彼女だった。それも半日もたたないうちに私に伝えにきた。私はうなずき、話しはじめた。あのとき公園に私がいたこと、その理由、私が見た爆発現場について話した。浅井という奇妙なやくざについて話した。そのあと正体不明の連中に襲われたことも話した。きのうのことなのに、昔話を話すような気分だった。すべてを語ったわけではないが、だいたい正直に話した。

私が話し終えると、彼女はしばらく考えていた。ポツンといった。「母をふくめて、あなたたち三人の偶然」

うなずいた。「君は桑野の名も知っていたのか」

「母から聞いたことはある」

「君と君の母親のあいだで、私たちの話がではじめたのはいつごろなんだ」

「あなたの居場所を彼女が知ったという話はしたわよね。あれは、正確にはちょうど二年くらいまえかな。あのときも秋の終わりだったから。それからなぜか、あなたの話がでるようになったの。週に一度ほど、私たちは電話で話す関係だった。話題はあれこれ。友だちどうしみたいにね。私たちはバカな男どもの話もした。それでふとしたことからあなたの話がでた。でも、いったんでたあとは、だんだんそれがふくらんでいってとまらなくなった。内容はあなたと母の共同生活が中心。たった三ヵ月間の話なのにね。どうやら、母にとって、あなたはバカな男の代表選手だったみたい。いまはわかるような気がするけれど。彼女の話は、まあ、魅力的なところもなくはない時代の歌だった。オールディーズみたいなものよ」

苦笑がもれた。優子らしい話ではある。そして塔子の話ぶりも、彼女が母親の血の色濃い継承者であることを思わせる。

私はいった。「だが彼女はなぜ、君にそんな話をしたんだろう」

「彼女は常識で測りかねるところがあったもの。あの性格はあなたも知ってるでしょ」

「知ってはいるが、どうも、あまり一般的な母娘の関係とはいえないようだな」

とがった視線が私を見つめた。「一般的である必要があるの」

「ない」と私はいった。

「ところで、あなたは全部話してくれたわけじゃないわよ」

「全部、話したさ」

「あなたたちの関係と七一年の事件」

「七一年のことは、ニュースで聞いたろう」

「ほんとにニュースがいってたあのとおりなの。そうは思えないけど。それに桑野氏もふくめて、あなたたちってどんな関係だったの」

「それは、君は知らなくたっていい」

「なにいってるのよ」噛《か》みつくような声だった。「私には話を聞く権利があるわよ。あなたのいったとおり、私はバカみたいにデパートまわって、この部屋に戻ってきたのよ。おまけに、私だっていまはマスコミのいやらしい目にさらされてるのよ。事件で死んだ現職代議士の娘のその娘ってことで。低俗な連中にとっちゃ娯楽みたいな事件じゃないの。さっき実家をでたとき、もうカメラをかついだ覗《のぞ》き屋どもが鈴なりになってたわよ。それに刑事だって、またやってきたのよ。時間がないからあしたにしてほしいっていったら、一応は引きさがったけど。祖父の存在がなければ、きっと全然別の対応してたわよ。それでここへ来るのに用心のためにまたタクシー乗って、今度は渋谷のデパートへ行ったの。きょう一日の収穫って尾行のまき方を覚えただけだったような気がするわ、私。どっちにしたってお通夜や告別式のとき、私の顔がテレビで流れるのよ。ワイドショーで流れるかもしれないのよ。そんなの耐えられないわよ」

「気持ちはわかるよ」私はいった。それ以外、いいようがなかった。反論できる余地はなく、私にはどうすることもできない。

「だったら、話くらい聞かせたっていいと思わないの」

彼女はナイフのような視線を閃《ひらめ》かせ、私を見つめた。それから、また新しいタバコに火をつけた。ジッポのライターはいつも大きな音をたてる。なぜか、そんなことを考えた。

タバコをくれないか、と私はいった。

彼女は少しおどろいたように私を見かえした。

「あなた、タバコ吸うの？」

「アル中になったと気づいたとき、やめた。肝臓か肺かどっちかの選択だって気がしたんだ。不毛な選択だと笑われそうだがね。ただ、いまはちょっと吸いたくなった」

彼女はおとなしくショートホープの箱とライターをテーブルに置いた。一本引きぬいて、火をつけた。苦かった。何年振りかで吸う煙が私の肺のなかでゆっくりふくらみ、またしぼんでいった。

「ひとつ、聞いておきたいことがあるんだが」

「なによ」

「君の父親はどうしたんだ」

「死んだわ。私が十五歳のとき事故で。父は母より五歳年上だった。外務省の官僚だけど、死んだときはアメリカの領事館にいた。交通事故にあったのよ。そのあと母は帰国した。でも旧姓には戻らなかった。というより、旧姓を嫌ってたのね。彼女は姓なんかにとんちゃくしなかったけど、園堂だけはいやだったみたい。結局、いままで私が母から聞かされた話の総量は、父よりあなたの方が多かったのよ。私がそれを指摘したら、お父さんのことはどうせ、あなたはよく知っているから。彼女はそういったの。いい？　父が死んだとき、私は十五だったのよ。微妙な年ごろじゃない。それにいくら成人したからといっても、聞かされる方の身になってごらんなさいよ。そりゃあ、屈折するわよ。娘にそういう話をするのって、世間じゃちょっと考えられないでしょ。非常識じゃない。だいたい、父に対してひどく残酷な仕打ちだと思わない？」

「思う」と私はいった。

しばらくのあいだ、沈黙が私たちのあいだに降りてきた。さきに口を開いたのは私の方だった。「しかし、彼女は私の居場所を知っていた。なぜ、彼女は私に直接、声をかけなかったんだろう」

「そこまで鈍感なの、あなたって。ノーテンキと鈍感はちがうと思ってたけど、あなたのなかでは仲良く同居してるみたいね。母はつまり、あなたに死ぬまで恋してたのよ」

彼女の言葉を考えた。よくわからなかった。そのとおりのことを口にした。「よくわからないんだが」

「プライドの問題よ。女のプライドが表にあらわれるときは、一万くらいのバリエーションがあるってこと、あなた、知らないの」

知らない、と私はいった。

今度は、彼女が溜《た》め息をついた。「もう、いいわ。それよりあなたたちの関係と七一年の事件を話して。あなたから見た、あなた自身の話を聞きたいのよ。マスコミの側からじゃなくて」

しばらく考えた。彼女に、それを知る正当な権利があるだろうか。あるように思われた。塔子の父親と彼女自身への借り。そんな気分がある。そうでなければ、判断はちがっていたかもしれない。

「わかった」私はいった。「少し長くなるが、いいか」

「もちろん。詳しく知りたいの」

どこからはじめていいものか迷った。「六〇年代末期に、大学闘争の時代があった。そのことは、君も知ってはいるだろう」

「おおまかにはね。母からも少しは聞いてはいる。でも、じゅうぶん知っているとはいいがたいわね。大昔の話だもの。もう伝説の時代じゃないの。あなたたちの世代が、自分たちだけの特権みたいに古くさい懐旧譚《だん》をしゃべるってことくらいは知ってる」

また苦笑がもれた。だが、彼女の言い分がまっとうなのだろう。彼女たちにとって、それは恐竜がこの地上にいた時代と変わりはないのだ。私にすら、いまとなっては、あれは奇妙な伝説の時代のように思える。彼女にしてみれば、それは私たちの世代が持つ不遜《ふそん》な郷愁にすぎないのかもしれない。そのへんは私にはよくわからない。私はくたびれた中年のアル中にすぎない。あの時代は変色した写真のようなものだ。どこかにずっと眠っていた。それを引っ張りだす気になったことはない。けれどもいま、ふたりの死者がそれを揺り動かしている。たしかに、あの色あせた時代から私たちは生まれたようにも思える。

「一九六九年のことだ」と私はいった。

6

その夜、私はひとりで屋上にいた。切るように冷たい夜気の向こう、鮮やかにまたたく光の集合がある。渋谷の灯だった。ごく近くにもみえるその光景をずっと眺めていた。静かだった。聞こえるのは、ときおり飛んでくる石が壁にぶつかる鈍い音だけだ。投石機も四階建ての建物の屋上まで石を送り届ける能力はない。ほかにもの音といえば、私の歌声だけだった。ザ・ゴールデン・カップスの『長い髪の少女』。そのころ流行《はや》っていたグループサウンズの名曲のひとつだ。その曲を歌っていた。のんびり歌っていると「音痴ねえ」とあきれたような声がした。ふりかえると、アノラックを着た園堂が白い息を吐きながら近づいてくるところだった。

彼女を見て、私はぼんやり答えた。

「全体集会はどうしたんだ」

「まだやってる。疲れたから、ぬけてきちゃった。桑野君が残ってるからあとで話を聞けばいいでしょ」

「ふうん。ところでひとつ聞いていいかな」

「なによ」

「おれって、音痴なのか」

「あなた、自覚ないの」

「ない」

彼女は、私をあわれむように首をふった。「はっきりいって致命的な音痴という以外ないわね。でもそれより、よく歌なんて歌ってられるわね。安田講堂がおちたばかりだってのに。それも、そんな軟弱な歌をさ。あなた、状況を考えたことあるの」

「インターかワルシャワ労働歌ならいいのか」

「バーカ」

「おれはグループサウンズが好きなんだよ。ビートルズよか好きだ。オックスの『スワンの涙』だって歌えるぜ。歌ってやろうか」

彼女は毛虫でもみるように私を見た。実際、そういった。

「あなたの感受性って昆虫以下ね」

そういいながらも、彼女は手すりに肘《ひじ》を置いた。われわれは黙ったまま、しばらく渋谷の灯を眺めていた。

「ねえ、理不尽だって気がしない？」彼女がいった。

「なにが」

「私たちがここでこうしているのに、安田講堂のみんながあんなにがんばったのに、世間様はちっとも変わりはしないじゃないの」

「まあな。渋谷じゃ、道玄坂のホテルが満員なんだろうな」

いつもなら彼女はたぶん私に殴りかかっていただろう。けれども彼女はなにもいいかえさなかった。私は多少意外な感じがして、彼女を見た。やはり、ショックを受けているのだろう。ここにとじこもっている全員が同じショックを受けている。一月十九日。本郷で安田講堂がおちたというニュースをラジオで聞いたその夜だった。

そのとき私たちが籠城《ろうじよう》生活をおくっていたのは、駒場にある第八本館だった。それが本郷の安田講堂と同じポジション、教養学部のいわばシンボルの位置にあった。ここに東大全共闘の教養部隊、駒場共闘の七十人くらいが十五日からとじこもっていた。私たちのクラスでは三人が残った。桑野誠、園堂優子、それに私だ。構内は某政党の青年組織・M同盟が全国から組織動員した部隊で制圧し、私たちを外部と完璧《かんぺき》に遮断していた。彼らの旗印は、無期限スト解除とわれわれ全共闘の排除にあったが、その動員数は一説に二千人といわれている。

ここにとどまった私たちフランス語クラスの三人は、なかなかユニークな組合せだったといえるかもしれない。リーダーの立場にいたのは、桑野だ。彼の特徴はまず、その緻密《ちみつ》な頭脳にあった。駒場共闘の理論的中枢からも一目置かれていたひとりだ。そのくせ、夢想家の側面もあわせ持つようなところもあった。彼はいつも、もの静かなしゃべり方をした。だが彼に反論できるものは多くなかった。説得力があったというのとは少しちがう。彼が静かに話すと、それがどんな内容であれ、論理的に納得するまえにその中身が頭のなかにすっと沁《し》みこんでくる。まるで渇いた砂漠がやわらかな雨を受けいれるように。まあ、そんなぐあいの人物だった。そして園堂優子。彼女は一種の破滅型とも呼ぶべき過激さで知られていた。そういって悪ければ、極端にすぎる精神的前衛。そんな趣きを持つ女の子で、一年のころ、もう劇団を主宰していた。強制的にチケットを買わされ、芝居を観にいったことがある。率直にいって、あれほどひどい芝居を見たことがない。どういう筋書きかは忘れたが、青いペンキの缶に浸したリンゴを、彼女が観客席に投げいれる場面があった。リンゴは私の額に当たった。あとで文句をつけると、彼女はこういった。あなた、幸運だったじゃない。一瞬なりとも無為な日常の安逸から脱出できる機会に恵まれたんじゃあないの。その言い分は私にはまるで理解できなかった。彼女が男なら、たぶん殴り倒していただろう。その私はといえば、いちばん場ちがいな存在だった。全共闘の大部分は、思想性と意志の階段を着実に登っていた。だが私の場合、そんな姿勢とまるで無縁だった。単純な肉体派にすぎないとだれもが認めていた。私と議論しようとする人間さえいない。園堂にいわれたことがある。あなたの頭ってどうしてそんなに軽いの。どうしてそんなに凡庸なクズでいられるの。私の立場は、その批評が端的に表現していたようにも思われる。

ところで、第八本館だ。われわれが八本と呼んでいたその四階建ての建物を巡り、そのころはM同盟と私たちのあいだに奇妙な均衡が成立していた。一階は彼らの占拠するフロアだった。周囲を固めた彼らは椅子と机で精巧なトンネルを組み立てて通路をとおし、彼らのテリトリーに組みこんだ。二階は私たちが机のバリケードでつくった緩衝地帯。したがって、私たちの籠城生活は三階と四階に限定されていた。彼らの頻繁な投石の効果で、われわれのいるふたつのフロアの窓ガラスはきれいさっぱり消えうせていた。おかげで私たちは刺すような寒風のなか、投石の死角になる床で眠る習慣を身につけた。そして彼らはそれだけであきたらず、毎夜しつこくドラム缶を叩《たた》き、一階で大量のバルサンを焚《た》いた。冗談のようだが、それが私たちを不眠に導く効果的手段だと真面目に考えていたらしい。さらに彼らは電気とガス、それに水道を遮断した。すべての元栓は、彼らの支配する一階にあった。こちらの方は賢明な選択といえなくもなかった。電気とガスはともかく、水がなくてはどうにもならない。この問題は籠城した翌日、駒場共闘の最大のテーマとなった。彼らが支配する一階に降り、だれかが給水弁を開く必要がある。桑野とのあいだでその話がでたとき、私は、ふたりでやろうぜ、といった。彼は即座にうなずいた。結局、私たちが一階に降りているあいだ、Mの連中は姿を見せず、元栓を開くのには成功した。彼らが気づいてふたたび水道を遮断したとき、われわれは総動員したあらゆる容器にじゅうぶんな量の水を確保していた。

「ねえ」園堂が私のもの思いを破った。「私たち、徹底抗戦するのかな。それとも撤退？」

「おれが知るわけないだろう。集会ではどうだったんだ」

「私がぬけたときは、まだもめてたわね」

「ふうん。君はどっちがいいんだ」

「私は徹底抗戦の方。医学部の処分問題からこっち、もう一年近く闘ってきたのよ。ここで白旗なんかあげたくないわよ。菊池君は？」

「おれはどっちだっていい。まあ、考えるのは桑野たちにまかせりゃいいさ」

「私、思うんだけどさ。あなたって、ちょっとニヒルを気取りすぎてるのか、よっぽどひどいバカか、いったいどっちなの」

「知らない。おれはこういう性分なんだ」

「ねえ、私、ずっと不思議に思ってたんだけど」

「なんだ」

「あなた、どうして桑野君と仲がいいの」

「さあな。おれにもよくわからない」

「そういえば」と彼女がいった。「私、知らなかったんだけど、一階に降りて給水弁開けたの、桑野君とあなただって？」

「ああ」

「Mにつかまってリンチに会う可能性は考えなかったの」

「考えたよ。だから、真っ昼間に降りたんだ。Mにとっつかまるにしても、昼間なら一般学生の目があるから、手足の一本くらい折られる程度ですむ」

「ふうん」彼女は溜《た》め息をついた。「無謀というか、ノーテンキというか」

石が飛んできた。われわれの影が見えたのかもしれない。すぐ下の壁に当たる音が静かな夜に響きわたった。音から判断して、たぶん拳《こぶし》大のものだ。続いて、どなり声が重なり届いてきた。

「おうい。おれたちは、これから熱いメシくってくるぞぉ」

「トロツキストは、メシ問題、どう総括するんだよ」

地方から動員された外人部隊だろう。明瞭《めいりょう》ななまりがある。彼らの野次には、食料にかかわるものも多かった。Mをふくめ、外部では籠城部隊が完全な食料不足にあると思われていたらしい。食料補給にやってきた駒場共闘の外部デモ部隊が第三機動隊に蹴《け》散《ち》らされ、逮捕者がでたことはあとで知った。安田講堂攻防の陰になっているが、教養学部の全共闘籠城では水と食料不足など環境悪化が関係者のあいだで憂慮されている、そんな新聞記事もあとで読んだ。しかし実際のところ、われわれは飢えてはいなかった。まだ三日分ほどの食料は残っていたのだ。籠城するまえに生協を襲い、大量のインスタントラーメンをかっぱらっていた成果だ。

「あいつら、まだあんなアホウなこといってやがら。石投げてやろうか」

「やめなさいよ。武器がもったいないわよ。きちんとMひとり殺せるならいいけど」

私たちがそんな会話を交しているると、黒いヘルメットをかぶった小柄な影が屋上にふらりと姿をあらわした。桑野だった。私たちはもちろん何日も、ふろに入っていない。みんなうす汚れていた。彼のコートもうす汚れていた。なのに、なぜか汚れを拒むような雰気が依然、彼の周囲には漂っている。桑野はそういう男だった。

彼が私たちに気づき、声をかけてきた。

「なんだ、君たち、ここにいたのか。全体集会にでればいいのに」

「おまえから結論を聞いた方が手っ取り早いんだ」私がいった。

「で、方針は固まったの」園堂が口をはさんだ。

「まだ、決定していないよ」桑野は首をふった。「局面が非常に複雑になっているから。おおまかにいって、ふたつの方向が論議された。ひとつは徹底抗戦。心情的に安田講堂と同調したいものが多いからね。ただ、その場合でも二十人くらいの特別行動隊だけを残すかたちにはなるだろうな」

「どうして」

「Mとの関係ではこの八本はまずもちこたえられるよ。しかし、徹底的に彼らとやりあった場合、退去勧告をだした大学当局が表に待機している三機を導入するだろう。それでなくても、いまは官憲の独自判断介入の可能性はある。すると本郷が壊滅した以上、全共闘指導部すべての崩壊という事態にいたる。だから、指導部をふくめた一部を表にだし、残りの陣容で徹底抗戦する。これがひとつさ。もうひとつは全面撤退。いまここにいる部隊を大衆運動の中枢としてそっくり残し、今後の闘争基盤を保障する方向。いま、意見は完全にわかれてるね」

「セクトの連中は？」

「例のごとく、こっちも完全にわかれているよ。でも最終的にヘゲモニーは全部、ぼくら無党派にゆだねるってムードはある」

「連中がほんとにそんな融通をきかせるのかね」

「そう思うよ。もともと駒場じゃ、彼らはセクト色をだしたら負け、みたいなところがあるもの。重大局面じゃ、特にそう判断せざるを得ないってところじゃないかな。それに助手共闘のSさんが論理的にすごく緻密《ちみつ》にコントロールしてる」

「で、桑野。おまえはどうなんだ」

「もちろん全面撤退さ」

「なぜなの」園堂がいった。

　桑野がちらと彼女を見て、続けた。

「特別行動隊を残すんなら、ぼくは残る積もりなんだ。一部を残して出る側にはまわりたくない。それに、指導部を温存するって発想もぼくは好きじゃない。けれどそうした場合、重傷者がきっと何人もでるだろう。でも、もうそんな人間はだしたくないんだよ。きょうの昼、本郷で死者がでたって誤報が流れたろう? あのとき、そう思った。死者もけが人もだすのは、もうごめんだ。仲間にも、官憲にも、Mにさえも」

「桑野君、どうしちゃったのよ。そんな軟弱なヒューマニストに堕落しちゃってさ。バルサンにいかれちゃったの」

桑野は微笑した。

「あれ、ほんとうに連中は効果があると思ってるのかな」

「ないこともないさ」私が口をはさんだ。「二階の通路の見張りをやるときゃ、閉口するぜ。おれたちが生物的にゴキブリと過去につながってたのがよくわかる」

桑野はもう一度、かすかに笑った。そして珍しく、「疲れたね」といった。寒いのか、手をこすりあわせた。それからあたりを見まわすように目をあげた。その視線が渋谷にまたたく明かりを見つめた。夜気をとおして彼の横顔が浮きあがっていた。

「へえ」と彼はつぶやいた。「街の灯がきれいだな。去年の十二月からぼくはずっとここに詰めていたのに、いままで全然気がつかなかったよ」

翌二十日、入試中止の正式な最終決定がラジオで流れた。全面撤退の方針が確認されたのは、そのあとに開かれた全体集会でだった。

二十一日昼、私たちは第八本館を出た。武器は残し、園堂たち女の子をなかにいれ、スクラムを組んで構内に踏みでた。とたんにM同盟が襲いかかってきた。彼らの数は案外少なかった。二百人もいない。一般学生がとり巻いている日中は、外人部隊も影をひそめる。私は集中的に殴られ、蹴られた。それまで、私から被害を受けたMの人間はけっこう数多かった。それが理由だ。それに私は最後尾にいた。ただ、彼らはすでにゲバ棒を焼き払っていた。官憲が導入された場合の凶器準備集合罪の適用を恐れていたためだ。素手でしか殴れない悔しさはあるだろうな、と思った。そのとき、桑野が私のうしろにすっとまわりこむのがみえた。たぶん君に攻撃が集中するだろう。だから、その半分はぼくが受けもつよ。撤退のまえに桑野はそう告げていた。その約束を守ったのだ。目があった。彼も殴られながら、なぜかうれしそうに私に片目をつむってみせた。

それから、何日かたって私たちは反攻をはじめた。駒場構内で決起集会を再開し、M同盟と衝突をくりかえした。何度かくりかえし、そのたびに動員数は減っていった。そんなふうに日々がすぎた。やがて学校当局は、期末試験をレポートで行なう旨、告知した。無期限ストはなしくずしに崩れていった。私たちはだんだん無口になっていった。

三月には京都まで遠征する旅にでた。京大の入試を阻止するため、百五十人くらいの応援部隊が組まれたのだ。園堂は参加しなかった。京大の熊野寮と同志社の学館で雑魚寝し、百万遍で火炎瓶を投げ、機動隊と衝突し、そして敗走した。京大の入試は無事実施された。

東京に帰るべき日、桑野と私はまだ京都に残っていた。その夜、ふたりで新京極を歩き、お好み焼きを食べた。桑野は北海道育ちでお好み焼きに慣れていない。私が焼いた。桑野は私の手つきを見て感心した。私は大阪の叔父のもとで高校まで暮らしたから、お好み焼きならもう何千枚も焼いている。桑野と私は、関東と関西の味覚比較についてあれこれしゃべりながら鉄板の熱に手をあてていた。

そのとき、桑野がそれまでの話となんの脈絡もなくいった。

「ねえ、菊池。ぼくはもうぬけるよ」

その口調があまりにさりげなかったので、その意味を把握するのにしばらく時間がかかった。だが、まるで予期していなかったわけでもない。「そうか」とだけ私はいった。

「潮が変わったんだ」彼は静かにいった。「なにごとにも潮の変わり目はある。どうやら、それがやってきたらしい」

「そうなのか？」私はお好み焼きをコテでひっくりかえした。

「われわれが闘ってたのはいったいなんなんだろう。君はどう思う」

「大学当局、国家権力、それにMと党。まあ、教科書でいえばそうなるな」

「ほんとうにそうなのかな。ぼくはわからなくなってきたんだ」

「どんなふうに」

焼きあがったお好み焼きにソースを塗った。青ノリをふりかけ、「食べろよ」といった。

桑野はうなずいた。

「ぼくらの一部は、自己否定の論理までいっちゃったろう？　あれにぼくは乗れないんだよ。思うんだけど、われわれが相手にまわしていたのは、もっと巨大なもの、権力やスターリニストを超えたものだって気がしてきたんだ。いわゆる体制の問題じゃない。もちろん、イデオロギーですらない。それは、この世界の悪意なんだ。この世界が存在するための必要成分でさえある悪意。空気みたいにね。その得体の知れないものは、ぼくらがなにをやろうと無傷で生き残っている。これからも生き残っていくだろう。そこでは自己否定なんて、まるで無力だよ。意味がない。結局、ぼくらがやっていたのは、ゲームだったんじゃないのかな。それもつぶすかつぶされるか、みたいなゲームでもない。最初から、負けはわかっていた。それでも、まあ、やってみよう、そう決心してはじめたゲームさ。だけど、世界に不可欠な悪意がぼくらをとりまいて無傷でいる以上、もう手の打ちようがないんだよ。そう思った。いったん、そう考えはじめたら個人的にはなにもできなくなってしまう。そんな気がしてね。単純にいえば、ぼくはつぶれた。そういうことさ」

「宿命論みたいだな」私がいった。「それに抽象的にすぎる」

「そのとおりだね」桑野が答えた。

「消耗したというひと言でかたづけられちまいそうでもあるな」

「たぶん。でも、退廃といった方がふさわしいのかもしれない」

「結局、ゲームセットってことか」

「そう、ゲームセットだ。君はどう考えているか、知らないが」

「おれは、おまえにつきあうよ」

それから私たちは焼きソバを追加注文し、黙って食べた。私たちが闘争について最後に交した会話はそれだけだった。ソースの焦げる匂いと沈黙だけが私たちをつつんでいた。


ゲームセット。

桑野と私は留年した。復帰するかどうかはわからないまま、学校にいくのをやめた。働きはじめた。大学闘争はタガを失い、セクトの主導権争いが激しくなったと聞いた。桑野も私もかつての仲間のまえにはいっさい顔をださなかった。学校のだれとも会わなかった。園堂とも連絡がとだえた。

桑野は渋谷にある洋装品メーカーの直営店で店員の仕事を見つけた。私は池袋近くの小さなパン工場で働きはじめた。毎日、朝五時に出勤した。小麦粉にイースト菌を配合した素材を攪拌機《かくはんき》にかける。練った粉がゴムの固まりに変化する。それを鉄の方形トレイに分けた。その何十ものトレイがコンベアに乗り、巨大なオーブンをゆっくりひと巡りすれば、食パンが焼きあがった。石綿の手袋でトレイを取り出し、パンを仕分けして木箱につめる。それからトラックでいくつかの小学校の給食室に配送した。二時に仕事は終わった。

　そのあとの時間を、いつかボクシングジムですごすようになった。通勤の途中にあるジムをふらりとのぞき、興味を持ったのがきっかけだった。トレーニングをはじめて一ヵ月ほどたったころ、ジムの会長が私にいった。プロテストをいずれ受けろ。なかなかセンスあるぜ、おまえ。そういった。

　桑野とはときどき会った。彼のアパートは駒込にあったが、月に二、三回の頻度でいつも彼が私の部屋にやってきた。私たちは会うたび、とりとめもないことをしゃべった。売場から営業セクションにまわされたよ、いまの職場に居つくかもしれない。彼はそんな話をした。桑野も私と同じで、高卒の資格で勤めていた。それでも、彼の仕事ぶりは会社で評価されているようだった。

　園堂優子が私の部屋にやってきたのは、そんな生活が一年ほど続いたころだ。

　椎名町の私のアパートは四畳半だった。駅から歩いて二十分くらいの距離があり、家賃は安い。蒸し暑い夜だった。ドアがノックされた。新聞屋だろうと思ってドアを開くと、優子が立っていた。スーツケースがひとつ、彼女の足元に置かれていた。一年以上たってはじめて会った彼女は、きのう別れたばかりのように、あっさりした口調でいった。

「ここにしばらく居させてくれない？」

「どうして」

「帰るところがないのよ」

「いいよ」私はかんたんに答えた。

それから、私たちの共同生活がはじまった。理由は聞かなかった。相変わらず彼女は、彼女のいう私のノーテンキさ加減に辛らつだった。私がボクシングのプロテストに合格したといったときには「それがあなたの唯一のとりえを生かす道かもしれないわね」といった。彼女は家事の類《たぐ》いにはいっさい興味をみせなかった。きちんと食事をつくったのは私だ。掃除、洗濯をしたのも私だ。彼女は当然のことのように、私が働くのを黙って眺めていた。彼女が唯一熱中していたのは、ひたすら読書だった。私の本棚から引っ張りだした本をくりかえし読んでいた。私の持っていた本は多くない。それも一定の分野に限られていた。すべて六〇年代に発行された詩集と歌集だ。現代詩と現代短歌。それだけがそのころの私にしっくりなじむように思えた。さらにぼつぼつ買い足してもいた。彼女が読書しているとき声をかけると「じゃましないでよ」といった。あるとき、「あなたがこういう類いの本を持っているとは、夢にも思わなかった。あなたの頭脳も一応、正常に機能する部分があるのね」そういった。それだけが彼女から私の受けたただひとつの評価だったと思う。そんな彼女がなぜ、私のところにやってきたのかは、よくわからない。彼女は大学には退学届けをだしたといっていた。彼女の父親が大蔵省事務次官を経て、東北のある県から衆議院に出馬するという話は新聞で読んだ。あるいは彼女が大学闘争にかかわっていた問題は父親にとって、保守的な選挙区でウィークポイントになっていたのかもしれない。あの時代も、私たちは彼女の父親の立場は知ってはいた。しかし、全共闘の人間でそんなことを問題にするものはだれもいなかった。私と暮らしはじめたあとも、ふたりのあいだでそういう話はでなかった。だから彼女の家庭の事情は私はまるで知らない。だからといって、彼女と私のあいだが険悪だったというのではない。よくしゃべった。彼女の読書内容に触れるようなものではなかった。若い男女のだれもがしゃべるような類いの会話だ。彼女の私への手きびしい批評もそんな生活のアクセントのひとつにすぎないように思われた。そして、彼女と私が行動をともにする趣味は映画で一致した。土曜の夜は、池袋の文芸坐へオールナイトを観にいった。いつも東映の五本立てやくざ映画がかかっていた。そのころは鶴田浩二、高倉健、藤純子がスクリーンのレギュラーメンバーだった。私のかぎとることのできた彼女の変化は、そのあたりにいちばんよくあらわれていたように思う。彼女が演劇をやっていたころ、ゴダール以外、映画じゃないわよ、そんな断言は何度も聞いたことがある。

　優子が私の部屋にやってきてからも、ときどき桑野は遊びにきた。彼女が私のところに居そうろうをはじめたことをごく自然に受けいれていた。やあ、久しぶりだね、そういっただけだ。なにも聞かなかった。優子も同じ返事を返しただけだった。彼がやってくると、優子はビールをだして会話に加わった。昔はまるで飲めなかったのに、桑野はコップをいかにもうまそうにかたむけた。営業の辛いところさ。彼はいった。いまは仕事のつきあいで飲まざるを得ない機会があるんだ。そのころは逆に、私がビールをセーブするようになっていた。あまり苦労はしないが、一応減量に配慮してはいたからだ。ライト級、六十一・二キロ。それより四キロ以上オーバーしないよう気をつけていた。私たちは闘争時代の話はしなかった。

よく話題にのぼったのは、私のボクサー生活だ。優子がやってきたすぐあとのころ、はじめての四回戦を私は闘った。そのとき、桑野も優子も後楽園ホールにやってきた。こわもてのする数少ない観客たちのあいだで、彼女ひとりひどく目立った。後楽園にくるまでは、いかにも気のないようすだったのに、そのとき彼女は過激な演劇人の面影をはっきりとり戻した。当時の殺伐とした客席から、臆《おく》せず声を張りあげた。試合中は、セコンドの声より彼女の声ばかりが聞こえていた。「殺せ！」そんなかんだかい声が試合中、私の耳元に届き続けた。対戦相手は、すでに三戦二勝の経験を持つファイターだった。私と同じタイプだ。試合はわりにかんたんに終わった。ちょっとした手探りのあと、私のリードの左が顔面にヒットし、直後に右のショートブローが相手のキドニーをとらえた。自分でも感心するほどきれいなコンビネーションだった。彼はダウンし立ちあがったが、次の右がもう一度ボディーに入ると起きあがれなかった。一ラウンド二分十秒ＫＯ勝ち。試合が終わったとき、会長とトレーナーはまったくダメージのない私の顔を見て喜色満面だった。デビュー戦を飾った新人がジムで二年ぶりに出現したのだ。トレーナーがいった。それにしても恐ろしい彼女がいるな、おまえ。

五、六戦ほどこなして、それなりの成績をあげれば六回戦にすすめるはずなんだ。私が説明すると桑野は、世界チャンピオンになったらどうするんだ、君は。過去が洗われて東大闘争やってたってことがバレちゃうぞ。冗談めかしてそういった。私は笑った。なにいってんだ。四回戦一回やっただけだぜ。世界戦なんて、うちみたいな弱小ジムじゃ夢物語だよ、そこまで行くころには爺《じい》さんになってる。でも、プロになった以上、不可能じゃないんでしょ。なんなさいよ、あなた、きっとなれるわよ。意外なことにそのとき優子が私の側に立ってそういった。それにしても園堂の応援はすさまじいね。ほんとうにタイトルマッチなんかになったらどうなるんだろう。後楽園のときは、リングより園堂を眺めている観客の方が多かったのは知ってるかい。殺せ！　って声援があがったときには、やくざの兄さんが、口をあんぐり開けて園堂を見てたよ。ぼくには彼の金歯まで見えた。その桑野の言葉に私たちは笑い声をあげた。学生時代には決してあげなかったような声で笑った。

そのころ、私の叔父が死んだ。私の唯一の係累である彼は、幼いときに両親を亡くした私の恩人だった。大阪で損保の小さな代理店をひとりで経営しながら、高校まで私を育てた人物だ。親密な関係が続いているとはいえなかったが、それでも恩人だった。時おり連絡はした。真面目に学校に通っている。アルバイトでじゅうぶんな収入があるから、金銭的な心配もいらない。そう伝えていた。通夜と葬式に戻った。そのとき、私は叔母からクルマを一台もらった。ウチのが使うてたんやけど、もういらんさかい。形見分けや思て、あんたもろうてくれへんやろか。そのクルマは、私が大学に入って上京したとき、たしか十歳を迎えたはずだ。私は、ありがたくちょうだいすると答えた。葬儀のあと、そのクルマで東京に戻った。

優子はそのクルマで戻った私を見ると目を丸くした。「へえ、こんな古いタイプがまだ走ってたのね」そういいながらも笑ってつけくわえた。「気にいったわ。このクルマ。デザインもシンプルだし、なんか老犬を思わせるわね」

私の印象も同じだった。それは、この国の自動車産業が黎明期《れいめいき》にあった時代の、いわばささやかな記念碑だった。千CCのエンジン、それにタイヤとハンドルがある。だが、それだけだった。デザインというほどのものはなにもない。大きな車体の箱に小さな運転用の箱がのっている。それだけだ。ラジオはついていたが、それ以外、いまでいう付加価値の概念は影さえなかった。古き良き時代がそのままかたちになったようなデザインだった。

パン工場への出勤はトレーニングを兼ねて走ったから、日曜によくドライブした。優子はそのドライブも気にいっていたようだ。ときには桑野も乗せた。もちろんトラブルは少なくなかった。タイヤは極端に擦り減っていたし、ブレーキの甘さが気になった。だが修理は問題外だった。費用がなかったし、部品の取り替えを考慮するなら、すべての部品をそっくり取り替えるべき時期にきていた。

一度だけ、優子と遠出したことがある。秋だった。箱根まで日帰りでドライブした。山並みを紅葉が染め、芦ノ湖にそのいろが映っていた。私たちは湖面を見おろす公園のベンチにすわり、その風景を眺めていた。高原の空気はやわらかだった。どこまでも透きとおっていた。あたたかい陽ざしが私たちをつつんでいた。優子が私の肩に頭を乗せてきた。風が吹き、彼女の髪がさらさらと私の頬をなでた。くすぐったかった。そのことを告げようとして、彼女を見た。私は口を閉ざした。彼女が泣いていたのだ。その目から涙がひと筋、流れおちていった。私がはじめて見る優子の涙だった。そして静かなあきらめの気配があった。目のまえに繊細なうなじがあった。なにかがすぎ去ろうとしている。私たちは長いあいだ、そのまま動かなかった。黙ったまま、そうしてすわっていた。

優子が私の部屋から姿を消したのはそれから何日もたたないころだ。ある日、ジムから帰るとメモが一枚、ちゃぶ台にのっていた。「さよなら、チャンプ」。書いてあったのはそれだけだ。当然のことが起きた。まず私が考えたのは、そのことだった。なにかの自然な流れが流れ、終点にゆきついたのだ。彼女は帰る場所をふたたび見つけたのだ。そう思った。季節の巡りで移りゆく風のようなものだ。私たちが経験した大学闘争と同じだった。私はジムの練習にいっそう熱中した。ひと月ほどたって二度目の四回戦があり、私はまた勝った。三ラウンドTKO。さらに三月後の試合でも大差の判定で勝った。ジムは俄然《がぜん》、私に注目しはじめた。新人王が狙えるかもしれんぞ。会長ははしゃいでいた。

桑野は相変わらず、私の部屋にやってきた。彼は優子が私のところにやってきたことにおどろかなかったが、私の部屋から去ったことにもおどろかなかった。彼は、そのことには触れなかった。私も話さなかった。私の試合があれば、いつも彼は応援にやってきた。そのころの四回戦ボーイたちの試合の観客は、決して上品な層であったとはいえない。そのなかで異質な雰囲気を漂わせていた。しかし、本人はいっこう気にする気配はなかった。おどろいたことに、彼も「殺せ！」と叫ぶようにすらなっていた。トレーナーが、あのかわいい娘はどうしたんだ、私に聞いた。ふられたんですよ、と私はいった。悔しさはリングにぶつけろ、と彼はいった。

主任になったよ。ある日、私の部屋にやってきた桑野がいった。よかったな、と私はいった。途中入社でもう昇格したのは、いかにも桑野らしい。パン工場の方はどうなんだ、彼が聞く。いくらか給料はあがった、と私。ボクシングじゃ食べていけないのかい、と彼。そういう世間の事情に彼は無知にすぎた。私は笑いながら答えた。世界でトップにならない限り食えない、日本ランカーでさえ昼の仕事は持ってるんだ。私がそういうと、彼はしばらく考えていた。やがて彼がいった。なあ、菊池。ぼくたちまだ、学校に籍があるのは知っているか。私は少しおどろいた。とっくに除籍になったと思っていたのだ。ぼくらはふたりとも休学扱いになっているらしい、もし戻りたいんなら復学は可能なんだそうだ。渋谷で久しぶりに会った昔の同級生が教えてくれたという。私は、興味はない、と答えた。おまえはどうなんだ。たずねると、彼は少しあいだをおいて、実は留学しようと思っている、そう答えた。多少お金が溜《た》まるようになってそんなことを考えはじめた、高校の卒業証明書さえあれば受けいれてくれるところがある。いい考えかもしれない。それでどこへ留学するんだ。フランス、と彼は答えた。ただ、そのまえにやっておきたいことがあるのさ。どういうことなんだ？　私がたずねると、いずれ話すよ、とだけ彼はつぶやいた。

私の方は、相変わらずの毎日がすぎていった。工場とジム、私の部屋の往復。その日課をくりかえした。趣味らしいものといえば、日曜のドライブだけだった。クルマはいよいよ老いぼれていった。青空駐車のせいで、車体に錆《さび》が目立つようになった。ブレーキがさらに甘くなり、そのうち完全にきかなくなった。それでも修理にはださなかった。もうひとつ、ハンドブレーキが残っていたからだ。そのクルマのハンドブレーキは、T字型のロッドを引く旧式のものだった。走っているときのハンドブレーキは効果がありすぎる。だが、力の入れ加減のコツはすぐ習得した。徐々に力を加え、フィニッシュで思いっきり引っ張る。私はそのくたびれたクルマでひとり、何度か箱根までドライブした。短い時間、芦ノ湖を眺めるためにだけ往復した。そこには優子との三ヵ月の生活が、秋の日の淡い影のようにゆらめいていた。

そうして半年がすぎた。私は東日本地区新人王トーナメントの一回目の試合を闘った。三ラウンドKOで勝った。それまでの戦績が六戦全勝になった。うちKO勝ちは五回。

その春の土曜の夜、桑野から電話があった。廊下にある共同電話で話した。桑野からの電話は珍しい。彼が私の部屋にやってくるとき、いつも事前にはなにも連絡してはこなかった。私の部屋の合鍵《あいかぎ》も彼は持っていたからだ。

「あさって、フランスへ出発するよ」いきなり、桑野はそういった。

意外な感じはしなかった。はじめて彼が留学の話を打ち明けたときから、いつかこんなふうに連絡がある、そんな予感があった。

「急だな」と私はいった。

「それで、頼みがあるんだけど」

「見送りにはいくよ。工場は休む」

「そんなことじゃなくて」彼は少しいいよどんだ。「明日、君は休日だから、ぼくをクルマに乗せてほしいんだ」

その申し出は意外だった。桑野は優子みたいにドライブに興味を示したことがない。それに彼は運転もできない。

「送別会なら、この部屋でやればいいじゃないか。クルマに乗ったら、おれは飲めないぜ」

「帰ってから飲もう。まだ、次の減量まで時間はあるんだろう？」

「ある」と私はいった。新人王戦の次の試合は一ヵ月後の予定だ。

「どこまで行くんだ」私はたずねた。

「そうだな。富士山のふもとあたり。樹海が見たい」

私は笑った。

「ちょっとアナクロすぎないか。日本の風景の見納めが富士山ってのは。おまえの発想もずいぶん陳腐になっちまったじゃないか」

桑野も笑って答えた。

「そうさ。人間は陳腐への階段を降りていく運命にあるんだよ」

次の日、朝五時に桑野はやってきた。私はいつもの時間に起きて、もう一時間たっていた。日課の軽いランニングを終え、インスタントコーヒーを飲んでいるところだった。ドアを開いて立った彼は古い大きなボストンバッグをひとつさげていた。

「それはなんだ」私は聞いた。

「ゴミ」と彼はいった。

「ゴミ？」

「そう、ぼくがつくったゴミなんだ。これを捨てに行きたいんだよ。それで、この国の生活をすべて清算できる」

私は少し考えてからいった。

「富士山までゴミ捨てか。まあ、コーヒーでも飲まないか」

うん、彼はうなずいて、畳の上にあぐらをかいた。黙って私がいれたコーヒーをすすった。

「で、フランスのどこに留学するんだ」

「ソルボンヌ・ヌーベル。パリ第三大学」

「なにを勉強するんだよ」

「まだ、決めちゃいないんだ。ただ、学期がはじまるまでにフランス語の会話を勉強しとこうと思ってね。早目に行くことに決めた」

「たしかにおまえは洋服屋の営業主任より、学生か学者の方が向いてはいるな」

桑野は首をかしげて笑った。

「そういえば、君はなにに向いている?」

「いまのところは、ボクサーかな。おもしろいんだ、あれ」

「君は強いからおもしろいんだよ。でも、もう応援できなくなるね」

彼の言葉は少しちがう。拳《こぶし》が手応《てごた》えを感じたとき、ライトにきらきら光りながら相手の汗が飛び散っていく。あの凝縮した時間はリングに立ったものにしかわからない。私は説明せず、ただ笑った。

「世界戦のタイトルマッチのとき、観にきてくれればいい」

「ぼくはそれ、冗談じゃないと思うよ。菊池ならほんとうにやりかねない」真面目な顔つきだった。

「ほんとうにやりかねないか。犯罪みたいじゃないか」私は立ちあがった。「そろそろ行くか」

うなずいて彼も立ちあがった。

五時半だった。近くにとめてあったクルマまで歩いた。桑野はボストンバッグを慎重に運んだ。私が後部ドアを開き、彼はうしろの床にバッグを置いた。安定をたしかめていた。

「どういうルートでいくんだい」助手席にすわった桑野がいった。

「まかせろよ。どうせ、道路なんてわかりゃしないんだろ」

朝のエンジンはかかりが悪い。バッテリーも交換の必要がある。このクルマの寿命はあとどれくらいだろうと思った。少なくとも月単位であることはまちがいない。それでもやっとエンジンはかかった。ゆっくりすべりだし、山手通りに入った。渋谷まで行って、東名に入るつもりだった。道路はすいていた。日曜だし時間が早い。スピードはでないが、クルマは快調に走りはじめていた。ずっと桑野は黙っていた。はじめて彼が口を開いたのは、甲州街道をすぎたころだった。

「ぼくは運転ができないから、生意気に聞こえたらあやまるが」彼は慎重な口振りでいった。「君の運転は、ふつうとちがうんじゃないのかな」

「ああ」私は答えた。「たしかにふつうじゃないな。ブレーキが壊れてるから」

「ブレーキが壊れてる？」

赤信号にさえぎられた。私はハンドブレーキを引っ張った。

「ちゃんととまるようだけど」

「これは駐車用なんだ。フットブレーキが壊れてる」

桑野は検討するように考えこんでいた。

「つまり、こういうことかな。ブレーキには走行用と駐車用の二系統があって、走行用が壊れてる」

「そのとおりだ」

「戻ろう」

「なぜ」

「危険じゃないか」

「大丈夫だよ。おれはもう半年、このやり方で走ってるんだ」

「戻るべきだよ。絶対に」

彼は珍しく固執した。私が反論しようとしたとき、大型トラックが横の車線からスピードをあげ、鋭角で割りこんできた。ハンドブレーキを力いっぱい引っ張った。そのとたん、急に抵抗がなくなった。私は自分の左手を眺めた。T字型のブレーキハンドルが私のてのひらにあった。その先で、ちぎれたスプリングが小刻みに震えている。一瞬、桑野の顔が青ざめるのを見た。

「おまえのいったことは正しかったな」私はいった。「ブレーキがぬけちまった。これで両系統とも完全に壊れた。つまり、このクルマはとまる方法がなくなったってことになる。少なくとも穏やかな方法ではとまれない」

桑野が私を見つめた。すでに無表情とも見えるおちつきはらった顔つきに変わっている。即座に冷静をとり戻していた。

「うしろに置いてあるバッグの中身は知ってるかい」

「ゴミなんだろ」

彼はおちついた声でいった。

「実は爆弾が入っているんだ」

私は桑野をちらと眺めた。

「たいそうなゴミだな」

「なんだか、予想していたみたいだね」

「そりゃあ、なんかやばいもんだとは思ったさ。おまえのようすを見てれば、それくらいはわかる。自分でつくったのか」

「どうする?」彼は直接答えず、そういった。相変わらずおちついた声だった。危機に際しては、逆に腹をすえる。その性格は大学闘争時代に何度も目にした彼の特徴だ。

私はアクセルから足をはなした。四段変速のギアをトップからひとつずつおとしていった。小田急線を越える陸橋が見えはじめた。

「クルマをどこかにぶつけてとめるしかない」私はいった。「爆弾は、衝撃で爆発するのか」

「たぶん、しないと思う。しかし断言できない」

「わかった」

水道道路を右折した。赤信号だが、とまることはできない。直進車がクラクションを鳴らし、私たちの横をすりぬけていった。

「駒場が近いな」桑野がいった。

そのとおりだ。その時点でなにか幸運な点があったとすれば、このあたりの地理に私が詳しい、その一点しかない。しばらく走り、銭湯のある交差点を左折した。クルマも人も見えない。ギアはすでにロウだった。速度も十キロ近くまで落ちている。弾力があるものにぶつければ、たぶん、たいした衝撃は受けずにすむだろう。ふたまたにわかれた道路をまた左へ進んだ。その方向には、日中でも人通りの少ない幅広い道路が続いている。私は大声で叫んだ。

「この先は上り坂だ。登りきってスピードがいちばん落ちたとき、並木のどれかにぶつける。ドアは開いとけ。ぶつけたら飛びだす」

桑野がうなずいた。

爆弾の威力を聞こうとしてやめた。桑野がつくったのだ。品質は最高を考えるしかない。

上り坂にさしかかった。道路の真ん中を走った。そのとき、左の坂道から子どもの乗る自転車が極端なスピードを乗せ、飛びだしてきた。そのままでは衝突はまぬがれない。私の方は速度をそれ以上、おとせなかった。ぶつかる寸前、ハンドルを右いっぱいに切り、思いきりアクセルを踏んだ。かろうじて自転車はかわしたが、右側にある石壁が迫っていた。クルマは石壁に激突した。

私はすぐに飛びおりた。桑野も反対側に転げおちたようだった。

爆発はなかった。

「逃げろ！　菊池。燃えている！」桑野の叫び声が聞こえた。クルマの後部、ガソリンタンクの近くから炎があがっていた。私は走った。別の方向に彼が走るのが見えた。そのとき、自転車がすべり降りてきた同じ坂道から、トレーナー姿の男が走りでてきた。

「近づくな！」

桑野の叫び声がふたたびあがった。男は立ちどまっていた。

「爆発するぞ！　近づくな！」

私は反射的に地面に伏せた。顔だけあげた。火のまわりはおどろくほど早かった。クルマはすでにふくれあがる炎につつまれていた。ふたたび走りはじめる桑野が見えた。彼が向かう方向には、自転車を支えながら男の子がぼんやり立っていた。その子といっしょになって地面に倒れ、かばうように伏せた。また彼が叫んだ。

「爆発するぞ！　逃げるんだ！」

トレーナー姿の男は立ったままだった。消火を考えていたのかもしれない。とまどったようにクルマを見つめ、桑野の方を見た。

轟音《ごうおん》がとどろいた。

そこからの記憶は断片的にしか残っていない。きょとんとした男の子の顔。一瞬あとにあがりはじめた泣き声。あたりにたちこめた白い煙。鼻をつく強い酸の刺激臭。腕から血を流していた桑野。そして散乱した肉片。血。

気がつくと、私と桑野は駒場の構内を走っていた。私たちは、いつか八本から撤退したときとおった裏門から構内に入り、走っていた。そのままぬけて井の頭線に乗った。渋谷にまだ警官の姿はなかった。すぐに山手線に乗りかえた。新宿で降りてから、私が先にたって歩いた。桑野は黙ってついてきた。二十四時間営業のうす暗い地下のジャズ喫茶に入った。片隅の席にすわってから、ようやく桑野の傷のぐあいをたしかめた。

「大丈夫だよ。たいしたことはない」桑野はいった。

クルマの破片がかすめたのだろう。セーターが破れ、ざっくり割れた二の腕から出血していた。鉄片も突きささっていた。だが動脈の損傷はないようだった。私が鉄片を引きぬくと、さらに血があふれた。医者に見せる必要があるのかどうかはわからない。わからないまま、彼の腕の根元をハンカチで固くしばった。

「なんで爆弾なんかつくったんだ」押し殺した声でいった。

桑野は長いあいだ、黙っていた。店のなかには数人の客がいた。彼らはスピーカーから流れるオーネット・コールマンのサックスに集中している。ゴールデン・サークルだな、と思った。

「なんで爆弾をつくったか、聞いてるんだ」私はくりかえした。

「『革命当番』って知ってるかい」桑野が下を向いたままいった。

「知ってるよ。爆弾の教典だろ。本屋に公安がいて、買う人間を全部チェックしてるって噂のやつだろ」

あれは早稲田の如月《きさらぎ》書房にしか置いてないいんじゃないのか。私がそういったとき、桑野がなにも聞いていないことがわかった。彼は独り言のようにしゃべりはじめていた。爆弾のつくり方の解説をはじめていたのだ。あれは教科書としちゃお粗末だね。ぼくは、あそこに書かれている以上のものをつくりたかった。ただつくりたかっただけなんだ。実際に爆発させるつもりはなかったんだよ。ぼくは化学を初歩から、化学式から勉強した。それでわかったんだけど、塩素酸ナトリウムさえ手に入れば、爆弾って、わりにかんたんにつくれるんだ。で、この塩素酸ナトリウムだけどさ。除草剤に入ってる。どこでも売ってる市販の除草剤さ。この除草剤の名前がまたおかしくってさ。なんていうと思う。クサトールっていうんだよ。除草剤で、クサトール。ね、おかしいだろ。これにさ、砂糖、木炭、硫黄、リンを混ぜる。この混合の割合いがむずかしいんだけど、ぼくはうまくやったと思う。調合には羽毛を使ったけど、身体が震えたよ。でも、もっとむずかしいのは雷管なんだ。これはさ……。

桑野の口から重い液体があふれるように声が流れでていた。低く長く続いた。オーネット・コールマンとセッションしているように続いた。私は彼の頰を平手で打った。桑野はやっと気づいたように、私の顔を見つめた。

彼が静かにつぶやいた。

「人を殺しちゃったね」

7

「それが七一年のあなたたちの事件なの」塔子がいった。

「そうだ」

「それで、彼は結局、フランスへ旅立った？」

うなずいた。「次の日に予約していた便で羽田から出発したよ」

「よくつかまらなかったわね」

「そのころはいまとちがい、指紋の鑑定に時間がかかった。私も桑野も六八年にデモではくられていた。公務執行妨害でね。二泊三日だが、十指指紋はとられた。しかし、当局が爆発現場の遺留指紋と照合するのに数日はかかるだろう。そう思った。実際、そのとおりだった」

塔子は溜《た》め息をついた。「それで、死んだ人物が、たまたま警官だったというわけ？」

「そのとおりだ。二十五歳の巡査だった。あとで新聞で読んだ。柔道四段だったらしい。トレーニングに早朝、走ってたんだ。私と同じ習慣を持っていたんだ。警官でなければ、クルマが燃えるのを見て逃げていたと思う」

灰皿には吸殻がうずたかくつもっていたが、彼女はまた、新しいショートホープに火をつけた。「一種の偶発事故でもあったわけね。だったら自首していれば、刑は軽くてすんだでしょうに。起訴されても、あなたの方はせいぜい道交法違反じゃない。無罪か、どんなに悪くても執行猶予がつくじゃない。爆弾のことは知らなかったわけだから。彼だって殺人罪じゃなく、重過失致死じゃないの」

「たぶん」と私はいった。「それは考えた。私たちはそれからまる一日、新宿の喫茶店を何軒もまわってすごした。なにを選択すべきか、考えた。しかし、桑野は動揺していたんだ。冷静な判断には時間が必要だった。だから私が説得した。予定どおり、いったん出発するように説得した。出頭する気になったら、海外のどこの大使館にでも顔をだせばいい。そういった。その場合、彼の連絡にあわせて、私もこちらで警察に出向くことにしたんだ」

「でも、彼がそうすることはなかった」

黙ってうなずいた。

「あなた、彼を恨むことはなかったの」

私はウイスキーをコップにつごうとした。持参した瓶はすでにからだった。塔子のだしてくれた新しい瓶の封を切った。

「私にも事故の責任の一端はある。それに、彼の方はとっさに子どもひとりを助けたんだ。

あの男の子は呆然《ぼうぜん》と立ったままだった。桑野がいっしょに倒れなければ、死ぬか重傷を負っていた。私はまったく動けないでいたのに。そんな男を恨むことができるのか」

塔子は立ちあがって、窓をあけた。ふりかえっていった。

「あなたの話には、教訓があるわね」

「どんな教訓？」

「クルマのブレーキをきちんとしておけば、感傷的にならずにすむ」

私は笑った。

「そのとおりだ」まったくそのとおりだ。

塔子のあけ放った窓から、部屋中にこもっていた煙がぬけていった。新鮮な冷えた空気が流れこんできた。

「彼はよくつかまらなかったわね」

「当時はまだ、海外捜査という点ではおくれていた。赤軍の動きに注目が集まりはじめたのはそのあとなんだ。まえの年によど号のハイジャックがあって、国中が動転したくらいでね。ほかの独立セクトが爆弾闘争を本格的にはじめたのもその年の後半だった。新宿のクリスマスツリー事件も同じ年の十二月だ。それに桑野が買っていたチケットはロンドンまでのだから、警察もインターポールを通じては追いきれなかったようだな」

「あなたはなにをやってたの」

「いろいろ。まあ、多少荒っぽいところでも働いた」

「よく、逃げおおせたわね」

「いまのところはね」

「それで、また注目される存在になった」

「そのようだ。ただ、これは君も知っておいた方がいいが、公安は桑野と私の過去は必ず全部洗っている。だから、園堂優子と私の関係を彼らは知っている」

「母は死んじゃったのよ」彼女はいった。「それでも、あなたは逃げ続けるの」

「まあね。ただ、追いかける方にもまわるつもりだ。優子と桑野を殺した人間を探しだす」

塔子は私を見つめた。動物園ではじめて出会った奇妙な動物を見る子どもの目つきが私を見つめていた。

「どうしたら、そんな突拍子もない考えが浮かんでくるの」

「桑野は、私のただひとりの友人だった。優子は、私が共同生活をおくったただひとりの女性だ」

彼女は私を長いあいだ見つめていた。やがていった。

「なんだか、私も飲みたくなってきた」

「飲めばいい」

立ちあがり、ほんとうにグラスをひとつとってきた。ウイスキーをなみなみとついでから口をつけた。私と同じストレートだが、かなりの量がひと口で減った。ただ飲み方は私とはちがう。私は一度に少しずつしか飲まない。そして、それが果てしなく続くだけだ。

「警察にまかせようと思わないの。あなたひとりでなにができるっていうのよ」

「わからない。しかし、やってみようと思う」

「あなたたちが大学闘争をはじめたときみたいに？　あらかじめ負けるとわかっているゲームをはじめるの」

「そうかもしれない」

私もグラスのウイスキーをすすった。それから口を開いた。

「今度は私が質問する番だ。なぜ優子が、君の母親が、きのうあの場所にいたのか、君にはわからないのか」

彼女はグラスにまた口をつけた。さらにウイスキーの量が減った。優子が酒を飲む場面を思いうかべた。彼女はビールの一杯くらいしか飲めなかった。それに顔がすぐ赤くなった。

「警察に話したことはいったでしょ。まるで見当がつかないって。でも、あなたの話を聞いてわかった。母は、あなたに会いたかったのよ。彼女はあなたの居場所を知っていた。なら、あなたの習慣も知っていたんじゃないかしら」

そのことは考えていた。優子が私の習慣を知っていた可能性はある。たしかに私はこのところ、ずいぶん散漫になっていた。

「だとしたら、なぜ直接、私の店にこない？」

「偶然、再会した。そんなふうにきっと、あなたに思わせたかったのよ」

「彼女が私を見かけたのは、二年ほどまえと君はいった。それだけ時間がたってるのにか」

「さっきもいったでしょ、女のプライド。でもなにか、ほかに理由はあったのかもしれない」

「彼女は私の昔話をしていたとも君はいったが、最近の私について、しゃべったことはあったのか」

彼女は首をふった。「それはないわね。昔話だけ。なにかアクションを起こすようなつもりだってことは、私は聞いてはいない」

「君が優子と最後にしゃべったのは、いつなんだ」

「刑事と同じスタイルで質問するのね。まあ、いいわ。三日まえの木曜日に彼女から電話があった。とくに用事はなかったんだけど、私たち友だちどうしみたいだっていったでしょ。そんなふうに電話があることはわりに多かったの。私から電話することもあった。そのとき話したことは、連立政権の行方が中心。彼女がどんな意見を持っていたか、興味ある？」

「ない」と私はいった。「それ以外、なにも話さなかった？」

「あなたの話題もでたわよ」

「どんなことだ」

「私ね、アルバイトでモデルもやってるの。サンライズ・プロって知ってる？」

「知らない」

「モデル業界では大手よ。私の所属プロだけど、いま芸能関係にも進出を図ってるの。それで、私に白羽の矢がたってるわけ。バンドを組んでボーカルで売りだそうって魂胆なのよ。きっぱり断わったけどね。その話をしたの。才能がないのに無理なんかしたくないじゃない。それで音楽的才能の話になったとき、彼女がいったの。その方面でおそろしく粗末な人物をひとり知っているって。あなたのことよ。私がむかし暮らした男ほどひどい音痴は、ちょっと考えられないって」

溜《た》め息をついた。「ほかには？」

「それだけ。あなたの話題は、そんなふうになにかのきっかけで、ひょっこり顔をだすことが多かった。つまり、彼女はあなたか、あなたにまつわる記憶がいつも頭のなかにあった。そういうことよ」

塔子とその母親のあいだで交された私の話題をたずね続けた。それは私が誘導したのに、私の方が記憶の迷路に入るだけのやりとりだった。映画館のオールナイトに持ちこんだ酒の銘柄まで優子は娘に話していた。それでわかったことは多くない。はっきりしているのは、彼女が私たちの関係で話していたことがすべて、生活のディテールでしかなかったことだ。優子が考えていたこと、その全体の輪郭がわからない。塔子自身もそのことを認めた。

質問を変えた。「君の母親は、なにか仕事をやっていたのか」

「通訳事務所の代表。彼女が住んでいた青山の近くにオフィスがある。母自身、何ヵ国語かは楽にしゃべるから。国際会議とかシンポジウムの同時通訳、重要な商談の通訳もやっていた。新興の事務所だけど、ずいぶん伸びてたみたい」

「そういえば、君の父親は、外務省の人間だったな」

「母は父とお見合いしたのよ。あなたと別れたすぐあとに。政治家の娘と官僚の見合いって、よくあるパターンだけどね。でも、母みたいな性格の人がなぜそんな話を受けいれたか、わかる？」

首をふった。

「いまは、私にはわかるような気がするの」

「どんなふうにわかるんだ」

「あなたのせいよ」

「私のせい？」

「母がなぜ、あなたから去っていったのかもわかるような気がする。あなたのいる場所には、結局、他人の入る余地がないのよ。この世界でいちばん狭い場所にあなたは閉じこもっている。まるで人を寄せつけない場所にね。母はそれを知って絶望したのよ」

ちょっと待ってほしい、私が口を開きかけたとき、電話が鳴った。グラスを手にしたたま、彼女はそばにあったコードレス電話をとった。「はい」とだけいった。黙って聞いていた。眉《まゆ》をよせる表情があった。「じゃあ、十二時ころ戻るから。それからでもよかったら、と伝えて返事をもらってくれますか」。しばらく待っていた。先方がまた話しはじめたらしい。最後に、わかりました、そういって受話器を置いた。大きな溜め息をついた。

「祖父からよ。刑事がどうしても私に話を聞きたいんだって。警視庁の捜査一課の刑事。しつこいったらありゃしない。十二時には、実家に戻らざるを得ないみたいね」

「わかった」私は立ちあがった。「もう私は退散することにしよう」

おどろいたように彼女が私を見た。「どうしてよ。まだ十時をすぎたばかりよ。実家まで、クルマならここから十分くらいなのよ」

「たぶん園堂優子と私の関係を彼らは思いだしたんだ。それに君がここにいることも知った」

「この部屋は警察は知らないといったじゃない。それに祖父が教えることも考えられない。

彼も警察はあまり好きじゃないのよ、ああいう立場にはいるけれど」

「私だって新聞は読むから、その程度の想像はつく。発言内容からその性向くらいはね。それは当然、警察も承知しているだろう。だが、彼らもバカではない。少なくとも君が単身で住んでいることくらいは知ったろう。そんなとき彼らがやることは黙って調べることなんだ。もう、ここの住所は調べにかかっている可能性がある」

「私は犠牲者の家族なのよ」

「君はあまり協力的な姿勢は見せなかったんだろう？　まだ、私との接触までは考えていないだろうが、周辺をすべて洗わないと満足しない。それが彼らの習性なんだ。とくに非協力的な周辺は」

短い沈黙があったが、彼女はすぐに口を開いた。

「警察をかいかぶりすぎなんじゃあないの」

「そうかもしれない。だが、最悪を考えるに越したことはない」

「あなた、どこへ行くのよ。もうあの店には帰れないんでしょう」

「私のことは心配しなくていい。それから、刑事に会ったら私のことを話してもいい。どんなふうに話すかはまかせるが、私が脅迫的だったみたいなニュアンスで話した方がいいかもしれない」

「なぜ、そんなことしなきゃいけないのよ」

「私は、警察に追われている。接触しただけで、その人間に迷惑がかかる。君は私の側より、警察の側に立つべきなんだ」

彼女は憤然とした目で私をにらんだ。その目に光があった。何度か見たことがある。彼女の母親が私を手きびしく批評するとき、いつも浮かべた挑戦的な光がいま、その目に宿っていた。

「冗談じゃないわよ」彼女は硬い声をあげた。「あなたに命令される筋合いはないわよ。私は私の好きなように行動するわよ」

苦笑した。若いころの優子が目のまえにいる錯覚に一瞬おちいっている自分に気づいたからだ。立ちあがって窓の外からスニーカーを拾いあげ、ふりかえった。「ひとつだけ、頼みがあるんだが」

「なによ」

「君は優子の部屋に行くだろう？　遺品整理かなにかで」

「もちろん。適任者は私以外にいないもの」

「そのとき、もしなにか手掛かり、日記でも手帳でもなんでもいい。きのうのあの時間、あの場所に彼女がいた理由みたいなものが見つかれば、警察だけでなく私にも教えてくれないか」

「いいわ」彼女はいった。「警察に話をするかどうかは別としてね。あすのお通夜までに調べとく。でも、どうやってあなたに連絡するの」

ドアまで移動し、私はいった。「こっちから電話するよ」

彼女は立って私を見つめていた。視線は私と同じ高さにあった。ハイヒールをはけば、たいていの男を見おろすかたちになるだろう。

「ねえ、私、決めたわ」

「なにを決めたんだ」

「あなたに協力する。あなたのバカなゲームに参加するの」

「やめた方がいい」

「なぜ」

「素人が首をつっこむのは、トラブルのもとだ」

ふたたび、その目に燃えあがる怒りのいろを私は見た。

「なによ。母があなたのところへ行ったときは、黙って同居人として受けいれたんでしょ、抵抗もしないで。その娘がもっとかんたんなことをいってるのに、パートナーをやってあげるって好意でいってるのに、なんで応《こた》えられないのよ」

「論理的に飛躍があるんじゃないのかな、その言い分には」

「あなたに論理的なんていえる資格があるの。だいたい、あなたがひとりで行動するより、私といっしょの方が怪しまれないですむじゃないの」

溜《た》め息がもれた。どうやら、私は園堂という血の系統に議論では勝てない宿命にあるらしい。だが、彼女のいうことにはたしかに一理ある。「わかった」とりあえず私はいった。「協力をあおぐときは連絡するよ。それよりあしたは、できるだけ君のお母さんの部屋を詳しく調べてほしい。プライバシーを侵害しない範囲で」

「なに甘ったれたことといってるのよ。プライバシーを侵害しなきゃ、なにもわかりはしないじゃないの」

「もっともだ」私は答えた。たしかにもっともだ。

彼女はいったん奥に引っこんだ。ふたたび姿をあらわしたとき、抱えていたデパートの紙袋を私にさしだした。

「なんだ、これは」

「おみやげ」

重さと手触りでわかった。ウイスキーの瓶二本が入っている。私は礼をいい、スニーカーをはいた。

ドアは半分開いていた。おさえた声で彼女がいった。

「あなたの話でまだわからないことがあるんだけど」

「なんだ」

「彼はどうして爆弾なんかつくったの」

首をふった。「私にもわからない。二十二年のあいだ、ずっとわからなかった」

彼女が私をじっと見つめた。

「それで、あなたはきょう、どこに泊まるつもりなの」

「宿泊費くらいは持ってる。まあ、どこか探すさ」

「ここに泊まったっていいのよ」

「もう、この部屋は私にとって危険すぎる。遠慮しとくよ」

まだ彼女は私を見つめたままだった。「もうひとつだけ教えて」

「なんだ」

「あなたは、ほんとうにビートルズよりあのゴミみたいなグループサウンズの方が優れていると思ってるの」

「優れているかどうかは知らない。あれがビートルズのみじめな亜流だってことくらいは知ってるさ。それでも、あのころのグループサウンズがいまも私は好きなんだ」

そのまま部屋のドアを閉じた。彼女のあきれかえった表情がドアの向こうに消えた。階段を降りながら、嘘をひとつついたな、と考えた。私が泊まることのできるところは、いまはもうどこにもない。少なくとも有料で宿泊できる施設はない。どこにも警察からの連絡が入っている。私は選択肢のリスクを考えながら冷たい風のなかを歩いた。閑静な屋敷町の暗闇を選びながら歩いた。私の想像力は貧しい。結論はひとつしか思いうかばなかった。

代々木上原から小田急線に乗れば、新宿は十五分とかからないはずだ。

8

西口にはまだ大勢のサラリーマンが歩いていた。十一時だった。赤い顔をしているものが多い。ここにくるまで警官の姿は見なかった。ふだんとまるで変わりない光景だった。もっとも、あと一時間もすれば人通りは絶える。不況は、時間にともなう風景を変えている。中央公園近くまで行けば、そのあたりもいつもと様相はちがうだろう。ただ、そちらの理由は別にある。現場検証は続いているはずだ。まだ、一日半しかたっていない。

公園へぬける左側の通路を歩いた。段ボールハウスが立ち並ぶ真ん中あたりで立ちどまった。そのひとつのまえにしゃがんだ。がっしりした方形に組み立てられている小屋のまえだ。

「タッ」と呼びかけた。返事がない。もう一度、呼びかけた。

側面の段ボール板が開き、立派なあごひげを持った顔があらわれた。彼は目をこすりながら、のんびりした口調でいった。

「へえ。島さんじゃないさ。どうしたのよ。こんな時間に」それから、私の顔をしげしげと眺めてつけ加えた。「それにしてもあんた、顔がひどいね」

忘れていた。塔子は私の傷には触れなかったからだ。最後に鏡を見たのはけさのことだ。

「ちょっとしたいざこざがあったんだ。それより聞きたいんだが、お巡りはもうきたか」

「きたさ。二度もきたよ、私服が。なに考えてんだろうね、あいつら。平和好きで清く貧しいおれたちが、花火なんか爆発させる趣味と金あると思ってんのかね」

「彼らにも事情はあるんだろう。で、いつといつきた？」

「きのうの真夜中、きょうの昼過ぎ。きのう、不審な人間見なかったかって、まったくワンパターン。おれ以外、不審なのはだれもいないって答えたら、怒りやがったよ、あいつら。ジョークが通じないんだね」

昼過ぎか、つぶやいてから考えた。まだ彼らがやってくることがあるにしても、それまで余裕はいくぶんかあるだろう。

「なあ、タツ。新人の入る場所は残ってるか」

彼は短く口笛を鳴らした。

「なんだい、あんた。ここに泊まりたいっての」

「そうだ」

「失業したのかい」

「そんなところだ。仲間にいれてくれないか」

「ここじゃ、新入りはあんまし歓迎されないんだよね。やつら、勝手にこの長屋のはしっこに下手な寝ぐらつくってるんだけどさ、ここの習慣知らなくて、いまずいぶんトラブルのもとになってる」

「なら、私もダメか」

彼はニヤリと笑った。「いや、あんたは特別ゲストだ。おれが歓迎するさ。おれが決めたことに、ここらで文句いうやつはいない。だから、遠慮はいらないよ」

「それじゃあ、悪いが、段ボールを手にいれる方法とハウスのつくり方を教えてもらえるかな」

「そんな必要ないさ。隣があいてるもの」

「なんだ、ゲンさんとこか」

「うん、ここ三日ほど姿消してるんだ」

「どうしたんだ」

「さあ、消えるまえ、なんかいい仕事見つかったといってはいたんだけどね」

「現場はあの年じゃ無理だろう。なんの仕事なんだ」

「わかんない。いわなかったから。でもあんまし心配することないんじゃないの。まあ、いい方に転んだかもしれないしさ。ここんとこ、あんまり冷えこみもなかったし。あ、きょうは別か。きょうは冷えるよね」

タツはハウスからはいでてきた。たしかめるように、うん、きょうは冷える、ともう一度いった。数歩歩いて隣の段ボールの扉を開き、私に笑いかけた。

「爺《じい》さんが帰ってきたら、おれが新居つくってやるよ。爺さんもあんたが間借り人なら文句いわないしさ。一斉があったのは五日まえだから、しばらくはおちつける」

私は塔子のくれた紙袋から、ウイスキーを一本とりだした。

「ひゃあ、上ものじゃんか、これ」

「気持ちだよ。受けとってくれ」

「そいじゃ歓迎会だな、これから」

「悪いが、ちょっと疲れているんだ。もう休ませてくれるか」

彼は欧米人が見せるしぐさで、肩をすくめた。

「そういうことなら。まあ、いい夢みるんだね、じゃあね」

彼はあっさり、自分の寝ぐらに戻っていった。固執しなかった。詮索《せんさく》もしない。それが彼の性格なのか、このあたりの習慣なのかは、よくわからなかった。私は小屋にもぐりこんだ。

扉を閉じるとうす暗かった。やがてその暗さになれた。住居はよくできていた。段ボール板がビニールひもでつながれ、角は割りばしで固定されている。タツは一斉があったのは、五日まえだといった。都が月に二度実施する一連の段ボールハウスの撤去のことだ。朝にやってきて住人がいないと荷物まで持っていく。したがって半月の命なのだが、この住居はていねいにつくってあった。製作者のゲンさんは、もう六十は超えている。その顔を思いうかべた。生真面目な老人の顔。現場作業が長く、身体のさまざまな部分に損傷がある。それが老いるまでまっとうに生きてきた報酬だった。

彼らと知りあったのは、この夏のことだ。日曜の夜、蒸し暑い部屋をでて西口の通りを歩いていたとき、酔っ払いがわめいているのを見た。なんだ、このプータロウどもが、汚ねえ小屋並べやがって。そう叫んでいた。私もアル中だが、そういう酔っ払いのように酔っ払うことはない。立ちどまり、道ばたで眺めていた。そのうち、段ボール小屋に酔っ払いが小便しはじめた。ひとりの老人が抗議し、別の若い男が殴りかかっていった。しかし、あっけなくはねとばされた。もう一度試みたが、同じ結果に終わった。私はでていって、その酔っ払いを殴りたおした。腹を殴ったせいか、倒れた男はそのまま、湯気のあがる自分の小便のなかに吐きはじめた。若い男がその酔っ払いをひと蹴《け》りした。それからのんびりした声で彼の耳にささやいた。あんたの方がうす汚いじゃないのさ。プータロウってのは気にくわないな。おれたちのことはこれからストリート・ピープルと呼んでよね。そういった。ストリート・ピープルがきれいな発音だった。それがタツとゲンさんだ。それ以後、顔をあわせれば短い会話をかわすようになった。たぶん彼らは、私に同人種のにおいをかいだのだろう。

においといえば、異臭がした。ゲンさんは床となる二枚の段ボールにゴザを敷き、さらにその上に毛布を重ねている。そのにおいだ。かなり猛烈だった。塔子のくれたウイスキーのもう一本をとりだし、キャップで飲みはじめた。そのうち、においは少しずつ気にならなくなっていった。それより寒さがこたえてきた。毛布にくるまりウイスキーを飲んでいるのに、冷気がしのびよってくる。その気配がしんしんと身に沁《し》みた。この西口は風にさらされず、ビルの排気でよそより暖かいと聞いている。まだ十月末だ。それでもこれだけ底冷えする。ホームレスになる人間は、ほとんどが私より上の世代であるはずだ。タッのようなケースは例外だった。彼らはこれからやってくる冬をどうやってすごすのだろうと思った。学生時代、籠城《ろうじょう》したときのことを考えた。あのときは寒さがまったく気にならなかった。私は二十歳だった。結局、私も年をとったのだ。段ボールとゴザ、毛布をとおしてコンクリートの冷たさが皮膚から身体の内部にまで沁みいってくる。抵抗力がなくなっている。私もそれだけ、年をとったのだ。

靴音がした。おびただしい数の靴音。じっと動かず、しばらく聞いていた。それから自分のいる場所を思いだした。天井を開いて、光をいれた。時計を見ると九時まえだ。副都心に出勤するサラリーマンとOLたちの姿が途切れなく、柱の向こうに続いている。

小屋のなかを見わたした。昨夜は気づかなかったが、歯ブラシとタオル、下着が何枚か、それに文庫本が段ボールを丸めた枕のそばに一冊置いてある。表紙を眺めると、横溝正史の『八つ墓村』だった。小屋をはいでた。身体の節々に痛みがあった。だが、きのうの朝の痛みとはちがう。なぜか、懐かしい痛みに似ていた。

「よく眠れたかい」

声のした方を向いた。タツが笑って立っていた。

「はい、メシ」私に弁当をよこした。

「どうしたんだ、これ」

「きのうの夜、コンビニのゴミ箱からとってきたのさ。大丈夫だよ。賞味期限を半日すぎてるだけだから。コンビニが期限切れの弁当を捨てるマニュアルはおれたちのためにあるみたいなもんなのさ」

その話は聞いている。この消費社会に誕生した新種の食物連鎖だ。その構造が周囲に恩恵をふりまくこともあると聞いている。

「おれんちで食べない？」

うなずいて、足を運んだ。

彼の小屋も天井を開けはなしていたが、所持品は私が泊まった老人の住居より、はるかに豊富だった。ラジカセにコールマンのコンロまでそなわっている。それに弁当がまだひとつ、段ボールの片隅に置いてあった。彼はこのあたりで最古参のひとりだ。食料を手にいれるテリトリーはしっかり確保しているのだろう。

そろって、同じ弁当を食べはじめた。私は手が震え、うまく割ばしを運べなかった。飯粒がぽろぽろこぼれた。彼はちらと、私の手元に視線を走らせたがなにもいわなかった。ラジカセのスイッチをいれた。J－WAVEらしい。私の知らない音楽が小さなボリウムで流れはじめた。DJが英語でなにかしゃべった。彼はクスリと笑い声をあげた。

「なんだ。おまえさん、英語がわかるのか」

「まあね。むかし、ちょっとあっちにいたことがあるから。あんたは？」

「私はそっちの方はまるでダメなんだ」

「そうなの。ちょいとインテリふうにみえはするけど」

そんな話をしていると、ひとりの老人がふらりとやってきた。銀髪が肩までたれている。八十歳までヘミングウェイが生きのびたならたぶんこんなふうになるだろう、そんなふうに思わせる風貌《ふうぼう》の老人だった。ハードカバーの原書を一冊抱えている。タツにていねいな口調で声をかけた。

「こちらでは、なにか食料はあまってはおりませんか」

「なんだ、ハカセか。きのうは収穫なかったの」

老人はゆっくりした動作でうなずいた。

「このへんも最近、秩序が混乱しはじめましたね。私がいつも行くパブレストランのゴミ捨て場に、きのうは鍵《かぎ》がかかっていたんですよ。最近、だれかが荒らしている気配はあった。きちんとポリバケツのふたを閉めずに散らかしてたんで心配していたが、どうも店の方が防御手段にでたらしいんですよ」

「だから、新入りはいやなんだよね」タツは私に向かってそういったあと、あまっていた弁当をひとつ、あっさり老人に手わたした。

老人は礼をいい、「これは借りにしておいてくれますか」とつけ加えた。

「気にしなくていいよ」

老人はもう一度ていねいに頭をさげて戻っていった。足取りがおぼつかず、たよりなげな歩き方だった。見送りながら私はたずねた。「だれだい、あれは」

「ここらで、いちばんのインテリ。半年くらいまえからいるんだけど、いつもなんかの原書を読んでるのさ。英語なのに、おれにもわからないむずかしい本。だからみんな、ハカセって呼んでる」

「医者なのか」

タツが私をちらと見た。「知らない。なんで?」

「『法医学の臨床的研究』って本を持っていた」

彼は目を丸くした。「へえ、あんた英語わかるんじゃないさ。おれ、あれが読めなかったんだ。ファレンシック・ジュリスプルーデンス? あんた、あんな単語知ってんの」

「読み書きは少しできる。もう錆《さ》びついてはいるがな。だが、ヒアリングと話す方はまったくダメだ。おまえさんとは世代がちがうんだよ。ところで、私の大家のことだが、ゲンさんはほんとうに大丈夫なのか」

彼は眉《まゆ》をよせた。「そうだね。実いうと、おれもちょっと心配になってきたのさ。あの年じゃ、また現場から声がかかったとも思えないし。それに、きのうの晩はそうとう冷えたからね」

「ちゃんと食ってはいたのか」

「ああ、おれがわけてやってたさ。爺《じい》さん、ここんとこちょい弱ってたから。でもまあ、もう一日くらい待ってみようよ。戻ってこなきゃ、探しにいってもいいさ。上野から山谷、大久保あたり。どうせ、あのへんをうろうろしてる。すぐ見つかるよ」

異論はさしはさめなかった。私は新参者だ。なにもいう資格はない。それから思いついていった。

「なあ、タツ。このへんに身体洗うとこないか」

「どうしてさ」

「いや、実はきょう人と会う用事がある。五日間、銭湯に入ってないんだ。ひげも剃《そ》っていない」

タツはあっさり、ダメだね、といった。

「ここらあたりで身体を拭《ふ》きたいなんて連中はあまりいないんだ。いても、みな中央公園の水道を使ってた。そいつがいま、封鎖されちまってる。あと一日二日はダメだろう。でもあんたの身なりなら、まだデパートに入れるから、タオル濡《ぬ》らしてトイレの個室で身体拭けばいいよ。駅のトイレはもっと汚くなってからでいい」

「そうか」私はいった。「ならデパートを利用することにしよう」


新宿の駅まで歩いた。途中で制服警官ふたりとすれちがったが、どちらも私にまるで注目しなかった。私がこの町の風景の一部であるかのように。私の選択は、いまのところうまく機能しているようだった。いつまで続くかはわからないにしても。

JRの切符売場手前に公衆電話が二十台近く並んでいる。いちばん端を選び、覚えていた番号のボタンを押した。

「よう、東大出。気分はどうだ」声が答えた。

周囲を見まわした。ふたつ離れたところからサラリーマンが一列になって受話器を握りしめ、声高に話している。彼らに背を向けた。「気分は悪くないよ。だが、私は卒業していない。除籍だ。なぜわかった」

「どっかでなにかが起きる。おんなじとき、別のどっかでなにかが起きる。そのふたつに奇妙なところがあったとするだろ。そんなときにゃたいがい、両方はつながってるもんだ」

浅井の声は快活な響きを帯びていた。

「なるほどね。それがあんたの人生観か」

「経験則だ。まあ、それだけじゃない。おまえさん、まだ朝刊を読んでないな。最後にニュースを見たのはいつだ」

「きのうの夜。七時のニュース。NHKだ」食堂あたりで見たと浅井は思うだろう。そう考えた。

「ああ、あれも見たよ。おれは六時半の民放が最初だがな。あんたの電話のすぐあとだった。記者会見を受けての発表だ。あのときも、まずまちがいないとは思った。でもな、おれは毎朝、新聞は九紙に目をとおすんだぜ。日経流通から日刊工業まで読んでる」

「私はまだ読んでないが、なにかでているのか」

「朝刊の締め切りまでにサツは考えを変えたようだな。どの全国紙にも、あんたは指名手配になったとでている。時効の方じゃないぜ。新規の容疑だから、実名がでてるよ」

「なんの容疑だ」

「脅迫」

「脅迫？」

「あんた、どっかのだれかを、殺すと脅したそうじゃないか。爆発のすぐあと、どさくさのなかで」

茶髪の布教者の顔を思いうかべた。あの女の子を託したとき、彼は半ば以上、自失していた。それでも、私の言葉を忘れるほどではなかったらしい。いいか。この子に万いちのことがあったら、あんたを殺す……。たしかに私はそういった。

「なるほどね」

「もう、あんたはテレビでいってた元容疑者じゃない。菊池俊彦になってる。サツのマスコミ向けサービスだな。実名を自主規制しない大義名分をつくってやったんだ」

「あるいは公開捜査」

「かもな。けど、脅迫ってのは懲役二年以下の微罪じゃねえか。で、指名手配ときた。お上もみっともねえやり口をとるようになったもんだ。お粗末すぎて涙がでらあ。なあ、この国はいったいどうなってんだ」

「知らないよ。評論家に聞いてくれ。顔写真はでているか」

「ああ、でてる。学生時代のやつだろう。サツで撮られたにしては、なかなかいい男に写ってる。ただまあ、心配するほどのことはないんじゃないか。いまのあんたと結びつけて考えるやつは、まずいないな。そんな写真だ」

「わかった。それより、あんたの方は、考えがきのうと変わってないか。私の質問に答えるという話だったが」

短い間があった。静かに彼がいった。

「なあ、おれは隅から隅までまっとうな人間だというつもりはない。だがな、いったん口にした約束は守る方だ」

「すまない」私はあやまりを口にした。

「電話じゃちょっとまずいぜ。どこで会う」

「公園がいいな」

おどろいたような声がかえってきた。「おい、正気かよ。サツはおまえさんの習慣を知ってんだぜ。晴れた日には、真っ昼間っから公園で酒を飲むそうじゃないか。きょうも晴れてる。賭《か》けてもいいが、都内の公園は全部やつらが張ってる。捜査会議で連中の発想する念の入れ方はそんなところなんだ。ブランコひとつでもあるようなとこにゃ、必ず所轄の警らがまわってくる」

私はたずねた。「いま、あんたのそばにだれもいないか」

「ああ、おれひとりだ」

「公園といっても都内じゃない。山下公園だ。横浜の山下公園」

すぐに笑い声が届いてきた。「ははあ」といった。「桜田門と神奈川県警か。あんたも警察内部の事情にはけっこう詳しいようだな」

警視庁と神奈川県警の関係はあまり親密とはいいがたい。一般に想像されている以上に、彼らにとって地方行政の垣根は高い。その事情は浅井も知っている。彼はその方面でもエキスパートのようだった。私の方も長いあいだ、いろんな情報の断片をつみあげてはいる。

「その程度は想像がつくよ」

「ふうん」彼がつぶやいた。「あんた、やっぱなかなかのもんだよ」

何時だ、と彼が聞いたので、二時と答えた。

「で、山下公園のどこだ。あそこだってけっこう広い」

「氷川丸のそば」

また笑い声が聞こえた。「田舎モンの集まるとこじゃねえか。もっと気のきいた場所は知らないのか」

「知らない。横浜は詳しくないんだ」それからつけ加えた。「頼みがあるんだが、ひとりできてほしいんだ。お供を連れずにあんたひとりで。それに、このことはだれにもいわないでおいてくれ。たとえば、望月にも」

「なにか、あれのことで疑ってることがあるのか」

「いや、念には念をいれたいだけだ」

「わかった。じゃあな」

受話器を置いてから、段ボールハウスに戻った。タツは姿を消していた。ラジカセやコンロはそのままだった。彼の資産に手を触れる人間はだれもいないのだろう。かなりはなれたところで、ハカセと呼ばれる老人が段ボールハウスにひとりすわり、読書にふける姿がみえた。私はウイスキーの瓶をとりだした。きょうの最初の一杯だった。ふと、目をおとした。カバーのとれた文庫本がかさばってみえる。手にとってみると黄いろいチラシが一枚、おちた。

拾いあげて、しばらくチラシを眺めていた。その薄っぺらな紙は、頭にあるヘッドラインの大きな一行で読者に呼びかけていた。

神様についてお話ししませんか？

9

品川で京浜東北に乗り換えた。電車はすいていた。座席にすわり新聞が読めた。新宿駅のゴミ箱で拾ったものだ。首都圏六紙すべてが集まった。ウイスキーといっしょの紙袋にいれ、ひとつずつ読んでいった。一面中央に見出しの柱がある。『新宿中央公園爆破事件。深まる謎、車爆弾事件容疑と関連か』。社会面では七一年の事件の概要と私の指名手配がトップ扱いだった。事実とはそうとう距離がある。まあ、そういうものだろう。桑野と私のプロフィルもあった。当時、ふたりの元容疑者が大学紛争からはなれたのは個人テロに走ることが動機であった。その当局の判断は、どの新聞も共通してとりあげている。一紙だけが、あの茶髪の布教者の取材に成功していた。実名ではなく、Aさんとなっている。警察にはなにもいわないようにいわれているので。彼はそれだけしか答えてはいなかった。その新聞では公然化した微罪の別件容疑に疑問をさしはさんでいた。それでいて、私の学生時代の写真はきちんと載せている。写真の方は浅井のいったとおりの写りだった。

そしてもうひとつ、比較的小さな記事があった。日曜の夕刊がないため、けさの朝刊にまわった記事だ。新たな死者の名。園堂優子のことが載っていた。父親の話もでていた。

この卑劣な事件のすみやかな解決を望む、とあった。彼女の顔写真が載っている。二十年以上たっても、その顔立ちはほとんど変わっていなかった。電車が駅に着くまで、新聞の小さな写真をずっと眺めていた。

桜木町で降りたとき、駅から塔子に電話した。だれもでなかった。母親の部屋に向かったのかもしれない。あるいは遺体を出迎えているのかもしれない。私は歩きはじめた。風は冷たいが、陽のあたる場所ではそれが中和される。寒暖の落差のなかを歩いた。ときおり立ちどまり、抱えてきたウイスキーを飲んだ。塔子のくれた瓶はもう、からに近い。潮のにおいが漂いはじめた。

山下公園通りに入ったのは一時過ぎだった。公園の反対側を歩いて中央入り口近くまできたとき、「島村」と声をかけられた。冷汗を感じた。声をかけたのは、道路脇でフランクフルトをかじっている男だった。その表情にニヤリと笑いが浮かんだ。浅井だった。私はおどろいたまま、彼を見かえしていた。風体が一昨日見たときとまるでちがっていたからだ。ダークスーツにレジメンタル・タイ。白いシャツ。フランクフルトを持っていてさえ、精悍《せいかん》で有能なビジネスマンにみえる。商社か銀行に勤めるビジネスマンだ。丸の内を歩いていてもまったく違和感はないだろう。

彼は私を見つめ、天候の話をするような口調でいった。

「島村の方がいいんだろう。それとも菊池にするか」

「島村がいい」私はいった。「だが早いな」

「予想どおりだよ。どうせ、おまえさんは早くにきてここらあたりをチェックするだろう。そう思ったんだ」

溜《た》め息をついた。「あんたが警官でなくてよかったよ」

週刊サンにいる松田の言葉を思いだした。この男はたしかに切れる。人の心理と行動パターンを読む能力がある。浅井はもう一度、ニヤリと笑った。かじり終えたフランクフルトの棒を放り投げた。

「まだ氷川丸まで行くつもりか。あのあたりじゃ、田舎モンが記念写真を撮りまくってるぜ。背景に写りたいか」

「どこか、ほかの場所を知っているのか」

彼は黙ったまま、先に立って歩いていった。すぐそばにあるホテルに入った。私に断わりもしなかった。蝶《ちょう》ネクタイのホテルマンが私をいんぎんな無視で迎えたが、そうした応対には慣れている。

「ここは？」

「そこにあるホテルの新館タワーだよ」

「こんなのができたのは、知らなかったな」

「二年まえさ。ここも最近、ガキどもがうるさくなった。時代は変わったな。おまけに土日はチャラチャラした結婚式だ。しかし、ウイークデイの昼過ぎのホテルは悪くない。仏滅なら、なおいい」

浅井は一階にあるコーヒーラウンジまでまっすぐ歩き、私は続いた。白いブラウスと黒いスカートの女の子が私たちを窓際の席に案内した。窓のすぐ外に、旧館とのあいだの中庭がみえる席だった。

「部屋をとろうと思ったんだが、きょうは筆跡を残したくなかった。それにここは、昼間からウイスキーが飲めるぜ」

彼はその言葉どおり、やってきたウェイトレスの女の子に、バランタインの十七年をダブルでふたつ、といった。私は水割り、彼はストレートで。

女の子が去ったあと、私はいった。

「あんたでも、一人称に私を使うことがあるのか」

彼は苦笑した。「私ってのは、おまえさんの専売特許じゃないぜ。おれはＴＰＯとしゃべる相手をはかってるだけさ。ここは静かでいいだろ」

「酒を飲めるのは、たしかにありがたいな」

「そう思った。あんたの優先順位のトップはそれだろうってな。だがここじゃ、頼むからその紙袋から飲むのはやめてくれよな」

「そうする」と私はいった。

浅井はポケットからタバコをとりだした。ラークだった。ダンヒルのライターで火をつけ、なめらかなしぐさで煙を吐きだした。なにかがひっかかった。だが、よくわからない。周りを見まわすと、商談しているらしい三人の中年男がずっと向こうの席にいる。客はそれだけだった。ピアノの鳴らす『枯葉』だけが聞こえてくる。もの音もそれだけだった。

運ばれてきたウイスキーに口をつけてからたずねた。

「あんたは事件の概要をマスコミから知った。むかしのこともな。私の立場はわかっているはずだ。なぜ、危険を犯す」

「おれはお上とマスコミは信用しちゃいないのさ。表づらの情報だけは手にいれるがな。いつだって、裏を読む癖がついちまった。あんたは人殺しなんかとは関係ないさ。おれにはわかる。そうなんだろ？　事実だけかんたんに答えてくれ」

「殺人はしていないつもりだ。七一年のは事故だ。私はその片棒をかついだ結果にはなった」

彼はしばらく考えていた。それからゆっくりうなずいた。

「まあ、それだけ聞きゃじゅうぶんかな」

その表情を眺めながら、私はいった。「実はあんたに、最初にあやまっておきたいことがある」

「なんだ」

「私の店は、たぶん手入れを受けている。公安は店中の指紋を採取しているだろう。あんたはおとといやってきた。もし、あんたの指紋が警察に残ってるなら、公安があんたに事情聴取する可能性がある。残っていないなら、連中があたりをつけたとき、あんたに関係者指紋を要請する可能性がある。いずれにしても迷惑をかけた」

彼は微笑した。いままでにみせたことのない微笑だった。

「あんた、損な性格してるな。自分の足場がぐらついてるのに、周りに目がいっちまうんだ。いまどき流行《はや》らないぜ、そんな性分は」

彼は優雅な手つきで水割りのグラスをとりあげた。乾杯するように、目のまえにかざした。その二本の指は欠けていたが、それが人間のふつうの姿なのだ、そんなふうに思わせる自然さだった。

「あんたが心配することはないんだ。おれはあんたの店に指紋はいっさい残しちゃいない」

「だが……」いいかけて気づいた。彼はたしか、ホットドッグを食べたあと、紙ナプキンでなく自分のハンカチで手を拭《ぬぐ》った。ビールをついだのもドアを開けたのもあの望月という男だった。そして、金を払ったのも。ビールのコップなら、客が帰ったあとに洗う習慣はどんな店にもある。さきほどひっかかったことにようやく気づいた。彼はタバコを吸うが、私の店では自制していたのだ。吸殻を残さないために。

「なるほどな」と私はいった。

「残ってるのは、あの望月のだけだ。やつなら大丈夫だ。引っ張られたことがないんだ。それにおれたちにあたりがつくことはないよ」

浅井は切れる以上に周到だった。なぜだろうと思った。それが顔にでたらしい。彼がいった。「おれがなぜ、指紋を残さなかったかというのは、あんたの質問につながる。あんたはさっき、おれが警官でなくてよかったといったよな。だが、そういう時代もあったんだぜ。おれはむかし、デカだった」

私は彼の顔を見つめ、彼の左手を眺めた。

「これか？」彼は二本の指が欠けた左手をひらひらふりながら笑った。「こいつは、殺人犯を逮捕するときヤッパでやられたんだ。総監賞と引き換えさ」

「いつのことなんだ」

「大昔だよ。まあ、その話はいい。あんたとは関係ないから。ところで、おれがお巡りをやめる最後のころは新宿署の四係にいたんだよ。二十八んときで警部補だった」

「優秀だったんだな」私はいった。優秀だ。二十八歳で警部補。ノンキャリアでは、めったにない最短コースだ。

「ちがうな」浅井は首をふった。「おれは熱心なお巡りだったかもしれん。しかし、優秀なお巡りじゃなかった。おれはマル暴としちゃ首をつっこみすぎるお巡りだったのさ。張りきりすぎてたんだな。まだ若かったから」

浅井はグラスを口に運んだ。私も同様にグラスをとった。彼は窓の外に目をやった。私も同じ方向を眺めた。明るい中庭がみえる。銀髪の初老の白人女性がひとり、ベンチにすわっている。彼女の全身に秋の日の午後の陽射しが降りそそいでいた。ほかにはだれもいない。静かだった。

「いい天気だな」彼がいった。

「ああ」私はうなずいた。

浅井はそのまましばらく黙っていた。私と同じくらい年を重ねた男の表情があった。深いしわが鼻の両脇からふたつ、まっすぐおちている。私も黙っていた。浅井はまたグラスを口に運ぶと、私に顔を向けた。まばたきした。その目の光彩から明暗の落差が元へ戻っていった。彼は唐突に話しはじめた。

「お定まりのコースだったんだ。マル暴は、業界に首をつっこまなきゃなんの情報もとれん。でなきゃつとまらんのさ。やくざとのつきあいはかかせねえんだ。おれは、けっこう自前の金も使った。だがな、深入りしすぎた。首だけじゃなく全身ずっぽりつかってると気がつくのが、ちょっとおそかった。あるとき、江口組が六本木に持ってた博打《ばくち》場にガサ入れがあった。おれはその場にいたんだ。客の立場だよ。所轄の麻布署の動きは知らなかったんだ。もちろん表沙汰《ざた》にはなっちゃいない。おれが依願退職しただけでな。受けざるを得なかったさ。署長が向こうの署長に頭さげたんだから。そこへ連中から声がかかったというわけだ。おれは追っかけてた方から、逆の方にまわったのさ。似たような業界だから、それがいちばんてっとりばやかった。新しい仕事もおれはけっこううまくやったと思うぜ。もちろん汚い仕事もやった。だがな、おれがやらんと決めていたことがふたつある。ひとつは女を売ることだ。まわりの連中で個人的にやってるのは大勢いたが、組は組織的にはやっちゃいなかった。おれが江口組の誘いに乗った理由のひとつはそれだ。いい気になって女を売ってるやつらは徹底的にぶちのめしたことがある。だからおれには敵も多かった。まあ、それはそれとして、おれのやらないもうひとつのことなんだがな。そいつはヤクなんだ」

彼が言葉を切ったので、私がいった。「組が手を染めはじめた。で、あんたははなれた。独立した。そういうことか」

彼は少しのあいだためらうようすをみせたが、それでもやがて首を縦にふった。「代が変わったんだ。それに時代も変わったよ。もちろん江口組は成州連合の中核だ。企業舎弟は抱えてはいるさ。ただ、ヤクは利益がまるでちがう。いまはあちこちからやってきた外国人で歌舞伎町は無法状態だ。やつらが道を歩いてると、この国のやくざは脇道に姿をかくすくらいのもんだ。治外法権といっていいんじゃねえのか。どの組も手がだせん状態だよ。ましてヤクまではな。なのに江口組だけが対抗しようとしてんだ。まあ、連中に張りあおうって心意気だけは買うか」

「しかし、あんたはよく独立できたな」

「穏健に引導をわたしてもらったんだよ。ただ、金はずいぶん使った。もう残った指はおとしたくなかったしな。いまはなんでも、金で解決がつくのさ。時代は変わる」

私は周囲にやくざが大勢いるような職場にもいたことがある。現役も経験者もいた。彼はそのだれとも似ていなかった。指をきちんとユビといった。エンコという業界用語も使わない。

私はたずねた。「ヤクってなんなんだ。覚醒剤か」

「もう少し流行の先端をいってるよ。業界もアメリカナイズされてきた。コカインだ。末端価格は、キロ七千万になる」

「だがなぜ、それが私につながるんだ」

浅井は首をふった。

「その点についちゃ、よくわからん。ここからは独り言だと思って聞いてくれ。おれはあんたの質問に答えるためにここにいるんだ。あんたの質問はこうだった。どういう話のなかで、あんたの名前がでたか。そうだろ。こういうことなんだ。江口組でまだ、おれを慕ってくれてるのが何人かいる。連中は下にいる若いのばかりだから、詳しい事情まではわからん。ただ、こういう話をおとといの午後教えてくれた。二時過ぎころ、ある企業から江口組に依頼があった。厚生年金のそばにある吾兵衛というバーのバーテン、それが島村圭介というんだが、その男を少々痛めつけて警告してほしい。そういう話が上に入った。少々痛めつけて警告してほしいというのは、やつがいった言葉そのままだ。つけ加えとけば、おまえさんを襲った連中のなかにゃ、おれに報告してくれたものは入ってないぜ。ただ、こいつには付録がある、絶対殺すなという条件がついてたそうだ」

「ある企業といったな。その会社はどこなんだ」

「ファルテック。東証二部上場だ」

「東証二部上場?」

「おれもちょっとびっくりしたよ。ふつうなら子会社使うなり、それなりの第三者とおすなり、なんかのクッションをふたつみっつ絶対はさむもんだ。それが、直接だってんだから」

「その会社のどのセクションのだれから話があった」

「それはわからん」浅井はポケットから紙切れを一枚とりだして、私のまえに置いた。四季報のコピーだった。「有価証券報告書がありゃもっと詳しくわかるが、とりあえずはそれでアウトラインくらいはつかめるだろう」

手にとって眺めた。本社は港区・西新橋。資本金三十八億円。発行株式数は三千万株強。

従業員約八百名。売り上げは九三年三月期で七百億円。事業内容は、商事部門55、ウェア製造部門22、他23。コメントには、スポーツカジュアルはレディス中心にファラモンドブランドが好調。老人用新おむつを四月全国発売。そうあった。ファラモンドというブランドは私も知っている。不自然なところは、私の知識ではなにも読みとれない。

「あんた、株やるか」浅井がいった。

「やるわけないだろう。経済にはうといんだ。資金もない」

浅井は、そりゃそうだといって笑った。女の子がそばをとおりかかったので、私のために新しいウイスキーをオーダーした。あんたはいいのか。たずねると、おれはクルマなんだ、と答えた。

「ファルテックの財務体質は非常にいい。一株当たり利益が三十二円だ。株価はいま七百円ちょっとだから、PERつまり株価収益率が二十二。五年連続有配。配当性向も高い。高すぎるくらいだ。一部にあがってもおかしくない内容だぜ」

「その種のことは、私にはさっぱりわからない。どういうことなのか要約してくれ」

「おれが株屋なら、このご時世でも黙って買っとけって銘柄だということさ。それより、株主構成を見てみろよ」

彼のいうことにしたがった。私にもわかることはいくつかある。顔をあげていった。

「メインバンクがないようだな。系列がばらけてるし、比率も低い。それにオーナー企業のようだ。持株比率一三・七パーセントで一位は堀田興産。これはたぶん、オーナーの持ってる会社だろう。日本じゃ持株会社は禁止されてるが、実質的にはそうなんじゃないか。だが、この二位、一二・九パーセントのミルナー・アンド・ロスって外資はなんなんだ。それに専務のなかに外人名がある。アルフォンソ・カネーラ。スペイン系の名前だ」

「なんだ。けっこうわかるんじゃねえか。いいとこついてるぜ、おまえさん。やっぱ、なかなかのもんだよ」

「新聞の経済面くらいは私だって読むさ。時間だけはあるんだ」

「なら、五パーセントルールって知ってるか」

「それは知らない」

「九〇年の暮れにお上が導入した規則だよ。関連企業もふくめて持株比率が五パーセントを超えたら、大蔵省に届けなきゃならんって制度だ。ところで、その年のしょっぱなから株価全体がガタガタになりはじめたのはもちろん知ってるよな。つまりバブル崩壊のはじまりだ」

うなずいた。それくらいなら知っている。

「そのコピーのチャートを見てみろよ。おれは週足で株価を調べてみた。九〇年十月に、最高値《さいたかね》四千八百円をつけてる。フセインがクエートに侵攻した次の次の月だぜ。日経平均がたった十ヵ月で、一万八千円ほどさがったころだ。なのに、一年まえの千円割れから急騰してる」

　私のいちばん苦手な世界だ。浅井の指摘した内容を考えた。

「株の買い占めがあったということか」

「そうだ。兜町じゃ一時、香港筋か新手《あらて》の仕手筋かって騒がれたもんだよ。当時は、国内の仕手筋も外国証券をとおして外人買いを装うところがあったからな。ちょうちんもついた。ところが、そのミルナー・アンド・ロスってところが、名義をだしてきちんと届けでた。最初はみんなグリーンメイラーじゃねえかと、つまり株を買値以上で引きとらせてサヤを稼ぐ連中だな、そう思われてた。けど翌年の株主総会でちゃんと役員まで派遣してきた。対外摩擦の関係で大蔵省はなにも口出しできなかった」

「どんな会社なんだ」

「おれもちょっとは株やってるからな、証券会社に調べさせたよ。ニューヨークの投資会社らしい。あまり詳しくはわからんが、世界のあちこちに投資してるようだ。しかし考えてもみろよ。平均買値二千円としたって八十億程度はかかる投資だぜ。なんで外国人がファルテックみたいなところに目をつけたかがわからん。財務体質はたしかにいいが、日本企業のPERは外国に比べりゃ三、四倍高すぎる。つまりそれだけ、割高なんだ。ハイテク企業ならわからんでもないが、繊維中心のメーカー兼商社だろう」

「なぜ、そんな会社と江口組につながりがあるんだ」

「それがわからんのさ。おれがはなれて、三年たつからな。おまけにおれはそのころ、独立のゴタゴタでこういう動きにも目が届かなかった。だが、つながりができたのはそれ以後だとは断言できる」

「ということは、三年まえに江口組が麻薬に手を染めはじめたということになる。その会社との関係は別として。九〇年だな」

浅井は眉《まゆ》をひそめ、うなずいた。もといた組のことには、あまりふれたくないのだろう。

「株の買い占めは、期間的にはどれくらいかかるんだ」

「ケースバイケースだ。相対《あいたい》、これは一対一の取り引きだ、それもあったろうが、そこまで買うとなると公開市場は避けてとおれん。最低一年はかかるんじゃないか」

「これがなにか、私に関係してると思うのか。平凡なバーの平凡なバーテンに」

浅井は苦笑した。「そうだな。たしかにあんたの質問に答えるという点では焦点がぼけちまったかもしれん。株談議はやるつもりはなかった。まあ、この会社のことはもうちょい調べてみよう。おれ自身、興味がある」

「いや、参考になったよ。だが、この会社から江口組のだれに話が入った」

「そいつは、おれの口からいわせるなよ。あんたが自分で調べろ。かんたんにわかるこった」

うかつだった。私はうなずいて、そうする、といった。浅井はきちんと筋だけはとおしている。彼がいまやくざであることを忘れそうになっていた。それでも彼はやくざであり、業界のルールはじゅうぶん自覚している。自覚しすぎているほどだ。浅井には浅井の世界のプライドがある。

「ただ、いまの話ではっきりわかったことはあるよ」私はいった。

「なんだ」

「あんたが最初に店にやってきたとき、ひどく鋭い目つきをしていた。私を麻薬に関係していると思ったんじゃないのか」

「そのとおりだ。ヤクの末端の売人じゃねえかと思ってた。ただ、ファルテックなんかがひっかかってたんで気になったんだ。で、顔を拝みにいった」

「だから指紋を残さなかった？」

浅井はうなずいた。「そうだ。おれは退職してから引っ張られたことはないが、十指指紋はサツには登録されてる。採用試験の面接でとられっちまうからな」

「だが、なんであんたは麻薬をそんなに憎むんだ」

浅井はちらと私を見た。顔から表情が消えた。静かにいった。

「女房がヤクのやりすぎで死んだ。シャブだけどな。四年まえだ」

少しおいて私はいった。「すまない。悪いことを聞いた」

「いいさ。むかしのことさ」

「四年なら、そうむかしのことでもない」

「そうか。あんたは二十二年間、逃げまわってたんだったな、友だちのために。友だちだった。そうなんだろう?」

私は黙っていた。

浅井がまた窓の外を眺めた。私もその視線を追った。相変わらず中庭は明るかった。さっきの初老の白人は姿を消している。しばらくのあいだ、沈黙が続いた。浅井がいった彼の妻のことを考えた。たぶん、彼が警察をやめたあと結婚した相手だろう。亭主に黙って覚醒剤に手をだし、中毒になった。そういうことだろう。いろんな成行きと背景があったにちがいない。だが、彼の表情からはそうした事情はなにもうかがえなかった。

「ほんとに損な性格してるよ、おまえさん」つぶやいて、浅井が私を見た。「しかしあのときな、あのホットドッグ食って、おれは少々考えが変わったんだ。あんた、料理の修業したことがあるのか」

ぼんやり考えた。むかしやった雑多な仕事のあれこれを考えた。

「したといえるほどじゃないな。だが、とんかつ屋で働いていたことがある。見習いのときはキャベツばかりを切ってたんだ。だから、キャベツを切るのは自信がある」

「しかし、なんでホットドッグなんだ」

「私は大阪育ちだ。阪神ファンだった。小学生のころ、叔父が甲子園へ連れていってくれたことがある。球場で買ったのかどうかは覚えてないが、とにかく外野席でホットドッグを食べた。世の中にこんなにおいしいものがあるのかと思ったよ。いつか、自分でつくろうと思った」

浅井が微笑を浮かべた。少なくともそうみえた。女の子を呼んで、ウイスキーを注文した。

「運転はいいのか」私がたずねた。

「いいさ。クルマは置いてってもいい。あんたにはまだ話してないこともあるしな。それより、そのころの阪神の内野はだれだった」

「藤本、吉田、三宅。二塁は本屋敷だったかな。私は代打の遠井が好きだった」

「そうか」浅井が遠い目つきになった。「おれは巨人だよ。おれがガキんときに長嶋がデビューした。そのころの内野はほかに王、広岡、土井か。あんた、野球はやんなかったのか」

「中学までやったよ。高校のときは美術部なんだ」

浅井が声をあげて笑った。「そりゃまた、ひでえ転向だな」

「野球に才能がなかったんだよ。チームプレイに向いてもいなかった。だから見切りをつけたんだ」

「だが、ボクシングに才能はあった」

私は彼をじっと見つめた。私がボクシングをやっていたとは、私の読んだ新聞にはでていなかった。すべての朝刊に目をとおしたのだ。それから、ようやく思いだした。

「私とやりあった江口組の連中から聞いたといってたな」

彼はまた、苦笑いを浮かべた。

「連中には、あんたの能力まではわからんさ。おれは菊池俊彦って名前を新聞で読んだ。当時の写真にも覚えがあった。すぐに思いだしたよ。あんたが四回戦ボーイだったころ、実はおれも同じことやってたのさ。高校、大学とな。ずっとアマチュアだった。あんたよりは軽い。フェザー級だ。そのころ、ライト級ですごい新人がいると聞いた。で、観《み》にいった。あんたの試合は最後のふたつを見たんだ。あんたはたしかに才能があったよ。動体視力と反射神経があった。だからまるで打たれはしなかった。しかし、なによりパンチのスピードと重さがすごかった。あのままいってりゃ、新人王は確実だったな。それどころか、世界までいってたろう」

私は水のグラスをとりあげた。アル中にチェイサーは不用だが、そのグラスにゆれる氷を眺めた。照明を反射してキラキラ光っている。動体視力、反射神経、パンチの重さ。いまとなっては、失われた季節の向こうにある単語の群れだ。ぼんやり顔をあげた。

「その四回戦ボーイが当時、車爆弾に関係したニュースは見たのか」

「見たよ。そりゃ、おどろいたさ。新聞読んだときのことはいまでも覚えてるぜ。学生運動やってたなんてのも知らなかったしな」

「あんたの方はどこまでいったんだ」

「高校のときにゃインターハイで準優勝した。けど、大学では中途でやめた。あんたの試合を最後に見た半年くらいあとかな」

「あんたも転向したんじゃないか。なぜやめた」

「網膜剝離《はくり》と診断された。勝った試合のあとで。辰吉《たつよし》っているだろ、バンタム級の。おれはあいつの気持ちがよくわかるよ。おれはその診断がでるまで、ミュンヘンオリンピックの強化選手だった」

彼の顔を眺めた。なんの表情も浮かんではいなかった。人生はそんなもんだといいそうな無表情だけがある。

「いまはなんともないのか。目の方だが」

「完全にいい。手術が成功した。結局、なんともなかったのさ。もちろん、試合を続けてりゃどうなったかはわからんが」

私たちはしばらく黙ってウイスキーを飲んだ。

「そういえば」と浅井がいった。「新聞にでてた桑野な。おれはあの男も見たよ」

おどろいて彼を見かえした。

浅井は首をふった。「最近のことじゃないさ。あんたの試合のときだ。殺せってすごいわめき声をあげているのが、近くの席にいた。あれは異常だった。だから覚えてるんだ」

「異常だった？」

「おとなしそうな男だったのにな。ゴングが鳴ると人が変わった。おれには、あんたを応援しているというより、どちらが死んでもいいような試合を見たい、そんなふうにわめいているような感じに思えた。血を見たいって、そんな感じかな」

「彼はそんな人間じゃないよ」

浅井は首をかしげた。「そうか。あんたがそういうんなら、そうなんだろう。友だちだったんだな。気を悪くしないでくれ」

「ああ」

「あの男、爆発で死んだってな。死体から指紋がでたそうだ」

「そうだ。死んだ」

「なあ、おれは思うんだが……」

「なんだ」

「あんた、そっちの方も追っかけてんじゃないのか。あいつの死因を」

「ひとつ忠告していいか」

浅井はニヤリと笑い、「どうぞ」といった。

「人の気持ちを読みすぎると、きらわれる」

彼は今度は声をあげて笑った。目尻《めじり》にしわが寄った。

「そういや、おれの方も重要な忠告がひとつあるんだ。最後までおいといた。島村としてのあんたの身元は割れてるぜ。けさ電話であんたと話すまえ、実は望月をあんたの店にやったんだ。サツにばれるようなことはない。そのへんはあいつ、心得てるから心配ない。タクシーで靖国通りを往復させただけだ。行きと帰りは別のタクシーだ。あんたとの電話のあとで戻ってきた。その報告なんだが、あんたの店のまわりはデカの溜《た》まり場になってる。みえた範囲だけで、クルマが一台。スポーツ紙を持ってうろついてるのが四、五人いたそうだ。どうやら、あんたはいまスターらしいな」

「それは予想しないでもなかった」私はいった。「だが、確認できたんならひっかかることがひとつある」

「どんなことだ」

「警察の正式発表が早すぎる。ふつうに考えれば、私の居所を知った以上、私をつかまえたいんなら黙ってる。私がのんびり店に戻るのを待てばいい。実名をマスコミに発表すれば、私に逃げろといってるようなもんじゃないか。公開捜査は、私が逃げたと確信したそのあとだろう」

浅井はおちついていった。

「それはおれも考えた。考えられることは、ひとつあるな。サツにはあんたがもう、店に戻らないと確信する理由があるってこった。張ってるのは念入れ」

「おまえさんが店を閉めたと知っているのはだれなんだ」

「あんたと望月だけだ。あんたがだれにも話していないなら」塔子のことは伏せてそういった。

うなずいた。

「おれはだれにも話しちゃいない。おれか望月がサツとつながってるのを疑ってるのか」

「あんたを疑っちゃいないさ。もしそうなら、私はここでいま酒を飲んじゃいられない」

「けどな、望月も信用できる男だ。自衛隊あがりなんだが、おれが独立するまえから知ってる。長いつきあいだ。サツとのつながりだけはないな。あいつがうかつにだれかにしゃべった可能性もないと思う。聞いてはみるが」

「彼は、引っ張られたことはないといったな」

「ない。おれはまだマル暴にもルートがあるんだ。そのへんはちゃんとチェックしてる」

浅井は続けた。「こういうことも考えられるぜ。どっかのマスコミがかぎつけた。それで発表せざるを得なくなった。一社がぬくのをサツは嫌うからな。もうひとつ。重大事実である以上、自主的な発表が必要だと判断した。少なくとも、桑野のことは早目に発表せざるを得んだろう。被害者の身元確認の遅れを認めるのは、連中にとっちゃ致命傷だ。元か現かは別にしても、一度別件での容疑者にあがった以上な。そしたら、あんたのことも表にださざるを得ない。マスコミは、むかしの車爆弾のことをほじくりかえすはずだからな。あんたは当時の関係者だぜ。第四権力の圧力もいまはけっこう強いんだ」

「…………」

「おれはそっちをとるがな。あんたがそんなふうに疑うのは当然、連中も予想する。あんたの周辺のだれかがサツとつながってるなら、わざわざあんたにヒントをやるようなことはせんだろう」

一理ある。たしかにそうかもしれない。それに浅井は警察の思考回路には詳しいはずだ。私は溜め息をついた。

「そうだな。私の考えすぎかもしれない」

浅井のくれた四季報のコピーをポケットにいれた。それを見て、彼がウェイトレスを呼びとめた。バランタインを一本持って帰りたい、といった。彼女は目を丸くしたが、かしこまりました、と答えた。ホテルの袋が運ばれてくると彼はそれを私に手渡した。なかをのぞくと、真新しい瓶が一本入っている。

「そろそろいくか。そいつはあんた用だ」

「実はあまり金を持ってないんだ。飲んだ分の払いだけでせいいっぱいなんだ」

浅井はニヤリと笑った。「遠慮できる立場かよ。ここくらいは、おれにまかせろ。こっちの方は経費でおとせるんだ。それにあんたは逃走資金が必要だろ。いや、あんたの場合は闘争資金か」

　席で彼が勘定を現金で払った。私はおとなしく甘えることにした。「きょうは借りにしとこう。もし店を再開できたら、ボトル十本でかえすことにするよ」

「期待してるよ」

　立ちあがり、紙袋の手提げを手にとった。私には似あわない立派な紙袋だった。ホテルをでて、黙ったまましばらく歩いた。浅井が私を見て立ちどまった。

「おれはやっぱりクルマで帰る。いっしょにいかんか？　それとも酔っ払い運転につきあうのはいやか」

　彼の顔を見つめた。酔ったようすはない。目をおとし時計を見た。三時十分過ぎ。月曜日だ。検問はまずないだろう。

「つきあうよ」と私はいった。

10

駐車場にあったそのクルマは、私が見たことのない種類のものだった。派手なタイプではない。金がかかっていないようにみせるために金をかけている、そんな感じの外車だ。渋いエンジのいろをしたセダンだった。

山下公園通りにすべりでたとき、私は聞いた。

「なんていうんだ。このクルマ」

「ジャガーだ。ソブリンというらしい。四千CCだったかな」

「ふうん、クルマにはあまり興味がないようだな」

右の運転席で、浅井は無造作にステアリングに手を置いていた。

「興味なんかないさ。望月に選ばせたんだ。適当にまかすといったら、これを選んできた。おれが注文をつけたのは、一千万までで地味なやつってことだけだ。ところで、どこでおとす？」

「都内ならどこでもいい。新宿以外なら」

彼は黙ったまま、うなずいた。それ以上は聞かなかった。運転は模範的だった。横から割りこんでくるクルマがあると、おとなしくスペースをゆずる。横浜球場の脇から高速に入った。クルマはほとんど走っているという感じを与えず、なめらかに移動した。望月という男の趣味は、服装以外はそれほどひどいというわけでもないらしい。白いレザーシートにすわりながら、二十年以上まえに爆発で失ったクルマのことをぼんやり考えた。

「クルマ選びをまかせるというのは、よほどあの望月って男を買ってるんだな」

浅井はなにかを思いだしたように笑った。

「あいつ、戦車のドライバーだったんだぜ」

「戦車?」

「自衛隊あがりだといったろ。あいつが陸自をやめた理由がそれなのさ。戦車は、九〇式ってのが最新式らしいな。一台十二億するんだが、そいつにはエアコンがついてないんだとさ。ひとつついてはいるんだが、コンピューター専用なんだ。九〇式が導入されたとき夏に乗った。ひでえ暑さだったらしい。で、あいつ結局、四年もいたのにやめちまった。なんで十二億もするのに、乗員用にエアコンひとつついてねえんだってな」たしかに夏の居住環境はわかる気はするよ。おまけにリッター二百五十メートルときた」

私も笑った。「このクルマが静かなのは、その反動か」

「そうみたいだぜ。ところで、おまえさん。江口組のだれに話が入ったか、当然調べるんだろうな」

「ああ」

彼は私にちらと視線を投げかけた。「乗りこむのか」

「わからない。そういうことになるかもしれない」

「それこそ、戦車に竹やりで突っこむようなもんだぜ。だが、忠告しても聞きゃしねえだろうな」

「なぜ、そう思う」

「おまえさんが、いまどき珍しい骨董品《こっとう》だからさ。おれがいままで会ったなかじゃ、いっとう古いタイプだ」

横浜駅のビル街が窓の外をすぎていった。行く先の道路標識がみえた。右は銀座・羽田。左は第三京浜。直接、都内に入らねえ方がいいだろう。そういって、浅井は左にステアリングを切った。クルマは相変わらず静かだった。

私は疑問のひとつを思いだした。

「そういえば、あんたはなぜポーカーゲームの店なんかやってるんだ。これくらいのクルマを買える稼業なら、そっちのあがりなんかたいしたことはないだろう」

「ああいう店をやってると、おれがくだらねえやくざだってことをいつも自覚していられるんだ。それだけさ。もう閉めちまったがな、あんたの忠告で。おれは人の忠告には、わりに素直なんだぜ」

それから沈黙が続いた。二車線の道路はそれほど、混んではいない。何台かと並行し、クルマはすべるように走っていた。私は、私のまえにあるサイドミラーをしばらく眺めていた。

最初に沈黙を破ったのは、私だった。

「もうひとつ忠告があるんだ。いま、気がついた」

うなずいた彼の唇が少ししまった。

「今度は、どうぞっていわねえぞ。おれもいま気がついた。つけられてるな。白バイの位置だ。だがもちろん白バイじゃない」

私のいる助手席のサイドミラーにそのバイクが映っていた。運転席からは死角となる位置だ。浅井もカーブで気づいたのだろう。そのバイクは高速にあがるときにも見かけた。高速では道交法違反だが、ふたりが乗っている。両方ともフルフェイスのヘルメットで、黒い皮のつなぎを身につけている。浅井の運転はひどくおとなしい。八十キロほどの速度だ。ほかのクルマが何台も追いぬいていく。バイクならもっと楽にぬけるし、ふつうなら追いぬくはずだ。なのに、そんな素振りをまるでみせない。私たちのうしろにぴったりつけている。

「妙だな」私はいった。「私は横浜までつけられていない自信はある。あんただってそうだろう。なぜ、つけられているかは別にして、私たちの居場所を知ってる人間がいるのが奇妙だ」

彼はうなずいた。「おれもそう思う。おれはだれにもきょうのことはしゃべっちゃいない。電話でいったとおりにな」

横浜の市街をすぎた。三車線になったとき、彼が口を開いた。

「あんたをこのクルマに誘って、ひでえ迷惑をかけたかもしれん。もしそうなら、かんべんしてくれ」

「私はいいが、どうするつもりなんだ」

「ようすを見る。ただ、準備だけはしときたい。悪いが、まえのコンパートメントを開けてくれるか」

私が目のまえの幅広いパーツを押すと、扉が静かに開いた。はじめて見るものがそこにあった。鋼鉄の鈍い銀いろに光っている。拳銃《けんじゅう》がひとつ。リボルバーだ。浅井が手を伸ばしてそれをとり、自分の膝《ひざ》の上に無造作に置いた。そのまま、両手をステアリングにふたたびのばした。

「これでじゅうぶんにわかったろう。おれはくだらねえやくざなのさ」

いきなり、彼はアクセルを踏みこんだ。クルマはおどろくほどなめらかに加速した。浅井のまえのパネルを眺めた。メーターの針が動き、瞬時に百三十キロまであがった。周囲は混んではいない。百キロを少し超える速度で流れている。まわりのクルマをかわしながら、浅井は鮮やかにステアリングを操った。うしろのバイクもすぐに速度をあげた。クルマの流れのなかではバイクの方が有利だ。スピードで勝てなくても、直線に近いルートを走れる。ただ、私たちをつけているだけなのかどうかがわからない。

「連中、われわれの気づいたことがわかったみたいだな。あんた、運転に自信はあるのか」

「ないさ」浅井はかすかに笑った。「デカになったとき、ボクシングから剣道に転向した。三段なんだ。けど、たぶん運転には役に立ちゃしねえだろう」

「つけているだけなのかな。それともなにかしかけてくるのかな」

「わからん。試してみよう」

彼はアクセルをさらに踏みこんだ。針が百五十にあがる。バイクもいっそう速度をあげ、ぴったりついてくる。クルマは真ん中の車線を走っていたが、いちばん左の車線に移った。まえを走っていたクルマを追いぬき、またすぐ同じ車線に戻る。ガードレールが私のすぐ脇を流れていった。その理由がわかった。浅井は私を安全な位置に置こうとしている。

港北インターの出口標示がみえた。長い列ができていた。ドライバーのほとんどが降りようと考えているのかもしれない。そんな長さだ。その列を横に見ながら走った。出口が近づいてきた。浅井が、こりゃだめだな、とつぶやいた。私もそう思った。出口のあたりは、外から割りこもうとするクルマで混乱のさなかにある。そのインターをあきらめとおりぬけていった。クルマが減り、流れが早くなった。

そのとき、バイクがクルマの右側に近づいてきた。

浅井がウインドウを降ろした。彼の叫び声が聞こえた。

「伏せろ！」

ふりかえると、バイクがよくみえた。後部座席の男が銃をかまえているのもみえた。浅井が銃を右手にとった。左手だけでクルマを急激に右へ寄せた。ぶつけるつもりだ。だが、バイクも鮮やかだった。踊るようによけ、うしろにさがった。また近づいてきた。浅井の手が動きバイクも動いた。二度、同じことがくりかえされた。

私は、グラブコンパートメントのなかにあったタオルを手にとった。大声で叫んだ。

「右の車線を走れ。銃なんか使うな」

「なぜだ」

「いいから走れ」

一瞬ためらったあと、浅井は真ん中といちばん右側の車線中央にあるライン上に移動した。今度はバイクが私のいる左側に近づいてくる。私はウインドウを降ろした。

「どうするつもりだ」浅井が叫んだ。

「いいからこのまま、まっすぐ走れ。それと速度をおとせ。七十キロまでおとすんだ」

今度の浅井の決断は早かった。急ブレーキを踏んだかたちになった。タイヤが悲鳴をあげ、バイクがクルマの後部にぶつかりそうになる。ふたりの身体が傾く。追いぬきそうになるところで態勢をたてなおす。減速し、クルマのうしろにつけた。七十キロで彼らがわれわれを追うかたちに戻った。ふたたびバイクが接近してきた。また私の側にまわってきた。後部の男が両手でかまえた銃口が私を狙っている。はっきりみえた。近づくにしたがって、その角度が変わる。私に向けてゆっくり変わる。銃を向けられるのははじめての経験だな、と思った。タオルを手に握りしめた。そのタオルで浅井のくれたウイスキーの瓶の首をつかみ、紙袋から引きだした。ライトのあたりを狙い、窓から放り投げた。瓶はクルクルまわりながらとんでいった。私にはやはり、野球の才能はない。バイクの前輪にあたり、瓶の首がスポークのあいだに食いこんだ。

渇いた音がした。銃の発射音だった。続いて、瓶の砕ける音。バイクの転倒する音。バイクが横になって道路をすべっていく。ふたりの男の身体も回転しながら、同じようにすべっていた。発射された拳銃もいっしょだった。

浅井の大きな吐息が聞こえた。

「たいしたもんだよ、おまえさん」

「スピードをもっとおとしてくれ」

ふたりの男が立ちあがるのがみえた。何台ものクルマがとまどったようにそのあたりを徐行している。高速道路を歩行者が移動しているのだ。ひとりが拳銃を拾いあげ、上着のポケットにいれた。クルマのあいだを縫い、急いで高速を横切った。ガードレールを超え、雑草の生い茂る脇の坂を登っていった。すぐに見えなくなった。

浅井がコンパートメントに拳銃を戻すのを見て、私はいった。

「あの連中、大丈夫みたいだな」

「あきれた野郎だ。そんなことまで心配してたのかよ。それでスピードおとさせたんだな。いいか、おれたちゃ正当防衛なんだぜ。ぶつかりゃ内臓破裂だが、あいつら、うまくすべってった。フルフェイスのメットもつけてた。まず、かすり傷だ。へたしたら、おれたちの方は死んでたんだ」

「そうかな」と私はいった。

「ちがうってのか」

「いや。それより、ほかのクルマに気づかれてはいないか」

すでに周囲に目を配っていた浅井は、おちついた声でいった。

「とりあえずは大丈夫みたいだな。ただ、連中の拳銃に気づいたのはいるかもしれん。あれを見たらやくざの抗争だと考えたかもしれんな」

「まあ、映画のロケだとは思ってはくれないだろうな。警察に通報はいくかな」

「立派な市民はふつう、やくざとはかかわりになりたくないもんさ。ただ、正義感にあふれたお節介はいるかもしれん。そんなやつがこのクルマのことを報告するかもな。ナンバーまでは覚えちゃいねえだろうが。だから、次のインターで降りる。適当なところでこのクルマは乗りすてる。幹線道路で検問はないとは思うが、用心するに越したことはないだろう。それにクルマがおれのものだとはわかっても被害者はいないぜ。バイクが一台、高速に転がってるだけだ。二、三日して、なにもなけりゃクルマはとりに戻るさ」

「ウイスキーを一本、無駄にしたな」

「おれが新しいのを買ってやるよ」

彼は左の車線に寄った。すぐに京浜川崎のインターがみえた。こちらにも列は連なっていたが、さっきほどひどくはない。しばらくすると一般道に入った。ほかのクルマに乗った人間の表情に注意した。浅井も同じ視線で周囲を眺めていた。だが、とくに変わったようすはない。つけるクルマもないようだった。

浅井がつぶやいた。「あんたには感心したよ。あの瓶にも指紋を残さなかったな」

タオルが床におちているのに気づき、コンパートメントに戻した。彼のいうとおり、浅井も私もあの瓶にふれてはいない。ホテルの従業員のものだけだ。万いち、瓶の破片が調べられたとしても、私たちが割れることはないだろう。

「それより問題は連中がなぜ、われわれを襲ったかだ。それと、彼らがだれで、どうやって私たちの居場所を知ったか」

「あとの方は見当がつくぜ」

周囲を眺めながら、浅井は人気のない住宅街の脇道にそれていった。彼がクルマを降り、私も降りた。後部にまわり、しばらく彼はクルマの下をのぞきこんでいた。やがて手を伸ばし、力を入れた。ふたたびあらわれたそのてのひらに、黒いケースが乗っていた。タバコの箱くらいのケースだった。

「やっぱりな」浅井がいった。

「なんだい、それは」

「カーナビのGPSレシーバーと送信機を組みあわせたもんだ」

「静止衛星からの電波を受けるっていう、最近流行《はや》りのあれか」

「そうだ。誤差は二十メートルくらいだ。こりゃ、カスタムメイドだな。もっともこの程度のもんなら、いまはトーシローでもつくれる。バイクのまえにモニターがついてるのをおれは見た。CD-ROMモニターに接続してたんだろう」

彼はポケットからハンカチをとりだした。そのケースをていねいに拭《ぬぐ》い、近くのゴミ箱に放りこんだ。

「行こうぜ」

クルマが動きはじめたとき、私がたずねた。

「だれがあれをこのクルマにつけたと思う?」

「江口組だよ」彼はあっさりそういった。

「なぜ、わかる。連中の顔はヘルメットで見えなかった」

「あいつらの持ってた短銃を見た。ベレッタだ。たぶんM92だよ。オートマチックなんだ。世界中でポピュラーだが、この国ではそうでもない。粗悪品のトカレフみたいにゃだぶついてもない。おれは江口組が何十丁も持ってたことは知ってるし、いじったこともある」

浅井の観察力に感心した。私はモニターにさえ気づかなかった。相変わらず彼は業界用語を使わない。チャカとか道具という言葉を使わない。やくざであることを自覚しながら、一線だけは画している。そうした矛盾のなかで生きるのは、どういう生き方なのだろう。

「あんたの銃の方も珍しいのか」

たずねると、彼はうなずいた。「右に同じだ。この国ではな。フィリピン製の不良コピーは多いが、こいつはオリジナルだよ。コルトのキングコブラ。三八口径。けど、アメリカじゃスーパーで売ってるぜ。おれはあっちに行ったとき、知り合いに買ってもらった。五百ドルくらいだったかな。こっちなら高校生だって買える値段だ」

「どうやって、持ちこんだ」

浅井はニヤッと笑った。

「やくざもんのやり方なんぞ、知らねえ方がいい」

住宅街を走っているあいだ、拳銃《けんじゅう》のことを考えていた。

「なあ、私は拳銃にはほとんど無知なんだが、たしかオートマチックの場合は、発射したとき薬莢《やっきょう》が残るんじゃなかったか」

私の言葉を聞くと、浅井はうなった。「そういや、そうだ。素人のおまえさんもよく気がまわるよ。たしかに問題はあるな。サツがそこまで調べるだけの通報がいくかどうかだな。いや、そうでもないか。バイクが一台、高速に転がってる。運転してた人間は消えちまってる。サツがあたりを調べることは、まずまちがいないか」

「そう思う」

私がそのことを考えていると、浅井の声が聞こえた。

「ただ、時間の余裕はある。薬莢が発見されるかどうかは別としてもな。この近くに田園都市線とＪＲの南武線が走ってるはずだ。交差するところに溝の口って駅がある。その近くでクルマを捨てよう」

「まかせるよ」私はいった。「しかし、あんたはなんでも知ってるんだな」

「お巡りプラスやくざの範囲ではな。けど、あんたも薬莢のことに気がつくってのは、そうとうなもんだよ。ところで、おれは気が変わったぜ」

「どんなふうに変わったんだ」

「きょうは、あんたの質問に答えるだけのつもりだった。だが、江口組がおれにしるしをつけたとなると、そうはいかねえ。もう、おれ自身の問題にもなっちまった。なあ、頼みがひとつあるんだが」

「事件とおまえさんのことを詳しくおれにも聞かせてくれんかな。もちろん、さしつかえなけりゃだが」

「なんだ」

「あんたは、私のことにまで関心を持たない方がいいんじゃないか」

「たしかに、おれは事件の関係者ではないかもしれん。だけどな、おまえさんの関係者にはなっちまったぜ。少なくとも、おれはそのつもりでいる」

少し考えた。たしかに浅井はいままでなにもたずねなかった。人殺しと関係あるのかどうか、事実をかんたんに答えてくれといっただけだ。

「わかった」と私はいった。「駅についたら、どこか場所を見つけよう」

「ウイスキーを飲める場所だろ」浅井がいった。

そのレストランのウェイターは、ウイスキーがあると答えた。私は入り口でいった。

「先に入って、待っててくれるか」

「どうするんだ」

「電話する」

「だれに？」

「ガールフレンド」

いい残して、公衆電話のボックスを探した。時計を見ると四時過ぎだ。あんがい時間はたっていない。番号は記憶にある。受話器をとる音が聞こえた。もしもし、といった。

「あら、鈴木さん？」塔子の声がかえってきた。

きのうのことを考えた。きのう、私のそばで彼女が受話器をとったとき、話相手の声は聞こえなかった。それも夜だ。静かだった。私の声がもれることはないだろう。

「そこに刑事がいるのか」私はたずねた。

「当然でしょ。あたりまえじゃない。こんなとりこんでるときに、CMの話なんかもってこないでくれる？」

「そういえば、君はモデルだったな。一時間ほどたってからもう一度、電話していいか。いいなら、バカとかなにか、悪態をつく振りをしてくれ」

「わかったわよ、このバカ。ノーテンキの大バカ」

電話はガチャンと切れた。彼女はたいした役者だった。もっとも、付録をつけすぎるきらいはある。

店に戻った。ウイスキーがもうテーブルの上にあった。浅井はすでに飲んでいた。その横にはホテルでもらった紙袋が置かれている。そのなかには、タオルにくるまった拳銃が入っている。そのタオルで、私は浅井のクルマの指紋を拭《ふ》いたのだ。

「彼女の調子はどうだった？」私の顔を見て、浅井がいった。

「男が部屋にいたよ」と私は答えた。

それから私は話した。ウイスキーを飲みながら、中央公園の事件を話した。七一年のことと桑野の話をした。優子のことにも少し触れた。塔子の話はしなかった。優子の死はきょうの新聞で知った、といった。話しながら、この二十二年でこんな話をしたのはたったふたりだなと考えていた。それも二日間でふたりめだ。

浅井は黙って聞いていた。質問もさしはさまなかった。私が話し終えても、しばらく黙っていた。

塔子と同じように、出頭しないのか、とたずねるかと思ったが、そうではなかった。最初に口を開いたとき、静かな口調でいった。

「あんた、ちゃんと大学を卒業しなかったのは悔いちゃいないのか」

とまどった。そんな質問を受けた経験ははじめてだったからだ。浅井は私の顔をじっと見つめていた。

私はいままでの時間を考えた。二十二年のあいだにやった仕事を思いうかべた。建築現場の作業がいちばん多かった。それにビルのガラス清掃、旋盤工場。店員も多かった。ゲームセンター、パブ、パチンコ屋。事務職では、運転免許証のないことがネックになった。すべて肉体労働だ。そこになにか意味があったのだろうか、と思った。いや、意味があって私はそういう仕事を続けたのではない。逃亡を続けたのでもない。そんなことは考えもしなかった。私はそういう仕事が好きだった。アル中の中年になっても好きだった。バーテンの仕事も気にいっていた。

「悔いてはいないな」私はいった。「まったく悔いてはいない。私がやってきたのは、私にいちばん向いた生活だったと思う」

浅井は微笑した。まるでやくざにみえない笑いを浮かべた。

「ひとつ忠告していいか」

「どうぞ」

「あんたには欠陥がある。いまは品質管理《QC》の時代なんだぜ。欠陥品の方が見つけるのがむずかしいんだ。このご時世には、まず向いちゃあいない性格だな」

似たようなことを、きのうだれかがいったなと考えた。

「私は、欠陥品はやくざにしかなれないんだと思ってたよ」

「おれなら、あんただけは絶対やくざにゃスカウトしねえな。教会の牧師に転職をすすめるくらい意味ない」それから真顔になった。「その爆発現場にいたサングラスの男がポイントだな。やつがなにをやってたか」

うなずいた。「それは考えた。だが、全然わからない。起爆に関係していたかもしれない。起爆装置の種類がわかれば、いくらか参考になるんだが」

「起爆関連はまだ、発表されちゃいないな。それに爆弾の種類も。そいつはサツにもまだわかっちゃいないぜ。おさえるメリットがない。それにその男のことをサツが知ってるかどうかもわからんな」

「ああ。ただ、爆弾は塩素酸塩系でないことだけは確実だ。私は桑野のつくったもので経験している。あれは酸のにおいがするんだ」

「どうもマスコミ情報だけじゃ、限界があるな。ほかに材料がないかどうか、おれが調べてみよう」

私は彼を見かえした。

「いったろ。おれはまだマル暴にルートが残ってるって。それ以上は聞くな。どっかの所轄の名誉のためだ」

「わかった」と私はいった。「それより、きょう疑問点がさらに増えた」

「そうだな。疑問だらけだ。ひとつずつ点検してみるか。まず、連中がおれとおまえさん、どちらを狙ったか」

「どちらも狙われてはいないよ」

浅井の顔に怪訝《けげん》な表情が浮かんだ。

「どういうことなんだ？」

「連中が持ってたベレッタという拳銃《けんじゅう》には、弾丸が何発入るんだ」

「ふつうマガジンには十五発入る。それがどうした」

「走行中に彼らはわれわれを狙ったんだ。とまっている標的じゃない。それに銃を持ってたのが引き金を引くとしたら、私を狙ってから時間の余裕がありすぎたように思う。それだけの弾数があるんなら、クルマの横で乱射したっておかしくないだろう。その方が自然だ。一発でしとめようなんて、プロでも考えないいんじゃないのか」

浅井は首をかしげていたが、やがて顔をあげた。

「たしかに、おまえさんのいうとおりだな。すぐ横だからクルマをとめるんなら、タイヤを狙う手もある。それよりなにより、おれたちを殺《や》るんなら、ひとりずつ路上でやった方が確実だ。実際、銃は発射されたが、あれはバイクが転倒しての暴発だった」

私はうなずいた。

「とりあえずそれを前提にしてみるか。なら、なんのためにあんな派手なことを人前でやる？」

「その派手さが逆にひっかかるんだ。バイクで標的を襲撃する方法はヨーロッパとか南米のテログループあたりがよく使う。しかし、この国ではあまり聞いたことがない。ただ、脅しとしてはいちばん効果的な手段かもしれないな」

彼の顔におどろいたような表情が走った。

「脅しでやったってのか」

「可能性のひとつだよ。まあ、推測を重ねてもしかたないから、それは一応おいとこう。

どこで、あんたのクルマにあの送信機がつけられたんだと思う？」

「おれの月極《つきぎ》めの駐車場は、事務所から歩いて五分くらいんとこにあるんだ。日本一高い駐車場のひとつだがな。だれでも入れる」

「じゃ、そこだと仮定しよう。江口組はなんのためにあれをつけた」

「おれを憎んでるやつはけっこう多い。だが脅しにしろなににしろ、あれだけのことをしでかすんだ。江口組が組織として関係してるのはまずまちがいないな。わからんのは、なんでおれとあんたがいっしょにいるときを狙うためにくっつけたかだ。あんたわかるか」

首をふった。「それはわからない。あんたと私の関係を知ってるのは、望月以外にだれがいる」

「おれが知ってる範囲では、望月だけだよ。だがな、ああみえても、やつは信用できる。おれに命ひとつ借りがあるんだ」

「彼は戦車を動かしてたといったな。自衛隊をやめたのはいつなんだ」

「五年まえだよ。それがどうした」

「あんたが九〇式戦車のエアコンの話を聞いたのはいつだ」

「あのクルマを買ったときだ。そういや、思いだしたようにクスクス笑いながらいったな。二年まえか」

「それは嘘だよ」私はいった。私を見つめる浅井の視線を見つめかえした。「それなら、望月が前職をやめた理由をいつわっていることになる。経歴詐称というほどのことではないかもしれない。あまりかんたんな話なんで、さっきは聞き流した。私は元陸自の人間と同じ職場にいたことがある。いろんな話を聞いた。陸自の機甲部隊が持つ装備の型番は、配備の制式化された年度が頭につくんだ。だから、九〇式戦車は九〇年か九一年に導入された。エアコンの話はだれかに聞いたのかもしれない。だが、少なくとも望月は九〇式に乗ったことだけはない」

浅井の表情が変化した。いつか見た、とがった氷のような目つきがその顔面に一瞬あらわれ、消えた。

「ひょっとしたら、おれはあんたに借りができたのかもしれんな」

「罪のない嘘かもしれない。軍事オタクということも考えられる」

「ああ」浅井は自分に向けつぶやくような声をあげた。「そうかもしれん。その程度のことで嘘をつく必要はまるでねえからな。けどな、おれの住む世界じゃ、どんなちっぽけな嘘でもおれにつくことは許されんのさ。とくに望月みたいな立場だとな。堤防は蟻の穴から崩れる。気がついたときにゃ、もう崩れてることが多いんだ」

そのとき、どこかに沈んでいた疑問がようやく浮かびあがってきた。もうひとつ、聞きたいことがある、といった。

「あんたがけさ、電話で話した内容のことだ。晴れた日に私が公園で酒を飲む習慣はどこで知った。私もきょうの新聞は六紙全部を読んだ。どれにもでていなかった」

浅井の顔から表情が消えた。彼が妻の死を告げたときと同じだった。声が金属の板のように平板になっていた。

「……それも望月だな。あんたの店の見回りにやるまえに、あいつがいったんだ。公園の方は、きょうはお巡りで満員でしょうねってな。理由をたずねたら、あんたの習慣のことを話した。おれはやつも新聞で読んだとばかり思ってた。九紙も目をとおすと、小さな話は逆にぬけおっこちまうことがあるからな」

「私の習慣のことは、警察しか知らない。目撃者からの話を聞くしかないんだ」

「そのとおりだ。いま、デカにルートを持ってるのは、どうやらおれだけじゃないらしいな」

浅井は顔をあげて、私を見た。「おれにもいろいろ知りたいことがでてきた。ちょっと動いてみる必要があるようだ」

「危ない橋をわたるつもりじゃないだろうな」

浅井の顔にかすかな笑いが浮かんだ。

「わからん。けど、そうなったとしてもそれがやくざの稼業なんだ。どんな仕事にもつきものの宿命ってのはあるさ」

11

浅井は、おれは先に帰るといった。別れ際、あんたに連絡をつけるのはどうしたらいいんだ、とたずねた。私が段ボールハウスの話をすると、彼は声をあげて笑った。さしさわりのない携帯電話を貸そうかと申しでたが、私は断わった。携帯電話を持ったホームレスがどれだけいると思う？　すると彼はまた笑った。そりゃそうだな、なら今晩おそくにでも、とにかく一度電話をいれてくれ。おれが足を運ぶと目立ちすぎる。彼はそれだけ告げて改札に消えた。紙袋を脇に抱えた後ろ姿を見送った。望月のことはどうするのだろうと思った。だが、浅井のことだ。彼には彼の考えがあるのだろう。

溝の口の駅前から電話した。今度はさっきとちがった。あなたなのね、おちついた彼女の返事がかえってきた。

「なんで警察がさっきいたんだ」私はたずねた。

溜《た》め息が届いてきた。「日本の警察って、しつこいのか優秀なのかどっちなの」

「連中にとっちゃ、優秀というのは、しつこさの別名なんだ。なぜ、そこにいた」

「あなたの考えたのと同じパターン。母の部屋になにか手がかりがなかったかって聞いたのよ。でも、この部屋のことはあなたのいったとおりだった。どうやら学校に問いあわせたらしいの。あなたの方は、きょう一日なにしてたのよ」

「酒を飲んでたよ」

「そんなことわかってるわよ。どこで飲んでたの。いまどこにいるのよ」

「一度に複数の質問はしないでくれ。飲んでたのは横浜だ。しかし、いまいるのは横浜なのか川崎なのか、よくわからない」

「横浜？　横浜なんかで、ひとりでお酒を飲んでたの」

「いや、相棒がいた」

「相棒って？」

「やくざだよ。君にもきのう少し話した」

「あなたの店にやってきて忠告をしたって、あの奇妙なやくざ？」

「そうだ。まあ、その話はいずれ詳しくしよう。それより優子の部屋に君がきょう行くことを、どうして彼らは知った」

「きのうの夜中、刑事がまた質問するっていったでしょ。そのとき申し出があったの。母がなぜあの時刻に公園にいたのか、その手がかりを知りたいから、私の立ち会いで部屋を調べさせてほしいってね。当然、断わったわよ。でも祖父がいっしょだったの。彼の助言で、私がなにかヒントでも見つけたら、それを彼らに伝える。結局、そういうことになったの。祖父の助言は、警察にとっちゃ、まあ、体のいい指示だったみたい」

「連中は君といっしょに行動しなかったのか」

「すべて私にまかせるといったくせに、私が母のマンションにいるとき近くで見張ってたの。私、気がついたのよ。窓から彼らの姿がちらっとみえたから。それなのにすぐ声をかけないで、わざわざこの部屋にまでやってきたの。あなたのこともさりげなく聞いたわよ。名前は知ってるかって。もちろん知ってると答えた。新聞で読んだからって。でも、新聞のあの書き方ってちょっとひどすぎない？　あれじゃメディアが警察といっしょになって犯罪事実を創作しているようなものじゃないの」

「それを情報社会っていうんだろう。ところで、なにか見つかったのか」

「原稿用紙がたくさんあった。ずいぶん古いわよ。いろあせてる」

「原稿用紙？」おどろいて聞きかえした。「なにが書いてあるんだ」

「歌」

「歌？」

「歌といっても短歌よ、これ」

「短歌……。だれの」

「もちろん母自身のよ。彼女の筆跡だもの。私も意外だった。そんな話はまるでしてなかったから」

受話器を握りながら考えていた。歌。想像できなかった。優子は私の部屋に居そうろうしていたとき、私の本棚にあった現代短歌の歌集を読みふけってはいた。だが、彼女自身が歌を詠む習慣を身につけたとは考えもしなかった。いつごろから、なぜ、彼女は歌づくりなんかをはじめたのだろう。そして彼女が書いたものはどんなふうなのだろうと思った。わからなかった。それは、私の想像力の地平線のはるか向こう側にある。

「数もずいぶんあるわよ」彼女の声がふたたび届いてきた。「原稿用紙は百枚くらいはあるわね。一枚に五首ずつ書いてあるから、五百くらいになるのかしら」

五百首……。

「……どんな歌が書いてある」

「私、短歌ってよくわからないのよ。帰国子女にはちょっとつらいものがあるの。暗号同然よ。それに、まだ詳しく目をとおしていないの。時間が全然なかったから」

「ほかにはなにがあった？」

「別になにも。日記とか手帳とか、その種のものはまるで見つからなかった。手帳くらいは持ってたでしょうけど、あの公園で身につけてたんじゃないかと思うの。私も刑事にそのことは聞いたのよ。公園の遺留品からはまだ見つかっていないといってた。爆発で燃えちゃったか四散したものは、いま分析中なんだって。たぶん嘘じゃないと思う。発見したのなら、私にも確認を求めるはずだから」

「そうだろうな。ほかに仕事関係のメモかなにか、そんなものもなかったのか」

「仕事のスケジュール管理は母の秘書がしてるのよ。けさたずねたの。事務所の方に電話して聞いたの。結論をいうと、あの土曜日のことについてはなにもわからない。警察の方からも、もう同じことを聞かれたと彼女はいってた。けれど、それはまあ当然ね。プライベートな部分は母はまったく仕事と切りはなしてたみたい」

　塔子の年齢を考えた。二十一歳。つい忘れがちになる。彼女はその年ですでにじゅうぶん冷静な判断力を持つ女の子だった。私が示唆したわけでもないのに、やるべきことを自主的にきちんと押えている。

「で、歌の原稿用紙はいま君の手元にあるんだな」

「うん。バッグにいれて全部持って帰ってきた。警察は知らない。私、しゃべってないから。読みたい？」

　答えるまえに私はたずねた。

「お母さんの遺体は、もう戻ってきたのか」

「戻ってきた」彼女はいった。「けさ早くに。それで、警察のアドバイスがあってそのまま火葬場に運ばれた。もう骨上げもすませたのよ。身体の一部が失われているのは、お骨を拾うときにわかった。爆発でなくなられた故人の場合、もとの姿に修復するのは限界があるものですからって警察がそういったのよ。でも、遺族に対してそんな言い草ってないでしょ。あなたどう思う？」

おちついた口調だが、怒りの響きがこもっていた。修復されていない爆死者の姿なら私はよく知っている。彼女はそのことを忘れているようだった。それなら、私の方からあえて詳しく語るまでもない。警察は妥当なアドバイスをしたというべきなのだろう。だが、口にはださなかった。

「そうすると、きょうは骨だけでのお通夜になるわけか」

「そう、七時からはじまるの。もうそろそろ実家に戻らなくちゃ。でも、たぶんなんとか、ぬけだせるわよ」

「それはよした方がいい」

「なぜ」

「へんに動くとあやしまれる。どうせ、警察はそっちにも詰めてるだろう。それが彼らの習慣だから。君はずっとお母さんのそばにいた方がいいよ。すると本葬はあすになるんだな」

「そうだ。いい忘れてた。告別式は先にのばすことになったのよ。次の土曜日。もうお骨にしちゃったし、祖父の関係で参列者がずいぶん多いから。だから、今晩はいろいろあるけど、あしたは朝早くにこの部屋に戻れると思う」

「じゃあ、そのときまた電話することにしよう」

「それまでにこちらから連絡したい場合はどうするのよ。あなたの泊まっているのはどこなの」

「都内だよ。だが電話はない」

「都内に電話のない宿泊施設なんてあるの」

「あるさ。君の生活範囲から何光年もはなれてはいるが、平和で静かなところだ」

「聞いてもどうせ、あなたは答えないんでしょうね」

そのあと彼女の黙りこむようすはあったが、すぐまた声をあげた。じゃあ、この番号を覚えて、といった。これは実家の私の部屋の直通電話なの、もし、きょう連絡したいことがあったらこちらの方にかけてくれる？　きょうはセレモニーが終わったらなるべく部屋にいるようにするから。

その番号を記憶してから考えていると、彼女の声が割って入った。「ねえ、私は刑事に一方的に聞かれっぱなしじゃなかったわよ。彼らからだって、少しは聞きだせることもあったわよ」

「ふうん。どんなことを教えてくれたんだ」

「あなたが話してた、ちっちゃな女の子がいたでしょう？　バイオリンを弾くって女の子。公安課長の娘で宮坂まゆって女の子。彼女は新聞社主催の音楽コンクールで金賞をもらったんだって。一年生なのに、小学生の部で。実際、天才少女といわれてるらしいわね」

ふうん、とまた私はいった。

「それだけじゃないわよ。あの子はいま、けがの方はたいしたことないんだけど、逆行性の記憶喪失にかかっているそうよ。事件当時の前後のことだけが記憶から消えているんだって。だから、警察もまだそのへんのことは聞きだせないでいるの」

感心した。刑事からその程度のことだけでも引きだすのには、そうとうの手管が必要だ。彼らは人に聞き、記録し、分析する専門家だ。その分析がときにまちがうことがあるにせよ、一応その方面のプロだ。しかし、発表されていない事実をわずかでも刑事が自らもらすようなことはふつうあり得ない。新聞記者でさえまだつかんではいない話だった。

「なるほどね」私はいった。「君に人を説得する才能があることを忘れていた。どうやって聞きだしたんだ。市民の知る権利をふりかざしたのか。それとも、相手が若い刑事で君に好意でもよせたのか」

彼女は私の言葉を無視した。

「彼らはふだん、自分たちが公僕だって自覚がないのよね。それを自然に思いだしたんじゃないの。善良な市民が残酷な事件の被害者に同情する世間話をしただけよ。ほかにも負傷したちっちゃな女の子たちがいたでしょう。あの子たちは、傷が残るかもしれないって。彼女はそんな被害を受けたわけじゃないけど、同じように気の毒なひとりだもの。そういう話をしているうちに刑事の年配の方が親切に教えてくれたの」

爆発後の光景が一瞬、甦《よみがえ》った。あの場所にはそんな女の子たちもいたのだ。あの幼いバイオリニストの表情を思い浮かべた。私も彼女と話をしたかった。だが、彼女はいま何重ものフェンスのなかにいる。私はたずねた。

「その話を教えてくれたのはどんな刑事なんだ」

「名刺をくれたわ。警視庁捜査一課長の進藤っていう警視正。課長って大物なの」

「じゅうぶんに大物だよ。たいしたもんだな、君は」

聞きこみにしては異例の動きではある。それは彼女の祖父の立場と無縁ではないだろう。

「ところで」と私はいった。「唐突な話で恐縮なんだが、きょう君の部屋にしのびこみたいんだ。その許可はもらえるかな」

おどろいた気配はなく、おちついた声がかえってきた。

「母の歌を早くに読みたい。そうなのね」

「そうだ」彼女が部屋に戻るまで、あすまでは待てない。短歌という詩型はときに日記以上に、人の心のありようがなんであるかをあらわにすることがある。私の知る限りでは、そういうことがある。

「いいわよ」彼女はあっさりいった。「私がこの部屋に置いておく。で、あなたがピックアップする。それでいいのね」

「できれば」と答えた。警察が彼女の動きに注目することがあるとしても、不在の部屋までの目配りはまずないだろう。

「キイはどうするの。あなた、この部屋のキイを開ける自信はあるの。それとも部屋を開けはなしておく？」

「私は鍵《かぎ》を開ける方は専門家じゃないんだ」

鍵の受渡しの方法を伝えると、彼女は、わかった、といった。それからつけ加えた。

「母の歌からなにかわかったら、私にもすぐ教えてくれる？」

承知した、と私はいった。じゃあ、私はいまから実家の方に戻ることにするわ。なるべく早く連絡をちょうだい。その言葉を最後に電話は向こうから切れた。

電話ボックスをでるとき、ようやく気づいた。私の電話が終わるのを待ちかねていた女子高生らしい女の子がふたり、黙って私をにらんでいる。やあね、オヤジの長電話って。駅に向かったとき、背中にそんな声が届いてきた。

多摩川を越えると、わずかに暮れ残ったたそがれをあとに電車は地下に入った。ぼんやり考えていた。溝の口の駅で買ったふたつの夕刊に目をとおしたが、関連記事は小さくなっていた。新しい情報はなにもない。私の店については二紙ともふれてはいなかった。死者たちの葬儀の情緒的な話だけだ。即死した犠牲者の司法解剖は、優子より早くにすんだのだろう。渋谷で降り、井の頭線に乗り換えた。六時半。退勤時間だ。電車のなかはサラリーマンやOLたちで混みあっている。下北沢で今度は小田急線に乗り換えた。あたりはすっかり暗くなっていた。代々木上原でも多くの人間が電車を降りた。ある程度、人通りのある方がいいかもしれないと考えた。私はサラリーマンにはみえないかもしれないが、その流れのなかでとくに異常な姿にもみえはしないだろう。

駅前からもう一度電話した。なぜ、その気になったのかはわからない。不在を確認しても意味がない。塔子は、通夜は七時からだといっていた。もうとっくに部屋はでているはずだ。無意味な行動に気づき、苦笑して電話を切ろうとした。するとそのとき、だれかが受話器をとりあげた。私は黙っていた。向こうも沈黙を守っていた。塔子ではない。彼女ならなにかの反応はある。警察でもない。いまの段階で彼らがそんな真似をするとは考えられない。電話線をとおした不自然な沈黙があった。ぎこちない無音だけが流れていた。自分の鼓動が聞こえるような沈黙だった。数秒、あるいは数十秒か。どの程度の長さであったかはわからない。そのうち突然、向こうから切れた。私は歩きはじめたが、自然に足が早くなった。きのうと同じように遠回りし、周囲のようすに目をやりながら移動した。いつのまにか走っていた。塔子のマンションにたどりつくまで、目についたものはとくにない。変わったところはなにも気づかなかった。マンションにたどりつくまで、十分近くかかった。息切れしていた。それでも三階までひと息に階段をのぼった。廊下に人の気配はなく、どこかの部屋で天ぷらをあげるにおいが漂っているだけだ。

静かに歩いて、塔子の部屋のまえに立った。ドアの下部に大きな郵便受けがついている。夕刊がさしこんである。それを引きぬいて、郵便受けにたれさがった大きな扉のうしろに手をのばした。指にふれるものがなにもない。私が彼女に頼んだのは、その扉の裏面にスペアの鍵をテープでとめておいてほしいということだ。夕刊を戻してしばらく考えていた。ドアのノブをまわしてみた。かんたんに開いた。そのままリビングルームをのぞきこんだ。窓のカーテンは閉じられている。ドア際のスイッチをいれると、明かりがついた。かまちにはだれの靴もない。きのうの夜、私がいた場所はそこからみえなかった。靴をぬいであがった。リビングには私が昨夜、グラスを置いたガラストップのテーブルがある。そこには優子の原稿用紙が置いてあるはずだ。塔子は私にそう告げていた。しかし、そこにはなにもなかった。ただひとつのものを除いて。テープの切れ端のついた鍵がひとつ置かれていた。次の部屋に続くドアを開いた。彼女のベッドがあった。ベージュいろのベッドカバーにつつまれ、きちんとメイクされている。女の子の部屋らしい三面鏡といくつかの家具。ほかには、なにも見あたらない。もうひとつの部屋をのぞいた。和室のその部屋は使っていないらしく、家具さえ置いていない。トイレと浴室をのぞいた。なにも見あたらない。明かりを消してからベランダにでた。同じく無人だった。私はテーブルにあった鍵を手にして、部屋をでた。ドアに鍵をさしこんでみた。カチリとまわってロックされた。明らかなことがひとつある。だれかが、私が彼女に伝えたことを私より先に、私が考えていたようにすませたのだ。

12

副都心のオフィス街から流れてくる人混みと逆に歩いた。しかし、柱の列をはさんで私のとおる車道側に歩く姿は見あたらない。ここの住人専用の通路であり住宅街だった。八時過ぎだ。電話をかける約束がふたつある。浅井の方はまだ時間が早いように思われた。塔子には東口にまわって一度電話したが、つながらなかった。私が記憶する葬儀の経験は叔父の一回しかないが、通夜で席をはずすチャンスはあまりないのだろう。

タツは段ボールハウスで、ラジカセに耳をかたむけていた。音楽にあわせ、身体が小刻みにゆれている。私が知る限りたいていこの時間、彼は自分の寝ぐらにいる。彼らが動きはじめるのは、食料を探しにでる真夜中過ぎからだ。

近づくと、片腕をあげて笑いかけてきた。

「調子はどう？」

「最悪だな」私は答えた。「ゲンさんはまだ戻ってないのか」

「ああ、戻ってないね」きのう私がわたしたウイスキーの瓶をふった。「どう、一杯やる？」

うなずいて、彼の住居にあがりこんだ。地下街で買ってきたビニール袋を脇に置いた。彼は音楽にあわせ、身体をゆすりながら器用にウイスキーをついだ。私はひと口飲んでからたずねた。

「その音楽はなんていうんだ」

「ラップだよ。ディゲブル・プラネッツ」

しばらく耳をかたむけていた。女性をまじえたトリオが早口になにか歌っていた。歌うというより語っているように聞こえる。私にはわからない世界だ。歌詞も全然わからない。だが、それはふだんラップという音楽から受ける蜂の羽音のような印象とは異なっていた。詩の朗読を聞くようなところがある。

「まちがってたら笑わないでほしいんだが」無意識に感想が口にでた。「私には英語の歌詞はまるでわからない。しかし、その曲はちょっと知的な感じがするように思うな」

タツはやはりニヤッと笑った。だが続いた言葉は予想とちがった。「島さん、あんた耳がいいね。音楽的才能があるんじゃないの」

私は苦笑していった。「そういってくれるのは、おまえさんだけだよ。私は音楽にはコンプレックスがあるんだ」

「いや、あんた耳はいいよ。ディゲブル・プラネッツってこの連中はみなインテリなのさ。サルトルとかカフカの影響受けてんだぜ」

「ふうん。そんなラップもあるのか。なんて曲なんだ」

「ここに幸あり」

「冗談？」

「ほんとうさ。おれ流の訳だけどね。原題はイッツ・グッド・トゥ・ビー・ヒアっての。だから『ここに幸あり』」

感心した。「なるほど。うまい訳だ」

「だろ？」彼は得意気に鼻をうごめかせた。

そのとき、タツのポケットからしわになった緑いろの札のようなものがのぞいていることに気づいた。私は指さして「そいつはなんだ」とたずねた。

「ああ、これね」タツはそれをポケットにねじこむと「一ドル紙幣さ。向こうにいた記念にまだ持ってんの」そう答えた。

「そういえば、タツは海外にいたんだったな。どこにいたんだ」

「だいたいアメリカだね。あっちこっち。でもニューヨークがいちばん長かった。もう、こんな国には戻りたくなかったんだけどね」

「ふうん。向こうじゃなにしてたんだ」

「まあ、いろいろ」

タツ自身は他人についてまったく詮索《せんさく》することはない。私がなぜここにやってきたのかさえたずねなかった。失業の理由もたずねない。そもそも私の職業さえ聞いたことがないのだ。私もそれ以上はたずねなかった。たしかにいろいろあったのだろう。でなければ、この若さで帰国し、ホームレスになることはない。ニューヨークか、とつぶやいた。私は海外へでたことは一度もない。パスポートの類《たぐ》いとは無縁の世界で生きてきた。

　タツの瓶からウイスキーがほとんどなくなっていることに気づいた。私はビニール袋から真新しい瓶を一本と発泡スチロールの丼をふたつとりだした。ウイスキーはまだ、袋に二本残っている。

「なんだい、これ」

「おみやげ。私にはまだ少し金がある。テイクアウトの牛丼だよ。ひとつはおまえさん用だ。もうひとつはあのハカセという老人に買ってきた。身体が弱ってるようにみえたから」

「じゃあ、ハカセにはおれがあとで渡しとこう」それから彼はむずかしい顔つきになり、長いあごひげに手をやった。「でもね、島さん。こいつだけはありがたく受けとっとくけどさ、こういうことはもうやめた方がいいように思うよ」

「なぜなんだ」

「ここも世間と同様、弱肉強食の論理ってのはそれなりにあるんだぜ。ここにいる連中はそんなことはみんな自覚してるのさ。あんた、同情されてうれしいかい」

「だが、タツもけさ、彼に弁当を手渡していた」

「あれは向こうからたずねてきたからさ。それにわざわざ買ったしろものじゃない。余りもんだもの。酒の方は必需品じゃないから許せるんだけどね」

「そうか。私はよけいなことをしたのか」いわれてみれば、たしかに不注意だったかもしれない。まだ、この世界のルールに慣れきっていない。私は依然、この場所でアウトサイダーなのだ。

「今後は気をつけることにしよう」

私がそういうと、タツはようやく微笑を浮かべた。

「まあ、そんなふうに考えることもないけどさ。あんた、善意でやってんだから。とにかくこれは、ハカセには渡しとくよ」

善意は人を傷つけることがある。ほどこしという概念を受容しない風土ではそういうこともある。苦い思いでそのことを考えてから、話題を切りかえた。

「ところで、きょうはお巡りはやってこなかったのか」

「うん。きょうはこなかったね。まあ、あいつらもおれたちに聞いても無駄だってことは悟ったんじゃないの」

その考えに同意したわけではないが、私はコートのポケットから黄いろいチラシをとりだし、広げてみた。

「なあ、タツ。これに心あたりはないか」

彼は、手にとってしばらく眺めていたが顔をあげた。

「なんだい、これ。新興宗教のパンフレットみたいだけど。こいつになんか興味あるの」

「どう思うか、おまえさんの意見を聞きたいんだ」

タツはチラシをしげしげとのぞきこみ、ふうん、とつぶやいた。

「『神様についてお話ししませんか』か。『神様と』なら、おれもちょっとは興味持つけどさ。どんな神様と話せるか興味あるもん。そういう点じゃ下手だね、このコピー」

「なるほど、コピーか」

「それに連絡先も書いてない。宣教用のチラシとしちゃ落第なんじゃないの。文章もひどいし」

「私もそう思った」

「これがどうしたのさ」

「実は、ゲンさんの文庫本にはさまれていたんだ」

「へえ。でも爺《じい》さんには、こういうのって似あわないんじゃないかな。宗教なんかにゃまるで興味なさそうだったし」

「これを配っていたのは、茶髪の三十前くらいの男だった。私も声をかけられたことがあるんだ。そんな男は見かけなかったか」

「いや、ないね」

「そうか」私はグラスを飲みほした。ウイスキーの礼をいって、立ちあがった。

「なあ、島さん」タツが呼びかけた。「あんた、ここに長居する気かい」

「さあな。どうなるかわからない。長く世話になるかもしれない」

タツはニヤリと笑った。「きょうも冷えこみがきつそうだから、初心者にはそうとうきびしくなるかもしんないよ」

「たしかに中年には、ここの生活はこたえるな」

手をふって、隣の住居に戻った。私の間借りしている段ボールハウスは、がっしりとしたたたずまいで私を迎えた。

天井を開けはなったまま、横になった。ウイスキーをキャップで飲んだ。カップを買ってくるのを忘れたなと思った。住居に沁《し》みこんだにおいはきのうほど苦にはならなかった。私は少なくともこの場所にだけはなじみつつある。新しいウイスキーの封を切って考えた。タツは知らないといったが、あの茶髪の布教者はこの段ボールハウスの住人と接触したことはまちがいない。どこで接点を持ったのか。それになぜ、ゲンさんのような老人に声をかけたのだろう。この世界にあるヒエラルキーの底辺に追いやられた人間たちへの宗教者の使命感だろうか。しかし彼を見た限りではそうは思えない。彼は、警察のデッチあげに加担している。あるいは警察に弱みをにぎられているのかもしれない。だが少なくとも、まっとうな宗教者ではない。なら、なぜこの周辺の住人に接触したのだろう。わからなかった。私にわかることはいま、なにもない。たぶん、塔子のいうことが正しいのだ。彼女が最初指摘したとおりにすれば、話はしごくかんたんだ。警察に出向き、なにもかも話す。そしてすべての荷物を彼らにあずける。わけのわからない荷物。私のわからないぶたしかななにか。かんたんだ。彼らは私とはちがう。彼らは膨大な数の力を持っているが、私はひとりだ。彼らは科学的なアプローチをする力を持つが、私にその能力はない。彼らは、たいていの人間から話を引きだす力の側にいるが、私にそんな権力はない。結局、私にはまるでなにもないのだ。ただもうひとつ、彼らと私の相違点はないこともない。彼らにとって仕事にすぎないものが、私にはそうではないということだ。ウイスキーを喉《のど》に流しこんだ。いつものようにアルコールはなんの味も残さず、腹の底に沈んでいった。

いつのまにか、寒気がしのびよっていた。きょうの冷えこみはきついといったタツの予想は正しかった。あるいはじっと動かずにいるせいなのかもしれない。貧弱とはいえ、この周囲には壁がある。なのに冷気は昨夜と同じように静かにあたりをつつみはじめていた。今年は冷夏だった。この冬はふだんの年よりきびしい寒さが訪れるかもしれない。底冷え。だが、ほんとうの底はまだずっと先で待ち受けている。その際には、凍死者がでるかもしれない。いま、周囲の住人たちはなにを考え、この寒さに耐えているのだろう。ここに幸あり。ラップの妙なタイトルを思いだした。彼のおかれた状況を考えれば、皮肉ではあるがうまい訳だ。タツも知的な人物なのだ。彼はアメリカでどんな経験をつんだのだろう。ニューヨークが長いといった。ニューヨーク。私が映画でしか見たことのない街……。

身体を起こし立ちあがった。駅に向かって歩きはじめた。

タツはいつのまにか彼の住居から消えていた。段ボールハウスの天井が開いているが、その姿は見あたらない。なかをのぞいてみると、さっき聞いたラップのパッケージが転がっているだけだった。

駅の切符売場近くの公衆電話には、四、五人しか人がいなかった。けさ浅井に電話したとき使ったいちばん端が空いていた。塔子から聞いた実家の番号を押すと、今度はすぐに声がかえってきた。

「母の歌を読んで、なにかわかった？」

「それは子機なのか」

「え？」

「君がいま話しているのは、コードレス電話じゃないのか。もし子機を使ってるなら親機の方をとってくれ」

黙って受話器を切り換える音がした。続いて、どういうことなの、怪訝《けげん》な響きが伝わってきた。

「実は君のお母さんの歌は読めなかった。手に入らなかったんだ」

「どうして？　私はちゃんとあなたがいったとおりに手配しといたわよ」

「コードレス電話は、盗聴がかんたんなんだよ。周りに電波をまき散らしてるから。秋葉原へ行けば、だれでも受信機はすぐ手に入るらしい。私の店の客が話すのを聞いたことがある」

「事情を話してくれる？」

いきさつをしゃべった。そのあいだ、塔子は口をさしはさまなかった。しゃべり終えてもまだ黙っていた。考えこんでいた。

やがて彼女がつぶやいた。

「だれが、なんのために」

「そう。だれがなんのためにだ。だが、あの電話が盗聴されたのはまちがいない。たぶん、近くにでもとめたクルマのなかでチェックしてたんだろう。これから私がいくつか質問するから、なにも聞かずに答えてほしい。いいか」

「よくないわよ。でもなにを聞きたいのよ」

彼女はいつもの調子をとり戻していた。何者かが自分の部屋に侵入したショックはないようだった。私は多少安堵《あんど》してたずねた。

「君のお父さんは外務省の官僚だといってたな。アメリカの領事館にいたとき、交通事故にあって死んだと君はいった。君が十五歳のときだから六年まえ、つまり八七年ころだ。そのあと、君は母親と帰国した。君たちはアメリカのどこに住んでたんだ」

「スカースデール」

「日本以外の地理には詳しくないんだ。もう少し大雑把にか詳しくか、どちらかで説明してくれないか」

「ニューヨーク郊外の住宅地よ。マンハッタンまでブロンクス・リバー・パークウェイでつながっているところ。鉄道のハーレム線なら一時間もかからない。日本人は多いわね。ほとんどが日本企業の現地法人か支社のサラリーマン。一応、高級住宅地ということになってる」

「じゃあ、優子はそのころ、なにをしていた。専業主婦だったのか」

「ううん。マディソン街の広告会社で働いていた。私のめんどうはメイドにまかせて。外交官ビザで赴任してれば、その家族はほんとうは働いちゃいけないんだけど、あの人はキャリアウーマンしか似あわないもの」

「じゃあ、彼女はニューヨークの街なかにしょっちゅういたわけだ」

「そうだけど、それがどうしたのよ」

「私の考えていることは非常にばかばかしいかもしれない。賭《か》けてもいいが、君はきっと笑うと思う。翻訳の問題なんだ」

「どういうことなのよ」

「ニューヨークには有名な公園がある。私でさえ知っている。セントラルパークだ。中学生英語で失礼だが、セントラルパークを和訳すればどうなる？」

彼女は一瞬、間を置いたが、やはり声をあげて笑いはじめた。

「そういえば、たしかに中央公園にはなるわね」


彼女はしばらく笑い続けた。やがて笑いおさめると口を開いた。

「セントラルパークは、新宿のちゃちな公園とそうとうスケールがちがうわよ。比較するのがばかばかしいくらい。だけど、それがなにに関係するのよ」

「君のお爺《じい》さんは新聞を何紙とっている？」

「全紙とってるわよ。なぜ？」

「じゃあ、ここ二、三日の新聞はまだ残っているな」

「残っているでしょうけど、どうするのよ」

「土曜日の夕刊から全部を集めておいてほしい。読みたいんだ」

「理由を聞かせてよ」

「ちょっとたしかめたいことがある。私はごく一部しか読んでいないが、そのときはあまり気にしなかった」

「なにを気にしなかったのよ。もったいぶらないで、どういうことなのか詳しく話しなさいよ」

「君にはいま、時間がないだろう。新聞でたしかめてから話すよ。もちろん私のばかばかしい勘ちがいだとも考えられる。君に笑われたくない。君はあした早くにそちらをでられるか」

「もちろんでられるけど、どこで会うの」

「君の部屋」と私はいった。

13

　今度は浅井に電話した。携帯電話にはつながらなかった。おかけになった電話は電波の届かない場所にあるか、電源が入っていないためかかりません。女性の声がそう告げた。事務所の方にかけるべきかどうか考えているとき、背中をやわらかくたたかれた。おどろいてふりかえると老人が立っていた。けさと同じように原書を一冊抱え、おだやかな顔つきでほほえんでいる。

「いただきましたよ。どうもありがとうございました」

　一瞬、はかりかねて老人を見つめていた。

「牛丼ですよ。あなたがくれた」

　その律儀な言葉でようやく思いだした。「ああ、あれですか。よけいなことをしたのかと思って気になっていた」

「なぜ?」

「タツにいわれたんですよ。へたな同情はここじゃ禁物だと」

「ほう、辰村君はそんなことをいいましたか。しかし、私にはありがたかった。ああいうものをいただくと、厚意が身に沁《し》みる。あれはおいしかった。牛丼を食べたのは久しぶりでね」

「ちょっと待ってください。いま、辰村とおっしゃったが、それはタツの本名ですか」

「おや、ご存じなかったんですか。私は本人からそう聞きましたよ」

「彼が自分でそう名乗った？」

「ええ。私もいろいろ聞かれました。意外な感はありましたがね。私も新宿は短いが、宿無しとしての経験はそこそこつんでいる。私は岸川といいます」

周囲を眺めた。段ボールハウスの方角も眺めた。私たちに注目するものはだれもいない。時計を見ると十時過ぎだ。まだ人通りはピーク時からさほど減ってはいない。

「島村と申します」私はいった。「もしよろしかったら東口の地下でも散歩しませんか」

老人は微笑を浮かべた。「ちょうど私も同じことを考えて、小屋をでてきたところなんです。老体にこの寒さはこたえる。東口の地下は温かいですからね。それにいささか運動も必要だ。そのつもりでやってきたところ、あなたの姿を見かけた」

老人と私は自然に並ぶかたちになり、地下鉄の丸ノ内線へ降りる入り口に向かった。彼の歩みはおぼつかなく、地面におちた鳥の足取りのようだった。左右にゆれながら歩くそのペースに歩調をあわせた。地下街をゆっくり東口に向かった。人出はふだんと変わらない。この街の地下はいつの日か、キャパシティーの限界を迎えるだろう。あるいはそのまえにさらに地下空間は広がっていくのか。どちらでもいい。とりあえずいまのところは、その人間たちの体温の集合が外の温度との落差をつくっている。

　歩きながらたずねた。

「岸川さんは、医者でいらっしゃるんですか」

「まあ、そんなところです。そういえば、辰村君には話しましたな。彼からお聞きになった？」

「いや」と私はかろうじていった。

　ははあ、という感じで彼は自分の持つ原書をちらと眺めた。

「法医学関係？」

「そうです。北の方の大学で教えていたことがあった。でもねえ、大昔のことですよ」

　頭を殴られた気分だった。老人の経歴を聞いたためではない。この老人の過去、医者であることをタツは知っていた。けさの彼はおどろいた顔をみせたが、知っていた。そして老人がいうように、彼は西口の住人たちのあいだにあるルールを逸脱していた。私は仮のホームレスにすぎないが、それがまれなケースであることくらいは知っている。

　つとめて冷静な声でいった。「タツは人の過去を詮索《せんさく》しないタイプだと思ってたんですが、例外もあるようですね」

「いや、私だけじゃない。彼はほかの住人の経歴もよく知っていますよ。たとえば、あなたが住んでいる小屋の持ち主のことも。川原源三さんでしたか。秋田からの出稼ぎで帰りそびれたようだが、彼はどこかへ去ってしまったようですね。もし故郷が受けいれてくれたのなら、もちろんそれに越したことはないが」

その本名を聞くのもはじめてだった。川原源三。出稼ぎの話もはじめて聞いた。老人の横を歩きながら考えた。人混みの大きな流れは、駅に向かっている。その流れと逆に移動していると、すれちがう通行人がふだんより私たちと距離をとっていることに気づく。ポケットから例のチラシをとりだし、つかぬことをうかがいますが、と彼のまえにさしだした。

「こういうものをご覧になったことは、ありませんか」

老人は一瞥《いちべつ》すると、ああ、と口を開いた。「それは髪の毛を染めた若者が宣教用に持ってきたものですな。辰村君といっしょにやってきたので話だけはしましたよ。そのときに私のあれこれを話したんです。しかし、私は宗教やその種の団体といったものにはいっさい興味がない」

「タツといっしょだったんですか」

「そうです。ああいうのは、興味ないなら適当にあしらっとけばいい。あとで辰村君はそういっていましたが、その男は、なぜか私たちばかりを対象に声をかけていたようですね」

「私たち？」

「老人ばかりということですよ。最近の宗教団体はほとんどの場合、若者の方を向いているので奇異な感じがしました」

奇妙な感触が背中を走りぬけた。「それはいつのことですか」

「最近ですよ。ほんの二、三週間まえかな」

「宗教的な勧誘文句は、どういう種類のものでした？」

「いや、勧誘というより、その団体にふさわしいのかどうかといった事前リサーチの色彩が強かった。ちょっと特殊な団体なのかなと思ったことは覚えている」

「実は私も別のところで、髪を染めたその男に声をかけられたことがあるんです」

「ほう」と老人は笑った。「私もそれは読んだが、しかし、あなたのような方にそのメッセージは向いているとも思えませんね。どうもあの髪の毛を染めた若者は人物の評価能力に欠けるようですな」

目をおとして、チラシのうたい文句の一部を私は読みあげた。

「『キミもこの現実を超越できるのを知らないのは不幸だというその神様の存在とともに話そう』。これは文章になっているとも思えないが、たしかに若い連中を意識している。ところで、いま岸川さんは宗教団体といわなかった。特殊な団体とおっしゃった。実際のところ、具体的にどんな団体だと思われたんですか」

老人が足をとめたので、私も立ちどまった。駅に向かい地下を流れる人の群れは、私たちのところで顔をしかめながらふたまたに別れ、また合流していく。彼は眉《まゆ》をよせ、声をおとした。

「辰村君は好青年ですな。私もふだん、むかしのことをしゃべることはないが、彼とは自然に会話できる雰囲気がある」

「好青年です」私はいった。いまもその印象は変わらない。「だから？」

「だから彼に迷惑をかけたくないんですよ」

「ということは、このチラシを持った件《くだん》の宣教者といっしょだったという事実は、彼がなにかやっかいな立場のもの、つまりは非合法といった類《たぐ》いの組織もしくは個人と接触している可能性をあなたは考えているかもしれない。そういうことになりますが」

老人は気弱な微笑を浮かべた。「論理的ですな。そういうことになるかもしれないが、同時にまた私の感想にすぎないかもしれない」

彼が歩きだしたので、私も同じ歩みで移動をはじめた。

「しかし、放っとけばタツは現実に危険な目にあうかもしれませんよ。その感想を聞かせていただくわけにはいきませんか」

その言葉で彼は立ちどまった。考えるように私を見あげた。

「具体的にどう思われたんですか」くりかえした。

彼はためらっていたが、ようやく抑えた声でいった。

「あなたは彼とごく親しいようだ。信頼に足る人物のようでもある。そうですか」

「あいにく、自己評価にかかわる質問の答え方は知らないんです」

「正直な人だ」そういって老人は笑った。くったくのない笑いだった。「わかりました。私の感想をいえば、その団体はあなたがいったようにある種の非合法に抵触するかもしれませんな」

「どういう種類の」

「その文章はなにか、メタファーを感じさせるところがあると思われませんか」

「メタファー？　比喩《ひゆ》ですか」

「そう。暗喩です」

もう一度チラシに目をおとし眺めた。よくわからない。

「私は専門家じゃないんです。なにかヒントをいただけませんか」

「辰村君はドル紙幣を持っていたようですよ。彼らの世界に詳しくないと、わかりにくいヒントかもしれない。もちろん、あなたに縁はないでしょうが、私はそのあたりの話は法廷で聞いたことがある」

さっきタツのポケットからのぞいた紙幣は見た。一ドル紙幣と彼はいった。またチラシを眺めた。今度はあぶりだしのように、ひとつの言葉がおぼろなかたちをとりはじめた。

やがて焦点があった。

「なるほど」と私はつぶやいた。「私もそのへんのことは聞いたことがあります。そういうことか」

「ご存じでしたか。そう、それならあなたが想像されたとおりです。なぜ、彼に忠告しなかったのかと責めないでください。老い先しれた人間の忠告を若者が聞くことはまずない」

天井が開け放されたタツの段ボールハウスを思いうかべた。

「岸川さんはタツがどこで食料を調達しているか、ご存じないでしょう」

「それを知って、どうなさるおつもりかな」

「ちょっとたしかめたいことがあるんです。彼が危険な綱渡りをしているのなら、私にもなにかできることがあるかもしれない。それもひょっとしたら緊急を要するかもしれない」

老人は私を見つめたが、いまはその目におだやかな光が宿っていた。「牛丼をいただきましたな、あなたには。あなたは他人にも気を配ることのできる人物のように見受けられる」それから息をついで続けた。「辰村君の行動範囲は歌舞伎町の一部です。大久保病院の東側にあるバッティングセンターの一帯あたり。あのへんを彼が案内してくれたとき、そう話していました」

「感謝します」礼をいい、失礼ですが、と前置きしてたずねた。

「岸川さんはおいくつになられます」

「来年はもう喜寿ですよ」そして笑いながらつけ加えた。「今年の冬を越すことができればね」

もう一度礼をいったあと、老人を地下街に残し、地下と同じ程度に混みあう地上にでた。靖国通りを渡ると人通りはさらに増えた。

私が歌舞伎町に最後に足を踏みいれたのはもう何ヵ月もまえだ。だが、光景はさほど変わってはいない。そこは、西口とは別の世界だった。東口の地下街ともちがった。そして異なる人種がいる。地下の人の流れは、ほぼ駅に向かっていたが、この場所はまだそうではない。渦のように乱れていた。この時間になると、この街は発酵する。いつもそう思う。原色の光と電子音、雑多な店が発散するマイクの声、複雑なにおい。それらがいり混じり、ざわざわ発酵する街。泥酔した男たちが濁った奇声をあげながら歩いている。若い女たちがとおりすぎていくが、彼女たちの交す会話はこの国の言葉ではない。道端で身体を絞りながら吐いている男。それをそばでぼんやり見おろす女。高校生くらいにしかみえない少女たちのグループとその集団から爆発したように沸きあがる嬌声《きようせい》。なにを職業にしているのか判然としない男女。なにを目的にたむろしているのかわからない若者たち。ここにはあらゆる人間がいるが、あらゆる判別は意味を持たない。私がアル中の中年であることも意味を持たない。明滅する光で顔のいろを変える人間たちの渦のなかを歩いた。警官たちもいた。特殊警棒を手にした三人とすれちがったときには緊張した。だが、彼らは私に目もくれなかった。

病院近くにある歌舞伎町交番をさけ、大久保公園に入った。ここにもホームレスの姿は何人かみえる。知った顔はなかった。公園をあとにして周辺を歩いた。このへんになると、さすがに人通りはコマのあたりほどではない。まだ開いている酒屋が目についたので、ウイスキーを一本買い、店の主人らしい男に周辺の地理をたずねた。それから細い路地をいくつもぬけて歩いた。明るい看板を灯《とも》したコンビニが一軒あった。店のなかには入らず、周囲だけを眺めていた。裏通りにまわってみると、ゴミ箱が置いてある。だが、ポリバケツの三個あるその場所は鉄の格子で閉ざされていた。鍵《かぎ》もかけてある。私はその店に背を向けた。

風が強く、コートのポケットに手をいれ歩いた。今度は、ゲームセンターをのぞいてまわった。金を持たずに入れるのは、そんな場所くらいしかないはずだ。三軒目をのぞこうとしたとき、私の知る男の姿が目に入った。向こうからゆっくり歩いてくる。彼はくしゃみをし、肩を丸めた。顔をあげるその姿が視界の片隅に入ったとき、私はすぐ左にある薬局のドアを開いていた。くしゃみひとつの差だった。ドリンクを選ぶ位置で、ウインドウ越しに眺めた。茶髪の布教者は立ちどまった。周囲を見まわし、向かいにあるゲームセンターに入っていく。私は待った。背広を着たサラリーマンふうの男がふたり、それにジャンパー姿の男がひとり、それぞれ少しずつあいだをおいてやってきた。背広のひとりとジャンパーが吸いこまれるようにゲームセンターのなかに消えた。もうひとりがこちら側、薬局の隣にあるビデオ屋のまえに立つのがみえた。タバコをとりだし火をつける。だが、彼が周囲に発散しているのはタバコの煙ではない。私服のにおいだ。私はドリンク剤のひとつを指さし、ここで飲む、と店員にいった。勘定を払い、ストローでゆっくり飲んだ。決めかねていた。そのゲームセンターを眺めた。いままで見たなかでは、いちばん大きい施設だ。こちらの道路に面し、入り口はふたつある。通りをやってきたアベックが足をとめ、店のネオンを見あげた。その瞬間、薬局をでた。アベックとタイミングをあわせ、まっすぐゲームセンターに入っていった。ビデオ屋のまえに立つ男の視線が、私にそそがれた。背中でそれを感じる。現在の私の素顔は彼らには知られていない。それがただひとつの根拠だった。その男の行動は予測できない。私は彼に視線を向けもしなかった。一瞬のち、私は耳をつく電子音と光の渦につつまれていた。

店内は混んでいた。だが、彼らの所在は若い客たちのあいだで、白い紙におちたインクと同じだった。ふたつの黒い染みだ。背広の男はスロットマシーンが並ぶいちばん端でレバーを引いている。その視線は回転するドラムと別のところを漂っている。ジャンパーは

UFOキャッチャーのボタンを押していたが、その視線はガラスをつきぬけていた。ふたりの視線が交差するところに、対戦型のカーレースマシンがある。茶髪の宣教者がハンドルのまえにすわり、画面を眺めていた。隣は空席だが、彼はゲームを楽しんでいるようにはみえなかった。店内を見わたした。私の知っている人物はほかにはいない。彼らはただ待っているだけだ。

店をでた。ビデオ屋のまえに立つ男の視線の感触がまた背中にあった。彼が連絡をとり、もしだれか別の人間がやってくるとしても間にあうことはないだろう。いや、連絡する時間もなかったはずだ。私がゲームセンターのなかにいたのは数十秒にすぎない。ただ、彼自身がその場からはなれる気になれば話は別だ。しかし、その男はそんな気分にはならないようだった。私のあとをつけてくる気配はない。別の人間を待っているのだ。路地をぬけ、また表通りにでた。区役所通りに入ると、そこは酔客たちであふれかえっていた。

電話ボックスに入り、浅井に電話した。またつながらない。

酒屋で買ったウイスキーの封を切った。ボックスのなかで飲みながら考えていた。浅井の事務所はこの歌舞伎町にあったな、そう考えていた。そのとき、向かい側の路上を歩く男の姿が目に入った。白いビニール袋を手にし、のんびり歩いている。ボックスをとびでて道路を横切った。彼の腕をつかまえ、その耳元でささやいた。

「ゲームセンターには顔をださない方がいいんじゃないか。あまり楽しめそうなムードじゃなかった」

立派なあごひげがビクッと震えた。凍りついた表情が私を見つめかえしていた。

「島さんか」長い沈黙のあと、タツはようやくいった。「でも、どうしてあのゲーセンのこと知ってんの」

「いま、のぞいてきたんだよ。おまえさんの友だちがいた。やっかいな連中も三人ひき連れていた」

彼はニヤリと笑いを浮かべた。どうやら立ちなおったようだ。

「おれだって知ってるさ、サツがやつをマークしてるかもしれないってことくらい。連中が団体でぞろぞろあっちの方に入ってくのは、この通りからおれ、眺めてたもん。事前にやばくないかって確認しとくのは習慣なんだ。あのゲーセンにはもう行く気なかったよ」

「ふうん。注意深い性格なんだな」

「そう。でもあんた、まだ質問に答えてないよ。どうしてゲーセンのこと知ってんの。あ、そうか。ハカセに聞いたんだ、おれのテリトリー」

「そうだ。タツも人がいいな。きちんと岸川氏に牛丼をわたしといてくれたんだな。恐縮するくらいていねいに礼をいわれた。それが話すきっかけになった」

タツはもう一度笑った。

「おれだって、人の善意を無駄にするのは好きじゃあないさ」

「歩きながら話そう」

私が靖国通りに向かうと、彼はおとなしくついてきた。

「なぜ、あの茶髪の男を知ってるのを私から隠した」

「なんでもかんでも、あんたに話さなくちゃいけないのかい。それにあんたは、別の方面であいつに関係してんじゃないのさ、島さん。いや、菊池つったっけ。だろ？」

今度はそれほどおどろかなかった。「そうか。知ってたのか」

彼は低い声で笑った。「やっぱ、そうなのか。いままでは半信半疑だった。おれの想像力もまんざら捨てたもんじゃないね。おれだって、いつもラジカセ聞いてるだけじゃないよ。時間だけはたっぷりあるし、たいがいの新聞も雑誌もゴミ箱で手に入るんだから。あんた、寝坊なんだよ。きのうの朝だって、あんたが起きるまえに新聞は全部、目をとおしてた。あんたが気にするとまずいからまた捨てといたけどね」

「しかし、あの程度の記事からよく私だとわかったな」

「あんたとは公園で花火が爆発したすぐあと、おれんとこで顔をあわせた。おまけに、きのうからやたらお巡りのことを気にしてる。記事の内容とタイミングぴったしじゃないの。でもはっきりわかったのは、あんたがハカセの本のタイトルを教えてくれたときだね。あんな単語、すぐにわかるやつはそうたくさんはいないさ」

私は小さな溜《た》め息をついた。靖国通りをわたったところで左に折れ、伊勢丹の方へ足を向けた。タツは黙ってついてくる。

「しかし、なんで岸川氏の経歴のことまで隠す理由がある?」

迷っているようだったが、やがて決心したように口を開いた。

「だって、恥ずかしいじゃないのさ、他人のことに興味持つなんて。そのてのことは、おれのポリシーからちょっとズレてる。だから黙ってた。でも、あんたは今夜おれのことを気づかってくれたみたいだ。だからいうけど西尾は、西尾ってのはあの茶髪の男のことだけどさ、あいつがひと月くらいまえに爺《じい》さんたちのことリサーチしたいっていってきたんだよ。その話に、おれつい協力しちゃったんだよね。あいつ、おれがあのあたりで顔がきくって、よく知ってて話をもちかけてきたの。もちろん気は乗らなかったけど、結局、受けちゃったのさ。ホームレスの人権をテーマにした宗教関係の調査みたいなことといってたから。まあ、よけいなお節介だけど、いいかなって」

「なにをリサーチしてたんだ」

「わりに平凡。経歴、本籍、家族構成。そんなとこかな。たしかにホームレスになるような老人はどんなタイプかって調査みたいだった。医者みたいなことも聞いてたし。そんなことを調べてた」

「恥ずかしいというのは、そんなことじゃないだろう。彼に協力したのは別の理由があるはずだ。見返りになにをもらった」

タツは一瞬、顔を赤くした。打ちのめされたように下を向き、うなだれた。私は彼のプライドをひどく傷つけたのかもしれない。

「よくわかったね。どうして？」タツの声はしわがれていた。

私はポケットから黄いろのチラシをとりだした。

「岸川氏は法医学が専門だ。私にヒントだけくれた。このチラシは宣教用かもしれないが、別の用途のためにも使える。そうだろう。ドラッグのセールスシートだな」

タツは無言だった。私はそのチラシの文章をもう一度読んだ。

「『キミもこの現実を超越できるのを知らないのは不幸だというその神様の存在とともに話そう』。〈神様の存在〉を薬物、〈現実を超越できる〉を薬物効果、〈ともに話そう〉を薬物使用に置きかえると意味はじゅうぶん通じる。同時に薬物賛歌でもあるようだ。これはその種のクスリの乱用者のあいだでだけ通用する比喩《ひゆ》を使ってるんじゃないのか。そういうグループは宗教的色彩を帯びることもあると聞いている。おまけにビジネス用としても、あいまいになっているところが新規の需要層を獲得するのに適当ともいえる。お巡りの注意を引かずにな。これは、なかなかよくできているようだ」

「まいったよ、あんたには」彼がいった。「おれもそのチラシを見て、やつの正体を悟ったんだよ。向こうじゃ、そういう変てこな文章まわしてるのは、だいたいがラリ公なのさ。で、こっちは正当な報酬を請求しただけなんだ」

「その正当な報酬がコカインというわけか」

彼の探るような目が私を見た。「なんだって、ブツの種類までわかるのさ」

「私はバーテンだ。そういう商売をやってると、いろんな話が耳に入ってくるんだよ。店の客がしゃべっているのを聞いたことがある。彼はもう卒業したといってたから、昔話として聞いた。コカインを使用するときは、一ドル紙幣をストローみたいに巻いて吸引するってな。この国の紙幣を使うと雰囲気がでないそうだ」

タツが黙りこんだ。ここでもまたコカインか。私はつぶやいた。浅井の話にも登場した。なにかつながりはあるのだろうか。ただひとつ、わかったことはある。タツの帰国した理由だ。もう、こんな国には帰りたくなかった。彼はそういったが、たぶん向こうで逮捕され強制退去を受けたにちがいない。だが、そのことは口にださず私はいった。

「それで、きょうも西尾って男からもらう約束だったのか」

「いや、それはちがうよ。実は爺さんのことが気になってた」

「ゲンさん？」

彼はうなずき、一応全部話しとくか、低い声でいった。

「おれと西尾はこの一ヵ月、毎週、月曜夜の十一時に例のゲーセンで会うことになってたんだ。だから、やつに最後に会ったのは先週の月曜さ。会うときは、ゲームやるふりをしながらコークをくれた。けど、気前のよすぎるのが逆にちょっと心配になってた。あんなリサーチにちょこっと協力しただけで四回くれたんだぜ、商売用のを。あんたには、いい仕事が見つかったと爺さんがいってた。そういったろ。あれは、まるっきり嘘ってわけでもない。西尾はリサーチしてるとき、適任者が見つかったら、老人向きのいい仕事があるともいってた。ガードマンなんだけど、なにもしないで、寝泊まりするだけでつとまるんだとさ。なんでこんなとこで探すんだと聞いたら、人件費の節約だと笑ってた。もちろん連中の正体知ってたから、やばい仕事だなとは思ったさ。だから、おれはいわなかったけど、爺さんは直接西尾から聞いたみたいなんだ。その気みたいなこと先週いったとき、おれは絶対やめとけって忠告したよ。でも爺さんがほんとうにやつの話に乗ったのかと思うと心配になってきた。だから、きょうはうまくいきゃ西尾にそのことを問いつめようと思ってたのさ。サツがやつをマークしてる最中だから、どうせ、やつはきょうブツを持ってるわけない。だからもし、あいつがひとりになったときつかまえることができたら、爺さんのこと、聞いてみようと思ってた。やっぱ、結局は無理だったんだけどね」

「私はお節介じゃないから、クスリをやめろなんていわない。だが、周辺に迷惑がかかることはあるかもしれないな」

「そのとおりだよ。なんの仕事かわかんないけど、もし爺さんが西尾の話に乗ってたとしたら、ほんとにやばいかもしれないんだ」

「連中がなにを考えているのか、それを探るのはたしかに先決だな。ただ、おまえさんはまだ全部をしゃべっちゃいない」

「なぜ?」

「新聞を読んで、記事の主人公が私だと気がついたとさっきいった。脅迫罪で追われているることだ。それは別にして、私が脅した人物の方はなぜ西尾だとわかる。記事では匿名になっていた」

「ああ、あれは筋モンが教えてくれた。きょうの昼やってきて」

「筋モン? だれだ」

「三木っていったかな。ゲーセンの近くで西尾と会うとき、話しているのを一度だけ見たことがある。おれに気づくと、ギョッとしてたけどね。そのとき、西尾が三木って呼んでたんだ。頬に傷があるやくざ。そいつがやってきて、きょうはゲーセンに近づくなとおれを脅したんだ」

「ひょっとしたら、その男、派手な青いスーツを着てなかったか」

「そうさ。よく知ってるね」

「その男なら、たぶん私が望月という名で知ってる人物だと思う」

「じゃ、三木ってのは偽名かもしれない。あいつらがほんとの名前であんなやばいシノギやってるわけないもん」

「そうかもしれない。しかしなぜ、タツをわざわざ脅しにきたんだ」

「結局、西尾とつながってんじゃないの。やつがたんに脅迫されただけの被害者だなんて、そんなタマじゃないことくらいは、おれにも想像がつく。サツはどうせ、西尾が売人だぐらいはかぎつけてくっついてるわけだろ。そんなかに、おれがうかつにとびこまないようにってことじゃないかな。ラリ公がパクられて密売組織のことといろいろバラさないか心配したんだよ。でも、おれはいわれなくたっていつもあそこへ行くときはサツにゃ注意してるんだけどね。クスリのことはいま、けっこうやばいもん。……いや、ちょっと待てよ。奇妙だな。考えてみると、なんで三木もそんなこと知ってんだろう。西尾はお巡りにとり囲まれて近づけないはずなのにさ。あいつが見たのも、たぶん匿名記事だけだろ、おれとおんなじで。それで西尾があの花火の事件に関係してるってことを、なんで知ってるのさ」

「たしかに奇妙だな」と私はいった。

14

「それで、タッはこれからどうするんだ」私はたずねた。

「きょうのところはとりあえず、もう寝ぐらに帰って、寝るさ。食料は手にいれたし」

「きちんと金を払って買った食料だな」

タッのおどろいたようすが表情にでた。心の動きを隠しとおすことができない。彼もまだ二十代なのだ。

「どうして、そう思うのさ」

「第一に、おまえさんの所持品が立派すぎる。コールマンのコンロにあのCDラジカセだ。私がはじめて会ったとき、あんなものは影さえなかった。第二に、あのラップ、ディゲブル・プラネッツか。あのCDのパッケージは新品だった。ああいうものまで全部拾ったとは思えないな。おまえさんには最近、収入もあるようだ」

「…………」

「以前はどうか知らないが、いまタッはコンビニのゴミ箱から弁当を拾ってるわけじゃないだろう。さっき、大久保公園のあたりをまわってきたが、コンビニは一軒しかなかった。

近所の酒屋でたしかめたんだ。コンビニの商売敵でいちばん詳しいのは酒屋だからな。そのコンビニのゴミ捨て場には鍵《かぎ》がかかっていたよ。とうてい入れそうになかった。そのビニール袋のなかに入っているのは賞味期限の切れていない弁当だな」

彼は顔をあげて私を見た。打ちのめされた表情が浮かんでいた。彼のプライド。それはホームレスとしての自尊心だ。金をもらうことによって傷つく自尊心。それだけは知られたくなかったにちがいない。そのポイントをついたのは私だった。

「そうさ。おれは西尾に金をもらってた。だから、どうだっていうのさ。おれを責めるのかい。それとも軽蔑《けいべつ》するっての」

「どうもしやしないさ。私には人を責める資格なんてない。中年のアル中には、ヤク中を責めることもできなきゃ軽蔑することもできはしないんだ。人にはそれぞれのやり方がある。ホームレスならなおさらだよ。寒さのなかを生きのびるのがたいへんなことは、きのう一泊しただけでじゅうぶんにわかった。タツには、宿を提供してもらったことを感謝してるよ。それだけだ」

彼はしばらく無言で下を向いていたが、やがて顔をあげた。その目に新しい光が宿っていた。まなざしのいろが変わっていた。

「なあ、島さん。あんた、手伝ってくれないかな。もちろん、自分のことで手いっぱいなのは知ってるけど」

「なにを手伝うんだ」

「爺《じい》さんのことさ。爺さんがどうなったか。おれはいま、そいつが気になってしかたないんだよ。だって、西尾はクスリも金もくれた。どう考えたって半端な報酬じゃない。おれは結局、爺さんにひどい迷惑をかけちまったのかもしれない。それがひどく気になってんだ」

「手伝うよ」私はいった。「実は、ゲンさんのことは私にも関係しているかもしれないんだ」

「どういうことなの」

タツのきらきら光る目が私を見つめていた。

老人の住居に横たわりながらひとり、ウイスキーを飲んだ。

この場所に戻ったとき、タツは私に、私の知っている話を聞かせてくれないかといった。だが私にはひどい疲労感があった。横浜まで往復しずいぶん歩きまわった。それに考えることもあった。私はもう年なんだ。疲れているから、きょうのところは休ませてくれないか。あした、ゆっくり話そう。そういった。なら、あすはあんたの方の話、全部聞かせてくれる？　タツがたずね、もちろん、と私は答えた。岸川氏が私たちを眺めながら、遠くでほほえんでいた。

タツに疲れているといったのは嘘ではない。だが、眠れなかった。ウイスキーを飲み続けた。かつてそれは私にとって火の液体だった。いまは、ただのアルコール入りの色水にすぎない。それを流しこみながら考えていた。この場所の危険はいまはまだない。あの茶髪の布教者、西尾という男はタツのことを取り調べで話してはいない。それはたしかだ。コントロールド・デリバリーという泳がせ捜査の流行《はや》りは新聞で読んではいる。だが、それを適用するのは密売組織か売人の方だ。末端の使用者なら引っ張って締めあげても支障はない。そのやり口の方が、彼らが慣れ親しんだ分野でもある。もし西尾が口を割っているなら、タツはすでに引っ張られているし、この短期間で西尾も自分の首を締める話をするとは思えない。いまのところ、西口周辺が警察の視野に入っていないことは明らかだった。彼らはクスリにまつわる側面は察知してはいるだろう。しかし西尾を爆破事件の脅迫の被害者にしたてあげた。いまは泳がせる方を選んでいる。少なくとも現在、西尾は物証をつかまれてはいない。いつまで続くかはわからないにせよ、当面、この段ボールハウスは安全地帯のはずだった。

そしていまは、それより大きな疑問の存在がある。西尾はなぜ、あのゲームセンターにいたのか。彼が警察の網のなかで泳いでいるのを自覚しているかどうかはわからない。あの場所を使用するのが習慣のようだが、その場所を知りながら警察はだれを待っていたのだろう。少なくとも末端の中毒者ではない。現在の環境を考えれば、彼らがその程度の収穫で満足するとも思えない。すると、三木と名乗った望月らしい男か。可能性はある。だが望月はいまどういう位置にいるのだろう。わからなかった。

眠らずに考え続けた。

空が白みはじめたころ、時計を見た。六時まえだ。起きあがって隣を眺めたが、タツの小屋は天井が閉じられ、静かだった。あたり一帯も静まりかえっていた。岸川氏の小屋に足を運んだ。粗末な小屋だった。段ボール一枚の上で、彼はオーバーにくるまり眠っていた。そばの路上にすわりこんでいると、やがてその目が静かに開いた。その姿勢のまま、早いですな、と彼はいった。

私はいった。

「お聞きしたいことがあってやってきたんです」

老人の話を聞いたあと礼をいい、この話はタツには黙っていてほしい、と頼んだ。彼はうなずいて、そうしましょう、と答えた。

「これから、どうされるおつもりかな」

「ちょっと、でかけてきます」

彼はひっそりと笑った。「若者はうらやましいですな」

「若者？　私がですか」

「私の分類では、無謀に踏みこもうという試みは若さの範疇《はんちゅう》にある」

「なるほど。しかし、あなたの無謀さにはかなわない。七十を超えてここで眠る冒険は、私にはとうていできませんね」

老人の笑い声をあとに残し、人気のない通りを小田急線の改札まで歩いた。この時間、ゴミ箱からはまだ朝刊は手に入らない。開いたばかりのキオスクで買った。浅井に電話しようとも考えたが、あとにまわすことにした。昨夜、真夜中の三時にかけたがまだつながらなかったのだ。

通勤と逆方向に向かう電車はすいていた。座席にすわり新聞をひろげた。三紙買ってきたもののひとつ、その第一面冒頭の大きな活字が目に入った。『新宿中央公園爆破事件。軍用爆弾を遠隔操作か』。ほかの二紙を見た。一面に関係記事はない。特ダネらしい。捜査関係者によると、と前置きしたその記事の内容を追っていった。

この爆破事件で捜査本部は爆薬、起爆手段の分析をすすめていたが、爆薬はコンポジション4（C4）と呼ばれる強力な軍用プラスチック爆薬で、起爆は無線による遠隔操作によるものとの疑いが強くなった。専門家によると、C4はダイナマイトの約二倍の爆速を持つという。またペースト状で形が自由に変えられるため、テロリストに利用されることが多い。この爆薬は、国内では国内メーカー製造のものが自衛隊や一部大学などの研究機関で使用されている。しかし分析結果では、今回の事件で使用されたものは国産規格品と成分がやや異なっており、国外から持ちこまれた可能性が高いとの指摘がある。さらに現場から発見されたＩＣ回路の破片は無線受信機の部品の一部との見方が有力となった。これが事実なら、国内の爆破事件で遠隔操作によるものは初の事例。このため本部では、警察庁幹部・宮坂徹さんを狙ったテロの疑いがより強くなったとしており、爆薬の入手ルートの解明と起爆関連遺留品の分析に全力をあげる方針だ。

記事を読みとおしたころには、代々木上原についていた。早朝出勤するサラリーマンたちとすれちがいながら、塔子の部屋まで歩いた。正体は不明だが、彼女の部屋の存在を知るものは当局以外にもいる。周辺を注意して歩いた。私のわかる範囲ではなにも見あたらなかった。警察が人員を配置している気配もない。

塔子の鍵を使い、部屋に入った。私がきのう電話したとき、この部屋にだれかがいた。少なくともその人物が鍵をコピーする時間はなかったはずだ。もちろん、塔子はこの部屋の鍵を変える必要があるだろう。しかし、いまは時間がない。この部屋を使用する以外、考えが浮かばなかった。キッチンの上にある棚を眺めた。ウイスキーが一本、置いてある。私は自分のてのひらを見つめた。いつもの朝とはちがい震えていない。昨夜から飲み続けたためだ。けさの血中のアルコール濃度は私をふだんの姿においてはいなかった。ただ、世間がそれなりにまっとうと認めてくれるふつうの社会人に近いかもしれない。考えながら鏡のまえに立ってみた。期待は裏切られた。歳月に崩れ、疲れきったアル中の中年。鏡にはそのぶざまな四十男の典型が映っていた。

リビングに戻った。親機を使って浅井の携帯電話の番号を押した。期待してはいなかったが、今度はすぐに彼の声が届いてきた。

「島村か」彼の声にもかすかな疲労がにじんでいる。

「あんたがいったので何度か電話した。しかし、つながらなかった。事情があったんだな」

「もちろん事情はあったさ」彼はいった。「だが、張りこみの最中に携帯電話の電源を切っとかないほど、おれはトンマじゃないぜ。ただ、思った以上に時間がかかった」

「そんなところだろうと思ったよ」

「ちょっとした情報が手に入った。あんたが気にいるかどうかはわからんが」

「私の方にも入ったよ。こちらは、あんたの気にいらないと思う。望月の件はどうなった」

「つかまらねえ。周りに聞いたが、あいつ、どっかへ姿をくらましちまった。きのうの昼からな。おれたち、どうやら顔をあわせた方がいいようだ」

「私はこれから、ひと仕事あるんだが」

「なら、夜だ。そっちの方がおれも都合はいい。実はおれも、もうひとつやっとくことがある」

「それなら、いま忠告しておくよ。警察があんたの方に接触してくるかもしれない。拳《けん》銃《じゅう》だけは始末しておいた方がいいと思う」

「サツがお札《ふだ》をとったってんじゃねえだろうな」

「逮捕状じゃないよ。いまの段階でその可能性はたぶんないさ。だが、家宅捜索はあるかもしれない」

「なんでガサなんかがあるんだ。もう例の赤坂絡みか」

「いや。そうじゃない」タツから聞いた話をしようとしたとき、ドアの外で足音がした。鍵《かぎ》はかけてあるから入れるのはひとりだ。

「いまはちょっとまずくなった。今夜話すよ。どこで会う」

浅井は事情を察したようにいった。「もう、横浜だけはかんべんしてくれ」そのあと早口に住所を告げた。日本橋・浜町のマンションの名をあげた。「ここはおれ以外、絶対だれも知らねえ。八時でどうだ」

「わかった」私はいった。「なら、例のものはそちらにでも移動させておくんだな」

「そうするよ。おれは人の忠告には素直な性格だといったろ」

彼が電話を切り、私が受話器を置いたとき、ドアが開いた。顔をのぞかせた塔子は黒いセーターとジーンズを身につけていた。

「だれに電話してたの」彼女が怪訝《けげん》そうな顔でたずねた。

「天気予報。きょうは一日、晴れるそうだ。大陸の高気圧が張りだしている。冷えこみもきびしい」

「あなた、嘘つくのへたね。もう少し気のきいた答えくらいは用意できないの」

「あいにく想像力が貧困でね。君の母親にもよくいわれた」

彼女はちらと電話を眺めたあと、まあいいわ、といった。

私は、意外にあっさり引きさがった彼女を見ていった。

「君は手ぶらのようだが、新聞の方はどうした」

「あなたが想像するより、時代ははるかに進歩しているのよ」

「どういうことなんだ」

彼女は私を無視して、机のパソコンのまえに移動した。

「いまは、こういうものがあるのよ」そういってスイッチをいれた。「新聞全紙、あと通信社の分。その記事全部をアウトプットすればいいんでしょ」

私がきょとんとしていると、彼女があきれたように私を見た。

「あなた、ほんとうにアナクロね。もし二十一世紀まで生きたかったら、これの操作くらいは覚えておいた方がいいわよ」

「パソコンでそんなことができるのか」

「通信ネットに記事検索のデータベースがあるの」

キイを操作する彼女の手元を眺めていると、ディスプレイに私にはわけのわからない表示があらわれた。

「最初に八桁のパスワードをいれるの。私のパスワードは、５９６３ＴＯＫＯ。ごくろうさん、塔子。わかった？　キーワードは『爆破』『新宿』このふたつくらいでいいでしょう。この言葉が入った記事は、これで全部でてくるのよ」

眺めていると、やがて画面に新聞記事が出現した。その記事は私も読んだことがある。感心していった。

「ふうん。こういう時代になっているんだな」

「そう。こういう時代になっているのよ」

「どうせ、私は旧世代だよ。ところで、警察は君をつけなかったか」

「もう、つける必要ないじゃない」彼女はキイボードに指を置いたまいった。「彼らはここを知ってるんだもの。私、実家をでるとき門のまえにいた私服に、ごくろうさんってあいさつしてきたわよ、このパスワードみたいに。彼らは、私が着替えをとりに帰ったくらいに思ってるんじゃないかしら。タクシーできたけど、うしろにはだれもついていないみたいだった。ねえ、プリントアウトする？」

少し考えてから、「いや、いい」といった。「なにも痕跡《こんせき》は残したくない。操作方法だけを教えてくれないか」

私は彼女の指示にしたがい、指一本でキイを押しはじめた。たしかに時代は私の想像をはるかに超え、すすんでいる。土曜夕刊の第一報から、すべて目をとおしていった。必要事項を記憶しながら、あらわれてくる記事を丹念に読んでいった。彼女に操作法を聞いて新聞の種類を切りかえた。彼女は私の指の動きを見て溜《た》め息をつき、つきあいきれないという顔をしながらどこかに消えた。ふたたびあらわれたとき、ウイスキーのグラスが彼女の手にあった。それを飲みながら画面を眺めていた。あらゆる新聞のすべての記事に目をとおし終えると、今度は私が大きな溜め息をついた。すでに二時間近くすぎている。

「どうしたの」彼女がいった。

「君のおかげで、教訓がふたつ見つかった」

「どんな教訓？」

「ひとつは、この年になると自分の無知な世界がいつのまにか増殖してるってことさ。こういうものは、もう私には一生縁はないけどね。しかし、この記事検索っていつごろまでさかのぼれるんだ？」

「八五年くらいまでじゃないかしら。もうひとつの教訓は？」

「新聞はどれも似たり寄ったりだと思ってた。だが、そうでもないようだ。全紙読んだ方がいい。新聞にあるのはすべて断片だ。ジグソーパズルみたいなものだよ」

「どういうことなの。なにがわかったのよ」

「君の母親があの公園にいた理由だ」

塔子は目を見開いて、私を凝視していた。

「もちろん確認する必要はある。だが、入り口は見つかったかもしれない。土曜日、事件直後に私は近所の食堂でテレビの特番を見た。事件の概要を知りたかった。それにあの宮坂まゆという女の子のけがの程度も知りたかった。そのときは気にもとめなかったが、テレビの得意技は見たよ。例の無神経な遺族取材さ。食堂の亭主が腹をたてて、チャンネルを変えてくれといった。実は私がいま重点的に読んでいたのは、遺族の記事なんだ。犠牲者は多いから、とりあげている対象は新聞によってかなりばらつきがある。宮坂という例の公安課長を除けば、スペースのいちばん大きいのは、一歳の幼児を残した三十代夫婦の周辺だ。まあ、幼い遺児に注目するのはメディアのセオリーだからそんなものだろう。だがテレビでは、五十代女性の遺族も登場した。私は、高校生くらいの少年がしゃべっているのを見たんだ。彼は母親のことを、きちんと母といった。おふくろとか、お母さんといわなかった。いまは純粋な日本語は海外でしか生き残れないという意見もある皮肉な時代だ。だからひょっとしたらと思っていたが、やはりそうだった。その少年のことは三紙にでているよ。彼の名は柴山守。死んだ母親は洋子という名だ。五十一歳。そのうち一紙には『海外生活の長かった守君は……』とある。なら、こういうことも考えられる。君は、帰国子女には短歌はつらいものがあるといっていた。彼も帰国子女だ。彼がテレビで『母たちは俳句仲間で』といったことは覚えている。つまり海外生活の長い帰国子女が、俳句と短歌をまちがえた可能性がある」

彼女の見開いた目がさらに大きくなった。

「じゃあ、その柴山洋子という人は母の短歌仲間だったたっていうの」

「断言できないが可能性はある。だが、もしそうなら、仲間はもうひとりいるよ。四十代、五十代の女性は君の母親を除いて三人が犠牲者になっている。そのなかの五十八歳のひとりは無関係だ。彼女の娘自身が母と散歩にきて、といっている。しかし、どの新聞にも遺族のコメントがない山崎由佳乃という四十七歳の女性がいる。二条銀行融資部の課長。キャリアウーマンだな。遺族はきっと取材を拒否しているんだろうが、彼女が仲間だったことはまちがいない」

「なぜ？」

「消去法だよ。ほかに該当者がいない。柴山守という少年が俳句仲間といった以上、彼の母親は友人と複数であの公園にいたはずだから。警察はもちろん彼に事情聴取しているだろう。連中も同じことを考え、それがだれであるかは当然確認する。これは推測だが、彼が名前をあげたのは山崎由佳乃という女性だけだった。たぶん、なにかの交流があったんだ。だが、彼は優子のことは知らなかった。君の母親はたまたまその日だけ、彼女たちに合流したのかもしれない。そのあたりの事情はわからない。しかし、警察はいまのところ、俳句仲間はそのふたりだけだと思いこんでいるようだ。もしそうでないなら、彼らは君にも優子が俳句を書いていなかったかどうかたずねたはずだ。もっとも、これから聞くつもりでいるかもしれない。それにもし俳句でなく短歌なら、それにもう気づいてはいるかもしれない。ついでにいえば、もし私の推測が当たっていたなら、いつか彼らも同じ結論にたどりつく。いま確実にいえるのは、私がまったく見当はずれの判断ミスを犯しているのか、そうでないか、そのどちらかということだけだな」

「私ももちろん、母とほかの犠牲者とのあいだに関係があるかどうかは警察から聞かれたわ。そのなかに、いまのふたりの名もあった。私は知らないと答えたけれど。でも彼女たちだって、母の連絡先を残してはいないじゃないの。少なくとも警察は、彼女たちの遺留品や家族から母との関係を見つけてはいないわよ」

「逆のケースを考えればいい。君の母親もプライベートな連絡先のリストは残してはいない。彼女たちにも同じことがいえるのかもしれない。いずれにせよ、確認する必要がある」

「どうやって確認するのよ」

「決まってるさ。これから柴山、山崎の両家を訪問するんだ」

15

東横線の自由が丘でいったん降り、開店したばかりのスーパーに入った。コートを買った。いちばん安い数千円のものを選んだが、その出費はあきらめるしかない。これからやるべきことを考えれば、私の身なりはいささか妥当性に欠ける。おまけに先方は死者を弔ったばかりなのだ。眠るときも身につけていたコートは駅のゴミ箱に捨てた。

そのあと尾山台という駅にはすぐついた。ふた駅めだった。駅前の商店街は、ウイークデイの午前だというのにけっこう人出がある。雑貨屋で手帳とボールペンを買った。商店街をぬけると環八に突きあたり、信号を渡ったところで町並みはすぐ閑静な住宅街に変化した。地名しか聞いたことのない場所だが、コートだけでも新品に替えたのは正しい選択だった、そんなふうに思わせる町並みが続いている。塔子の部屋で見た新聞の住所と地図の記憶を頼りに歩いた。

塔子の部屋をでるとき、ちょっとしたトラブルはあった。彼女が私といっしょに行くといいはったのだ。予想通りの反応だが、指名手配中の人間とともに行動させるわけにはいかない。三十分かけてやっと説得したものの、その際、私は交換条件のように彼女の指示を受けた。じゃあ、いますぐシャワーを浴びなさい。自分がどういうにおいをまき散らしているのか、あなたには自覚がまるでないんでしょ。いまの姿は、とうてい社会人として通用する状態じゃないのよ。容赦ない小学校教師の口振りだった。

その指示にはおとなしく従った。たしかにいまの私は、彼女のいうとおりなのだろう。バスルームで一週間ほどのあいだに溜まった垢《あか》をおとし、髪を洗い、彼女の用意したタオルで身体を拭《ぬぐ》った。ついでに薄めたシャンプーでうがいした。酒臭い息を消すためだが、効果のほどはさだかではない。それでまともな姿に戻ったかどうかも自信は持てなかった。服を着てバスルームをでると、彼女はおごそかな声で、そこに立ちなさいといった。上から下まで、中古車を眺めるように私をしばらく点検していた。若い女の子からそんなふうに見つめられた記憶は、はるか彼方《かなた》に霞《かす》んでいる。居心地の悪さに耐えていると、ようやく彼女が、オーケイ、といった。平均以下だけど、まあ、人様の家にいっても追い払われない程度にはなったわね。そして、新しいコートだけは買うという条件で私は外出を許されたのだ。

柴山という表札のかかった家は白い壁を持つ一戸建てだった。二台分のガレージにクルマが一台とめてある。儀式の類《たぐ》いはすべて終わったのか、ひっそりと静まりかえっている。警官もマスコミもその姿はいまのところ見あたらない。ドア脇にあるインターホンのボタンを押した。

チャイムのあとしばらく時間をおいて、はい、と返事がかえってきた。テレビで見たあの少年の声だ。

「お話をおうかがいしたいんですが」インターホンに向けて声をあげた。「週刊サンのものです」

またしばらくおいて、お待ちください、礼儀正しい声があった。

ドアが開き、サンダルをはいた少年が顔をのぞかせた。当惑した視線が私を見つめた。加えて、意外なことに一種の興味のいろもその目はたたえているようにみえる。

「守さんですね」私は買ったばかりの手帳とボールペンをとりだした。「お取り込み中のところ申し訳ありませんが、お話をおうかがいにおじゃましました。週刊サンの松田と申します」

「松田さん？」彼が怪訝《けげん》な声でいった。「きのうの夜きた記者の人も松田さんとおっしゃってたみたいだけど」

森のいう週刊誌の売れる理由がわかった。週刊サンでは被害者のひとりひとりまで、ていねいにフォローしている。あの松田と電話で交した会話の記憶に集中した。数秒かかったが、かろうじてフルネームは甦《よみがえ》ってきた。

「ああ、裕一のことですね」私はいった。「うちには松田がふたりいるんです。私は松田幸夫といいます。裕一から、きのう聞きおとした部分をもう少し詳しく再取材してほしいと頼まれたもので。お時間はとらせません」

彼は私を見つめていたが、やがて口を開いた。

「きのうは祖父が腹をたてて申し訳なかったと、もうひとりの松田さんに伝えておいてくださいますか。なにしろ告別式のすぐあとだったものだから祖父もね……。結局、追いかえしたみたいなことになっちゃって」

そういうことか、と心のなかでつぶやいた。私にとって都合のいいいきさつはあったようだ。彼は高校生らしく名刺にまでは気がまわらない。あるいは、海外生活が長いせいなのかもしれなかった。感じのいい少年だった。私はなにかの罪を犯しているような気分に陥った。実際、道義的には犯罪に該当するだろう。

「お母さんのことはお気の毒でした。裕一からもきのうみたいな日におうかがいしたことを詫《わ》びておいてほしいとの伝言がある。おじいさんは大丈夫ですか」

私の言葉に彼はうなずいた。「それがすっかりまいっちゃって。彼、寝こんでいるんですよ、いま二階で」

私はこの少年が、対外的にはいつも前面にまわっていることを考えた。父親の気配がまるでない。テレビの取材でもこの応対でも。

「失礼だが、君のお宅は、お父さんはいらっしゃらないのかな」

「父は一年まえに亡くなっています。それで今度の事件でしょう。彼、祖父のことですが、そうとうショックだったみたいで。警官もプレスもずいぶんやってくるし。あ、失礼。あなたのことだけじゃないんですけれど」

年齢に似あわず礼儀正しい少年だった。この年で、祖父を彼、報道をプレスと呼ぶが、しゃべる言葉はていねいで正確だった。その印象はテレビで見たときと変わらない。もう本題に入るべきだった。松田以外にもきょう、やってくる人間は必ずいる。少なからずいるかもしれない。

「気にしないでください」笑っていった。「守君は長いあいだ、海外ですごしたんですってね」

「ええ。三年まえまでいました。父の都合で日本は長くはなれていたけれど、ぼく、どうもこちらの学校にはあまり馴染《なじ》めなくて」

「ふうん。どちらに?」

「NY。ずっとあそこです。八年ほどいました。父も、商事会社のニューヨーク支店赴任が長かったから」

やはりニューヨークか、と考えた。十一年まえから三年まえ。時期的には符合する。

「そうですか。ところで、君のお母さんは俳句をつくっていたそうだけれど、お母さんが俳句をはじめたのはずっとまえからなのかな」

「いや、NYにいってからですね。向こうで日本的なものに目覚めたみたいだった。でもあれ、ぼくの勘違いなんだ。山崎さんがいってたけど、短歌ですってね。なにかのニューズで見たらしくて、ぼくのミスを指摘してくれたんです」

「山崎さん？　亡くなられた山崎由佳乃さんの関係者？」

「ええ、彼女のお父さん。今度のことで彼とはじめて話したんです。きのうの朝、あいさつくらいしとかなきゃと思って、ぼくの方から電話したんです。そのとき、教えていただいた。ぼくは日本のショート・ポエムに興味がないし、ほとんど知識もないんですよ」

「山崎さんはどんなことを話してました？」

「彼、警察もプレスも大嫌いみたいでした。決して悪い人じゃないけど、古い気質の人みたいだった。だから、よけいなお節介かも知れないがあんまりマスコミには話しない方がいいよっていってましたね。なに書かれるかわからないからって。気を悪くしないでください。これ、彼の言葉なんです。でも、ぼくはジャーナリスト志望だからプレスの取材には興味があるんだ。いつかステーツに戻って、ジャーナリズムの勉強をしたいと思ってるんです」

「君なら優秀なジャーナリストになれそうだな。ジャーナリストの基本はなんといっても好奇心だから」

　私の言葉に、彼はうれしそうな笑顔で反応した。夢を持っている人間の笑顔だった。私にこういう夢を持つ時代はあったろうか。だが、さっき彼の目に興味のいろが浮かんでいた理由だけはわかった。こうして彼が応対してくれている理由も。

「すると、亡くなられた山崎さんとお母さんはかなり親しかったわけですね。君もよく知ってたんですか」

「ええ。向こうではね。ぼくらがホワイトプレーンズに住んでいたころ、山崎のおばさんもしょっちゅうマンハッタンからうちへ遊びにきていました。ぼくも彼女とはよく話をしたな」

「ホワイトプレーンズ？」

「NY郊外の住宅地ですよ」

「スカースデールというところからは近い？」

「ええ、すぐそばです。でも、なぜ？」

「いや、しかしニューヨークも長いと、お母さんには友人が多かったでしょうね。たとえば、短歌の仲間なんか」

「それはずいぶん大勢いました。帰国してからも連絡をとっている人は何人かいましたよ」

「じゃあ、君は松下優子という女性は知らないかな」

彼は首をかしげた。「聞いたことはありませんね。でも断言はできないな。向こうじゃ、母がグループの中心になっていたので、なにしろ人の名が多すぎて。それにぼく、母のやってることにまるで興味がなかったし。そのグループのことでもあまり話したことがなかった」

「それなら君のお母さんは結社の主宰者だったようだ。いつごろお母さんはその結社をつくったのか、君は覚えている？」

「結社？」

「短歌の同好者グループのこと」

「あ、そうか。ぼくがまだ小さいときだから、NYに住みはじめてそんなにたたないころからじゃないかな」

「で、そのグループの名は？」

少年はなぜか微笑を浮かべた。「彼女たちいつも略称で呼んでたけど、ポエット・グループにしちゃ、その略称だけはへんてこであまり詩的な感じがしなかった。MCPっていうんです」

「MCP？」

「メモリー・オブ・セントラルパークの頭文字。彼女たちは野外が好きで、よくセントラルパークでパーティを開いてた。それにちなんだ名前らしいんです」

「それで、こちらでも定期的に例会を開いていたのかな」

「そうみたいですよ。月の第三土曜日にはいつも出かけてました。新宿だなんてことは全然知らなかったんだけど」

「しかし、君はすぐ現場に駆けつけることができたようだ。お母さんが犠牲になったとよくわかったね」

少年の表情に影がさした。「あのとき、ぼくは学校にいたんです。学校は渋谷にあるんですが、授業中に連絡が入った。警察の話だと、母の運転免許証だけが奇跡的に無傷で残っていたそうです。すぐ新宿にいきました。母の顔は、なんとか確認できる状態でした」

「すまない」と私はいった。「でもなぜ、中央公園なんだろう」

「さあ、それはぼくにもわかりません。警察にも聞かれたけど。あそこはぼくも知っていますが、ずいぶんせせこましい公園でしょ。海外の水準でいえばそうかもしれない。でもこういうことは考えられないかな。セントラルパークを訳せば、中央公園になる」

少年は目を丸くしたが、塔子と同じ反応を示した。一瞬ののちには声をあげて笑いはじめていた。長いあいだ、笑い声は続いた。

「へえ。そうか。気がつかなかった。だけど、あなたがおっしゃるとおりかもしれない。母たちって、あの年でけっこう茶目っ気があったから。ぼくがいうのもおかしいけど、母はなかなかウィットに富んだ性格だったんです。なるほどね。メモリー・オブ・セントラルパーク。『中央公園の思い出』か」

「向こうで発行したのだから、『中央公園に寄せて』くらいの軽い意味だったかもしれない」

「ああ、そっちの方がいい訳ですね」

「しかしそれなら、お母さんたちの作品があるでしょう。ふつう短歌結社は、参加者の作品集を定期的に発行する。結社誌というのかな。たぶんメモリー・オブ・セントラルパークというタイトルがついている作品集。もしそれが残っていたら拝見したいんだが」

「それならありましたよ。七号分で二部ずつ。だけど、いまは手元にないんです。母の思い出だからって、祖父が一連の号を全部、棺のなかに入れたんです。もうひとつ、残りのシリーズは警察が全部持ってっちゃった」

「警察？」

　そのとき、階段の上からしわがれた声が届いてきた。どなたかおいでかな。少年は、ぼくの友人だよ、大声でそう叫びかえし、私に片目をつむってみせた。ありがとう、と私は笑っていった。

「祖父もプレス攻勢には少しまいってるようなんです。そろそろ下火にはなってきたけれど。率直にいって、あなたのような礼儀正しい人は珍しいから」

「こちらも率直にいえば、世界中のメディアの人間の性格は同じなんだ。夢を壊すようで悪いが、下品さだけは共通している」

彼は微笑を浮かべた。かなりうちとけた微笑だった。

「ところで、警察がその作品集を持っていったのは、いつのことなんだろう」

「きのうの夜です。もうひとりの松田さんが帰ったあとだから、八時ころかな。必ずかえすので、しばらく貸してほしいって」

「なるほど」と私はいった。「しかし事件直後に、彼らはお母さんの住所録とか手帳を見せてほしいといわなかった?」

「いいました。ずいぶん母の部屋を探したんだけど、なにも見つからなかった。実は母は電子手帳を愛用して持ち歩いていたんですが、それが住所録だったようなんです。実際、警察も電子手帳の破片は見つかったといってました。だけどもちろん中身は残っていない」

「なるほどね」もう一度いった。「だが、そのMCPという結社誌を見れば、お母さんの交際範囲がわかる。住所は記されていないかもしれないが、少なくともグループの個人名だけはわかる。警察はそう判断したのかもしれないね」

「たしかに、そんなみたいなことはいってました。だから貸してほしいんだって」

「しかし警察はなぜ事件後、二日もたって気がついたのかな」

「あなたみたいに文芸ジャンルに詳しくないからじゃないですか。はっきりいって、うちにきた刑事はあまり頭がよさそうじゃなかった。あ、これはオフレコですけど」

　もちろん、といって私は笑った。それからいくつか質問した。彼の母親は専業主婦だったが、未亡人になっても生活のゆとりはじゅうぶんにあったらしい。短歌結社を主宰する以外にも、ボランティアのような活動に熱心だった。長かった海外生活の影響かもしれない。少年の話からは、社会的な行動範囲の広い女性の横顔が浮かびあがってくる。

　彼の知っている山崎家の実家の話も聞いた。だが、内容は乏しかった。わかったのは、その実家がそば屋を営んでいるらしいことだけだ。そろそろ辞去すべきころあいだった。最後に私はいった。

「どうやら、山崎さんにもお会いする必要があるな。みなさんの作品を拝見したいんだが、警察以外は、彼のところくらいしか当てがなさそうだ」

　少年は首をかしげて、私を見た。

「松田さんは、どうしてそんなに短歌の内容に関心を持っているんです？　週刊誌にとってはあまり関係ないように思えるんだけど」

「君は気を悪くするかもしれないが、新聞なんかにはできない人間模様を紹介することも週刊誌の役目のひとつなんだ。それに、警察が知らない事実がそこから浮かびあがってくる可能性がないともいえない。だから警察にはこれは黙っておいてくれますか。私のことも」

彼はほほえみを浮かべながらうなずいた。権力の鼻をあかすのが報道の使命だと信じている。そんな感じのほほえみだった。

「だけど、山崎さんは手ごわいかもしれませんよ。さっきいったように彼はプレスをあまり歓迎しないようだから」

「覚悟してますよ。そういうことには慣れている」

礼をいって辞去しようと考えたとき、彼がいった。

「週刊サンは、何万部でているんですか」

森が話していた部数を思いだした。「実売でだいたい七十万部くらいかな。それがどうしたの」

「人間模様なら母の……。いや、いいです」

私は少年を見つめた。恥ずかしそうに、彼は顔を赤らめた。

「ははあ」と私はいった。「お母さんの作品がうちの雑誌に載ればってことかな。七十万読者に読んでもらえる。おじいさんも喜ぶ」

いや、そんなこと……。彼の顔がさらに赤くなった。的中したようだった。しばらく考えて私はいった。

「オーケイ。私からデスクに頼んでみましょう」

彼の顔がパッと輝いた。

「だが、約束はできない。それでいいかな」

「もちろん」

「しかし、そのためにはお母さんたちの作品集を手にいれることが前提になる」

「ぼくから警察にかえしてくれるように頼んでみましょうか。あるいは、山崎さんに電話してもいいんですが」

「いや、君はなにもしないでいてくれる方がありがたい。私の方でなんとかします。それより私がここへやってきたことは警察の関係者には黙っておいてくれますか。交換条件みたいで恐縮だけど」

「そうします」彼は男らしい声できっぱりといった。

駅に戻る道をたどりながら考えていた。ほんとうに感じのいい少年だった。だが、彼が私の手帳を見たらなんと思うだろう。どのページもまったくの空白だった。私は彼の言葉をメモする振りをずっと続けていたのだ。

環八まで戻った。信号を渡ろうとしたとき派手なクラクションが聞こえ、黒いメルセデスが一台、目のまえにすべりこんできた。運転席のドアが開き、トップの向こうに塔子の顔があらわれた。

「さて、次は山崎さんちでしょう?」

私は渋面を浮かべたにちがいない。彼女は、そんな顔しないで早く乗んなさいよ、といった。私はおとなしく助手席のドアを開いた。

「このクルマはどうしたんだ」

「あなたがでたあとすぐに電話して、祖父の秘書にもってきてもらったの。間にあったわね。わかりやすいポイントがあってよかった。あの住所なら必ずここはとおるもの。私、十分待っただけ」

「なんでそんな危険なまねをするんだ」

「だって、もうあれこれじゅうぶんに危険じゃない。私の部屋は侵入を受けているのに、警察に連絡もせずすませているのよ。それに私は犠牲者の娘なの。覚えてる？　その娘が母親の死因について、手がかりがわかるかもしれないってときにのんびりしている方がおかしいじゃないの。私、それほど親不孝ってわけでもないのよ」

私が溜《た》め息をついたとき、クルマは発進した。彼女の運転はあまり模範的とはいえない。いきなり加速すると、おそろしいスピードで周りのクルマのあいだをひたすらすりぬけはじめた。あの浅井の運転と対照的だった。やくざより始末の悪い運転だ。そう告げようと思ったが、よすことにした。そのかわり、またひとつ溜め息をもらし私はたずねた。「私が頼んでおいた方の結果はどうだった」

「ああ、あれね。やっぱりだめだった。母の秘書にも柴山洋子、山崎由佳乃両嬢との関係はわからなかった。それより、そっちはどうだったのよ」

私が少年との会話を手短かにまとめると、ふうん、やはり短歌だったのか、と彼女はつぶやいた。

「それで、セントラルパーク＝中央公園って構図も正解だった。でもどうやら、その同人誌に母の名前は載ってないみたいね」

「私も同じ考えだ。君がそう思う根拠は？」

「それ、テストしてるつもり？　まあ、いいわ。私もあなたの思考パターンがだんだん理解できるようになってきたのよ。わりに単細胞的論理回路だってね。こういうことでしょ。警察が彼のところへやってきたのが昨夜の八時。名前なんて目次を見れば、すぐわかる。すると、もし母の名がでていたのなら警察は昨夜のうちにも私のところに顔をだして、私への聞きこみはすませている」

「ご明察」と私はいった。「しかしだからといって、彼女の短歌が掲載されていないという結論にはならない」

「つまりペンネームの可能性」

感心した。「そういうことだ。俳号みたいに一般的じゃないが、歌人の場合でもそれほど珍しいわけでもない」

「どうやら、私の出番みたいね」

「どういうことだ」

「だって、その山崎ってがんこおじさんはマスコミ嫌いなんでしょ。だったら、その家できちんと応対してもらえるのはどういう人種だと思うのよ。同じ事件で犠牲になった遺族くらいのものじゃないの」

彼女のいうとおりだ。どうしようかと迷っていたところだった。彼女の言い分を考えた。遺族が同じ事件で犠牲になった別の遺族に会いにいく。それは不自然なことではない。少なくともマスコミの覗《のぞ》き趣味より、はるかに受入れられやすいだろう。市井《しせい》の人間が馴染《なじ》んだ自然な道理にはかなっている。

「わかった」と私はいった。「山崎家では君にすべてまかせることにしよう」

彼女はまたアクセルを目いっぱい踏みこんだ。山崎家に到着するまで、私はシートベルトを装着することに決めた。

16

山崎由佳乃の実家は、あの少年が教えてくれたように大森の駅近くにあるそば屋だった。にぎやかな通りのなか、その一軒だけがひどく古めかしい看板で逆に目立っていた。そこだけ、時間の流れからとり残されているようにもみえる、そんなたたずまいの店だ。まだ一時まえだが、閉店の表示板が入り口にかかっていた。

塔子はその表玄関を短いあいだ眺めていたが、躊躇《ちゅうちょ》することもなく引き戸をあけた。

「ごめんください」と大声をあげる。

店の奥でごそごそともの音が聞こえ、ひとりの男が調理場の奥からあらわれた。ゴマ塩頭の七十過ぎくらいの老人だった。彼の表情は機嫌のいい人物のものとはいえなかった。むっつりした顔のまま、老人は彼女と私をじろじろ眺めまわした。

「だれだい」声の調子もその顔のいろと同じだった。不機嫌きわまりない響きを帯びている。

「おじさん。由佳乃さんのお父さんでしょ」

塔子は彼の応対をまるで意に介せず、明るい声をあげた。

「あんた、礼儀知らずか。だれだと聞いてんだ」

「私、松下塔子っていうの」

「娘の友だちか」

彼女は首をふった。「母がそうだったかもしれないのよ」

「しれない？　おふくろさんってだれだ」

「松下優子。あなたの娘さんと同じときに死んじゃったの、爆弾で」

老人の表情に一瞬、とまどったようないろが浮かんだ。

「そいつは気の毒だったな。で、なんの用だ」

「由佳乃さんにお線香あげにきたのよ」

「その男は？」

「母に縁《ゆか》りのもの」

ふうん、と老人がつぶやいた。こっちだ。愛想なくそれだけいって彼は店の奥に入っていった。私は塔子の顔を視界の端にとらえた。かすかな微笑がそこに浮かんでいた。彼女がなにを考えているのかはわからない。私たちは黙って、彼のあとに続いた。

案内された部屋の仏壇には、写真が飾ってあった。きりっとした知的な顔が黒枠のなかに納まっている。私たちが線香に火をつけ手をあわせたあと、彼女は写真を見あげ老人に向きなおった。

「娘さんもお気の毒だったわね。これからってときなのに。銀行で課長やってたんでしょ」

　私は視界の隅に彼女をとらえたが、多少あっけにとられていた。堂々とした彼女の口調は世間のあれこれにもまれ、酸《す》いも甘いも知りつくした大人のものだ。それでいて自然な感情はにじみでている。

　老人は唇の端をゆがめ、ふん、とつぶやいた。

「あれもバカだよ。キャリアウーマンだかなんだか知らねえが、嫁にいかずに外国なんかいっちまうから、あんな目にあうんだ」

「なんで外国いったから、あんな目にあったと思うの」

「だってよ、ニューヨークで歌の会なんかに入ったから、あのとき、あんな公園にいたんじゃねえか」

「どういうことなの」

「歌の月例会がある。そういってあのバカ、でかけたんだ」

「ふうん」塔子がいった。「でも、マスコミにはでてなかったわよ」

「マスコミなんざ、人の災難にたかる蝿の集団じゃねえか。やってくるアホウどもは、おれは全部、追っ払ってんだ」

「へえ、私と同じだ。おじさん、ひょっとしたら、そのことは警察にも話してないんじゃないの」

老人は一拍おいて、はきすてるようにいった。「お上の方は、おれ、もっとでえっ嫌いなんだ。金輪際、なんも話すもんか」

「それも私とおんなじだ。意見があうわね。おじさん、なんでお上が嫌いなのよ」

「まあ、いろいろあってな。茶、いれようか」

うん、と塔子はうなずいた。

老人は自分も飲んでいた最中らしく、すぐに戻ってきた。きちんとふたの乗った茶碗をふたつ運んできた。ひと口飲んだ塔子が、このお茶おいしい、といった。私もそう思った。老人のしわが、いっそう深くなった。よく注意して見ると、それはかすかな笑いだった。はじめて彼が笑ったのだ。

「若いのによくわかるな。おれは、茶だけは贅沢《ぜいたく》してんだ」

「なにか贅沢するって悪いことじゃないわよ。このお茶、ほんとうにおいしいもの」

老人はまた、ふん、とつぶやいた。

「おじさん。もう一度聞いていい？　なんでお上が嫌いなの」

「おれの親父は特高に殺された。このまえの戦争のときよ。それからこっち、この国のお上をおれは信用しちゃいねえんだ」

「ふうん。そうなのか。むかしのこと思いださせちゃったわね」

「まあ、いいさ。けど、おまえさんたち、線香あげにきただけじゃないだろう。なにしにきたんだ。同病相憐《あわ》れむってのはごめんだぜ」

「私もそんなのいやよ。実はね、母の形見を探しにきたの」

「形見？」

「私の母もニューヨークにいたの。そのとき娘さんと同じ歌の会に入ってたかもしれないのよ。はっきりはわからないんだけどね。それで、そのころの歌を集めたものが本になってると聞いたの。ほかで見つからないから、おじさんとこにないかと思って」

ふん、また老人はつぶやき、彼女をじっと見つめていた。

「おまえさん、若いのになかなかしっかりもんみたいだな」

「あたりまえじゃない。見損なわないでよ。近ごろの若い娘は、みんながみんなディスコあたりで踊ってるってわけじゃないのよ。そういうの、偏見っていうのよ」

老人は今度はかすかな声をあげ笑った。しわがれた咳《せき》のようだが、たしかにそれは笑い声だった。「おまえさん、うちの娘に似たとこあるな。はねっかえりだ。あの本なら残ってるよ。見るか」

「そりゃ見たいわよ。そのためにきたんだもの」

老人はうなずいて立ちあがった。階段をのぼる足音が聞こえたとき、私は彼女の耳元にささやいた。

「たいしたもんだな、君は」

「ああいうおじさんって、私、好きなの。あなたもあんなタイプになりそうね」

「それを聞いて安心したよ。老後の不安がなくなった」

老人は戻ってくると、いきなり冊子の束をどさりと塔子のまえに置いた。どれも数十ページの厚さできちんと製本されている。表紙にアルファベットでメモリー・オブ・セントラルパーク。一号から七号までそろっていた。塔子は老人に断わりもせずその一冊をとり、目次を開いて眺めはじめた。優子がペンネームを使っているとすれば、中身を読まないと判断がつかない。読んだとしても判断はつかないかもしれない。私も一冊を手にとり開こうとした。そのとき塔子が、見つかった、と大声をあげた。

「母の形見が見つかった。ペンネーム使ってるけど。ねえ、おじさん。これ全部、私にくれない?」

私はびっくりした。もっとびっくりしたことに、老人はあっさり、いいよ、といった。

「その本なら腐るほど残ってんだ。持ってきな」

ありがとうといって、塔子は立ちあがった。私も立ちあがりながら、結局、彼女はこの老人にただのひとつも嘘はつかなかったな、と考えた。表戸のまえで彼女が老人をふりかえった。

「ねえ、おじさん。私たち、娘さんの仇《かたき》を打てるかもしれない。この人が打つのよ」

「努力しているところです」私はいった。「お上の手を借りずに努力するつもりです」

だが、老人は疲れたように首をこくんとふっただけだった。

クルマに戻ると、助手席で私は塔子が見ていた号の目次を開いた。二十人ほどの名前が並んでいる。柴山洋子の名はあった。だが、塔子がペンネームといったものはどれだか見当がつかない。もちろん、松下優子の名も見あたらない。

「優子の名前があると君のいったのは、この号だろう。どれなんだ。なぜ、ペンネームをわかった」

「かんたんじゃないの。とりあえず、渋谷の方へ向かうわよ」

彼女はクルマをスタートさせた。荒っぽい発進の加速を感じながら、目次から目はそらさなかった。しかし依然わからない。あきらめて彼女の方を向いた。

「ヒントだけでもくれないか」

「あなた、そうとう鈍感ね。私、すぐわかったわよ。いかにも歌人っぽい名前がひとつあるじゃない」

ふたたび目次に目をおとした。その名前には気づいていた。工藤詠音。しかし、この名がどこで優子とつながるのだろう。

考えていると、しびれを切らしたように彼女がいった。

「アナグラムよ。それもすごくシンプルなアナグラム」

「なるほど」私はようやくつぶやいた。「私はアルファベットで考えるのは苦手なんだ。この工藤詠音の詠音はヨネと読むんだな」

「そうみたいね。旧姓を使ってるけど」

KUDO YONE。このアルファベットの配列を並べかえると、ENDO YUKOになる。ほかの号の目次も見た。その名があるのは四号、五号のふたつだけだった。表紙の年表示はそれぞれ八五年、八六年となっている。

「警察は手を焼くでしょうね。ペンネームもそうだけど、あのおじさん、警察にはまったく協力しそうにないもの。由佳乃って人はきっと住所録くらい残しているでしょうけど、絶対見せないわよ」

「私もそう思う」優子の歌を読みながら答えた。

「私、短歌ってよくわからないのよ。なにかわかったら教えて」

「だいたいがニューヨークの街の情景を詠んだものだよ」

『五番街抄』『六番街抄』とあっさりしたタイトルで、工藤詠音の歌がそれぞれの号に二十首ほど並んでいた。

〈油日《あぶらび》に火柱《かちゅう》のごとき摩天楼天ひとつにて拠《よ》らむ術《すべ》なし〉

〈黄昏《たそがれ》の街のししむら留めいて赤き果実を剝きしシグナル〉

そんなふうにはじまる『五番街抄』を小声で読んでいると、塔子が「解説してくれる？」といった。

「解説といってもそんなにむずかしい歌じゃないよ。ひとつめの油日は、油を流したように照りかえる真夏の日。その街の情景だな。そんな日に摩天楼が火柱のようにみえた。天ひとつにて拠らむ術なしは、この耐えられないほどの暑さは避ける方法がない。またその暑い日に象徴される苦痛にあふれた世界は変わらないし、変えようもない。そんなあきらめみたいなものが感じとれないでもない。個人的意見だけどね。ふたつめのししむらは肉体のことだ。だから、街のししむらは通行人の意味だ。ニューヨークみたいな街の雑多な人種の通行人をとめた赤信号がざくろのような果肉を剝き出しにしているようにみえた。そういう情景をうたってる」

しばらくして、ポツンと彼女がいった。

「それは私が十三、四のころね。母はそのころ、あまり幸せじゃなかった。そういうことかしら」

「かもしれない」

「でも、なぜそんな歌を私の部屋から盗む人間がいるの。どういう理由で盗んだりしたのかしら」

「さあな」とだけ私は答えた。

彼女はそのまま沈黙した。私は優子の歌を読んでいった。すべての歌を読むともとに戻り、今度はひとつの歌をずっと眺めていた。

クルマは第一京浜から山手通りに入っていた。大崎の駅がみえたあたりで交差点の信号にさえぎられた。そのとき私は、ここで降りるよ、そういってドアをあけた。車線の真ん中だった。

塔子が目をむいた。「どこへ行くつもりなのよ」

「ちょっと用事を思いだしたんだ。また連絡する」

彼女の罵声《ばせい》が背に届いてきた。バカッという叫び声も聞こえたように思う。だが、そのあとの内容はすぐ判別できなくなった。信号が青に変わり、彼女のうしろに続くクルマからクラクションの音が響きわたっている。突然、メルセデスが狂ったように発進した。おそろしいスピードでそれは視界から消えていった。

駅近くの公衆電話に入った。テレホンカードを差しこんでボタンを押すと、「はい。週刊サン編集部」最初の呼び出し音で返事がかえってきた。もう校了日はすぎ、きょうは休日のはずだ。出勤者のいる理由はそれなりにあるのだろう。私が原因かもしれない。

「森さんをお願いします」私はいった。

「いま、外出しておりますが」

「じゃあ、松田さんはいらっしゃいますか。島村といいます」

絶句のような沈黙のあと、います、替わります、と声がいった。

「島村さん？」松田の声が届いてきた。おちついた声だった。

「それとも菊池さんと呼べばいいのかな。ずっと電話を待っていたんですよ。あなたの性格なら必ず電話してくるはずだ。森がそういってたんですけどね。うちのデスクの意見もたまには的中するようです」

「電話したのは、いろいろ新しい事情がでてきたからなんですが」

「どんな事情ですか」

「お詫《わ》びとお願いと質問がある」

「そんなにあるんならどこかでお会いしませんか。もちろん、われわれが警察に連絡することだけは、百パーセントない。あさってでるうちのトップの見出し教えましょうか。『ここまでアホか、日本の公安』ってんです。七一年の事件は徹底的にひっくりかえしました。犠牲者にもなった桑野氏の部屋からは爆弾の材料の痕跡《こんせき》が見つかっていますが、あなたの部屋にはいっさいなかった。ほかにもボクシングの試合予定とか周辺の話とかいろいろ材料はある。あれは、あなたに関しては冤罪《えんざい》以外のなにものでもない。おまけにあれは事故です。新宿の事件だって部外者だ。うちがやるのは、あなたの無罪キャンペーンなんです。ちょうどロス疑惑とは逆のケースですよ。週刊誌としちゃ画期的なものになるはずだ」

「なるほど」と私はいった。「しかし週刊サンは、私と菊池をもう結んでいるんですね。まだ、新聞にはでていないようだが」

「あれは公安がうちの森に教えてくれたようなもんでね。連中はあなたの店の指紋を採取した。で、客の指紋に彼のものも見つかった。彼も全共闘世代で検挙経験がある。実は、森はいま新宿署で参考人として二度目の事情聴取の真っ最中なんです。しかし、あすの夕刊までには島村の名も店の名もでることはまずまちがいないでしょう。あさっての発売でうちがぬくかたちになると、公安は新聞社に対して面子《メンツ》がたたない。そういうわけですが、お会いできませんか」

全共闘世代。彼のいった言葉が私のなかで複雑に反響した。

「いや、遠慮しときましょう。一方的な電話で、失礼だけど」

なら、ちょっと待ってください。声がした。メモ用紙を準備したのだろう。続いて、どうぞ、と松田はいった。

「まずお詫びですが、いま聞いた話では森氏にも謝っておく必要がありそうだ。ただ、店の客全部に謝る時間と方法がなかったので、それは許していただきたい。もうひとつ、実は週刊サンの名前を私は無断借用した。犠牲者に柴山洋子という女性がいてその遺族に守という少年がいるのはご存じでしょう。私はきょう、彼を訪問した。彼の話を聞くため、週刊サンの松田幸夫と名乗ったんです。最初は松田裕一と名乗ろうと考えていたんだが、あなたが先着していた」

笑い声が聞こえてきた。私は続けた。

「次にお願いです。その柴山洋子ですが、彼女は短歌を書いていた。その作品を一点でもいいから、次週の週刊サンに載せていただきたい。いま、作品は警察にあります。松田さんのところなら、手にいれる手段はなにかあるはずだ」

「どういうことですか」

山崎由佳乃のことは伏せたが、少年とのやりとりは注意深く、ごく一部を話した。すると松田はまた笑った。その話だけでもなかなかおもしろい材料になる。わかりました。ぼくの責任で約束します。編集長も森も、必ずそう判断するはずだ。柴山守にはもう一度会いにいくつもりだったが、当面、彼にも松田幸夫が存在することにしときましょう。で、質問は？

「江口組の上部組織の構造を教えていただきたい」

松田はしばらく時間をおいた。ノートを引っ張りだしているようだった。それから彼はたんたんと読みあげるようにしゃべった。終わると彼は、こんなものでいいでしょうか、とたずねた。

「じゅうぶんです。ありがとう」

「しかし、あなたはなにを考えているんですか。なにをやろうと考えているのか、われわれにはまるでわからない」

「実は、私にもいまそれがわからないんです。でもとにかく、ありがとう。感謝します」

礼をいい、電話を切ろうとしたとき松田がいった。

「ねえ、島村さん。あなたが表にでてきたときは、まずウチに連絡をいただけますか」

「そうするつもりです。松田さんにはずいぶんお世話になっている。ただ、無事に表にでることができたらですが」

笑い声が届いてきた。「そうなるように祈ってますよ」

重ねて礼をいい、電話を切った。そのとき、ふいにその考えが思いうかんだ。私にはまたひとつ、訪れるべき場所がある。

17

浅井との約束には早い時間だが、浜町に近い人形町に向かった。身体の芯《しん》まで疲労が沁《し》みこんでいる。午後はずっと机のまえにいて電話を何本かかけた。慣れない作業だった。それだけで疲れきっていた。体力がおちているのだ。まだやるべきことはあるはずだが、もうその気にはならなかった。ただひとつを除いて。ウイスキーを長いあいだ我慢した。いまは手の震えをおさめる必要がある。

乗りついだ地下鉄は混みあっていた。苦労して夕刊を広げた。松田があすの新聞といったとおり、いまのところ島村という名はでていない。朝刊で一紙がぬいていた爆薬と起爆方法についての後追い記事が中心だった。捜査本部はそのため、記者発表に追いこまれたようだ。おおむね事実関係を認めてはいる。しかしその疑いが濃厚な段階でありまだ断定したわけではない。そんな内容だった。すべてが解決するまで、警察組織が慎重姿勢を崩すことはないのだろう。

社会面をぼんやり眺めていると、広告の上にあるベタ記事が目に入った。『新宿の路上生活者、ひき逃げされ死亡』。記事中の名前に視線がとまった。辰村豊（二八）。短い小さな記事だった。もちろん世間が彼に関心を持つ理由はなにもない。ホームレスがひとり、交通事故で死んだ。かんたんな事実があるだけだ。タッがそのひき逃げにあったのは、午前十時ころだった。場所は区役所通り。黒い乗用車が猛スピードで職安通りの方へ逃げたという。氏名がわかったのは期限切れのパスポートから。ほかに所持品はホームレスには珍しく現金数万円、一ドル紙幣が数枚。それだけだった。それ以上、なにもわからない。写真もない。もちろん、遺体がどうなるかも触れられてはいない。しかしパスポートから本籍はわかるだろう。なら、だれかが彼の家族に連絡するのだろうか。いや、そもそも彼に関心を持つ家族はいたのだろうか。なにもわからない。数センチ四方の枠におさまった情報。それがすべてであり、そんなふうに彼の人生は幕を閉じていた。私にとっても、タッの生涯はそのように終わっていた。震える新聞の角があたったのか、隣に立った男が、おい、と声をかけてきた。私はよほど硬い顔をしていたのだろう。男はそれ以上なにもいわず下を向いた。

人形町の駅を降り、最初に探したのは酒場だった。頼んだつまみにはふれず、ウイスキーのストレートを水みたいに飲んだ。昨夜、タッは私に話を聞かせてほしいといった。それを断わったのは私だ。疲れているという理由で断わった。そして考える方を選んだ。だが、私が考えたところでどれほどの意味があったろう。彼と話をしていれば、事態はちがう方向へ向かったかもしれない。タッが茶髪の布教者からクスリと金をもらっていることを本人に指摘したのも私だ。それで彼のプライドは傷ついた。そして傷ついたプライドを抱えたまま彼は死んでいった。私には彼と彼の自尊心を傷つける権利などなかった。あんなことはすべきでなかったのだ。私はただ、いい気になっていただけなのだ。立派なあごひげのなかに打ちのめされた表情があった。夜中の通りを歩きながらその顔を私は見た。けさから私は一滴も飲んではいない。だが、ウイスキーはいつもと同じようになんの味もしなかった。もっと悪かった。私は吐いた。隣の客が私に文句をつけ、私はその男を殴った。若い店員がとめに入った。その店員も殴った。もうひとりの店員が近づき、ビール瓶を片手にふりかざした。瓶をよけると拳《こぶし》を顔面に叩《たた》きこんだ。店員は背中から音たて床に倒れていった。カウンターでだれかの手が電話をとりあげるのを見たとき、私は酒場をでた。最初走ったが、すぐ息切れした。よろよろした足取りで歩きはじめた。どこを歩いているのかわからなかった。見知らぬ路地を縫って歩いた。ここはどこだと思った。どこへ向かっているのだ。わからない。私の生活と同じだ。私自身と同じだった。パトカーのサイレンがどこかで鳴っている。道端にしゃがみこみ吐こうとした。なにもでなかった。舌に指をつっこんだが無駄だった。胃液さえでなかった。涙がにじんだとき、だれかの腕が私の肩をがっしりととらえた。

「気がついたか」

声は浅井だった。私はソファの上に横になっていた。

「しかしなあ、あんたがあんな酔っ払い方をするたあ、思ってもみなかったよ」

「ここはどこなんだ」私はいった。

「おれの部屋だよ。駅からこっちくるとき、騒がしかった。気になったんで追っかけてみた。で、騒ぎの原因はおまえさんだったというわけだ」

「そうか」私はまだぼんやりしていた。

「シャワー浴びろよ。ちょいとはマシになるだろう」

「そうする」

できるだけ湯を熱くした。痛いほどの熱湯が皮膚を流れる。だが、いま身体のなかにあるなにかまで沁みこんでくることはない。それでも熱に耐えていると、少しずつ気分はおちついてきた。バスルームをでてタオルで身体を拭《ぬぐ》い、それまでの衣類を身につけた。

「新品のコートが台無しだな」浅井が笑っていった。「だが、これであんたは立派な犯罪者になったぜ。まだ正体はばれちゃいないだろうが、サツにとっちゃ正式な大義名分ができた。傷害罪だ」

「そのようだ。私はばかだった」

「どうしてあんなに酔った？」

「知りあいがひとり、殺された」

「だれが殺されたんだ」

私は、タツが昨夜話したことと新聞で読んだ彼の死の話をした。浅井は眉《まゆ》をひそめて聞いていたが、まだ酒を飲むか、といった。私がうなずくと、今度はゆっくり飲めよ、そう忠告した。私はその言葉どおり、グラスの酒を少しずつすすった。ふだんのペースが徐々に戻ってくる。

浅井がいった。

「しかしその男が殺されたと、どうしてわかる」

「タイミングがよすぎる。それだけさ。ほかに根拠はないが、まずまちがいない。ひき逃げしたクルマはどうせ盗難車だ」

ふうん。浅井がつぶやいた。「その男は望月らしい男に脅されたといったな。で、サツも西尾って男に接触してくるだれかをマークしてるんだな。そいつは公園の一件と考えてまちがいない。ヤク絡みだとしても、まあ、いまそっちは付録だ。だが、西尾が望月と名ざして口を割ってるとしたら、ガサがたぶんあるとあんたは考えた。で、おれに忠告した。そういうことだな」

「そうだ。しかし、西尾は口を割ってはいないようだ。それならもう、あんたの事務所の家宅捜索はあったはずだから。望月もタツを脅すくらいだから、お巡りの動きは当然知っている」

「けど、疑問はあるぜ。まず、その男が望月かどうか確認できんだろう。頬に傷があって、青いスーツを好きな男なんざ大勢いる。それに望月がそのタツってのを殺《や》るまでの理由があるのか」

「タツは望月に殺されたとは、いっちゃいない。彼の行方はまだわからないのか」

浅井は首をふった。「まったくつかめん。こんなことははじめてなんだがな」

私は壁にかかった時計を見た。九時をすぎている。

「ところで、あんたはきょうやることがあるといってた」彼がいった。「なにか新しくわかったことはあるのか」

私は優子が短歌を書いていたこと、その原稿用紙が娘の部屋から正体不明の侵入者によって盗まれたこと、柴山、山崎の両方の家を訪問したことだけをポツリポツリと話した。塔子の名はださず、マスコミの知人から聞いたと話した。週刊サンの名をまた使った。

「そういうわけで、優子がなぜ、あの公園にいたのかという理由だけはわかった。しかしそこまでだ。そこから先がわからない」

私はふたたび、ふうんとつぶやいた彼の顔を見て続けた。「あんたの方はどうだったんだ。きのうの夜、あんたはどこを張りこみしてた。携帯電話の電源を切っていたときだが」

「上石神井《かみしゃくじい》」

「だれの家を張っていた」

「江口組の若頭《カシラ》の家だ。おれは若頭補佐だったから、もとの兄貴分にあたる。夜中中ずっと待ってた。兄貴が戻ってきたのは、けさの四時だ。女といっしょだったが、まあ、それはどうってことない。おれは玄関できちんと呼び鈴を鳴らしたよ。急ぎの話があるといったんだ。で、応接間にとおされて話をした。ごく平和にな」

「組は、あんたに目をつけていたかもしれないわけだろう。そんな状況で友好的に訪問したのか」

浅井はかすかな笑いを目尻《めじり》のしわに浮かべた。

「連中はおれにちょっかいだしたことを正式に表明してるわけじゃないぜ。おれがあたりをつけたとも思っちゃいないだろう。実際、あの件でやってきたとおれがいったところで、先方の顔いろは変わらんよ。とりあえずはシラを切って対処方法はあとで考える。そんなところだ。おれは組から独立したが、いまは一応成長して中堅どこだ。江口組もむげにはできねえ人物になってんだぜ」

「どんな話をしたんだ」

「島村ってのはおれの知りあいだといった。その知りあいを痛めつけて警告する話は、どっからきたのか知りたいって聞いたのさ。おれたちはおだやかに話したが、向こうはもう、組の若いのを締めあげちゃあいるな。おれにチクった犯人探しだ。その連中にはいずれ、この頭さげようとは思ってる」

「それで、やはり例のファルテックって会社から話がきたのか」

「そのへんがちょっと微妙なんだ。話があったのは、たしかにファルテックの社員からだ。秘書室長からだとさ。長浜って男だ。ところが、その話は企業本体とは無関係で個人的な依頼だったらしい。少なくとも、兄貴はそいつを強調してはいた。この話にはおまけがある。その男は今週の月曜付けで辞表をだしたんだ。事実だった。きょう、ファルテックに電話してみたんだ。長浜室長をお願いしますってな。交換が、今週退社しましたって返事したよ。その男の行方はわからん」

「江口組とその長浜という男はなぜ、個人的な関係があったんだ」

「その男はむかし、総務にいた。そんときからつながりができたそうだ。大物総会屋の仕切りがあいだに入ってる」

「若頭とは、クスリの話はしなかったのか」

「そんなこたあ、できるわけないさ。いまのおれの立場じゃ、そいつは内政干渉になる」

立って窓際までいった。窓の外、眼下には隅田川が広がっている。その暗い水面を眺めていた。このマンションの部屋は広いとはいえないが、そうとう高価なものだったろう。

私はソファに戻った。

「ところで、拳銃《けんじゅう》はこっちに持ってきてるのか」

「ああ。あんたにいわれなくてもそうするつもりだった。クルマはいまないんだ。まさか事務所に置いとくわけにもいかんだろう」

「ちょっとみせてくれないか」

浅井は眉をひそめた。「どうするつもりだ」

「拳銃なんてはじめてなんだよ。めったに見るチャンスがない。この際、ちょっと観察しておきたい」

引き出しを開き、きのう私が見たリボルバーを彼は黙ったまま机の上にゴロンと置いた。私はグリップを手にとり、顔を近づけてみた。シンプルな、ただの金属製の道具だ。だが想像とちがっていたことはひとつある。重い。予想以上の重量だった。

「気をつけろよ。実弾が五発入ってる」

「キングコブラといったっけ。これの安全装置ってどれなんだ」

「そんなものついちゃいねえさ」浅井は笑った。「そいつはダブルアクションだ。引き金を引く。撃鉄が起きる。シリンダーが回る。そのまま引き金を引き続けると弾はでるさ。引き金の軽いシングルに切り換えるんなら、撃鉄を起こしてコックする。かんたんんだ」

いわれたとおり、私は撃鉄を起こした。カチリという音とともにとまる。同時にシリンダーが六分の一、回転した。

「こんなふうにか」

「おい、やめとけよ。素人のおもちゃじゃないんだぜ」

私はそのまま、銃口を浅井に向けた。

「素人が扱うと、こういう冗談みたいなまねをするのかな」

浅井は銃口より私の顔を見た。「よせよ。冗談でも悪い冗談だ」

首をふった。「これは冗談じゃないんだよ。あんた、不器用だな。嘘をつくのがあまりうまくない。もっとも私も同じことをいわれたことはある。あんた、だれをかばってる」

浅井の顔から表情が消えた。硬くもならず、怯《おび》えのいろもない。たいした度胸だった。無表情な視線がじっと私を見すえる。

「組の若頭は、あんたにずいぶん親切に教えてくれたようだな」

「まあな」浅井の声はおちついていた。「どうやら、おれも業界じゃいまはそんなとこにいるってことらしい。なにがいいたいんだ」

「江口組の若頭は八木って男だろう。彼があんたに教えた秘書室長の話はほんとうかもしれない。だが、あんたは上石神井といった。二番目にいったところの地名が思わず口にでてしまったんだろう。八木は小岩に住んでる。上石神井に住んでいるのは組長の方だ」

浅井の無表情は変わらない。「それで?」

「江口組の三代目はそうとう若いようだな。わずか二十四歳のとき襲名したそうだ。まだ三十。手島日出男というらしい」

はじめて浅井の表情がかすかに動いた。私は続けた。

「実はきょうの午後、永田町にいってきたんだ」

「永田町？　代議士に陳情でもしてきたのか」

「あそこには議員の溜《た》まり場以外にも施設はあるよ。実は国会図書館へいってきた。私はどうも記憶力が鈍くなっている。たしかめる必要があった。新聞の縮刷版をみてきたんだ。パソコンでも記事は探せるようだが大昔まではさかのぼれない。七一年だ。四月の版に手島日出男という名を見つけた。当時八歳の小さな目撃者だった。私のクルマが爆発したとき、桑野が助けた男の子の名前だ」

長い大きな溜め息が聞こえた。

「あんたを甘くみていたわけじゃないが、どうやらおれもヤキがまわったようだな」その表情にニヤリと笑いが浮かんだ。「なあ、ひとつ忠告していいか」

「どうぞ」

「銃の先っぽがおちてるぜ。そういう油断が命とりになるんだ」

私は自分が手に持った拳銃を眺めた。たしかにいま銃口は床に向け、たれさがっていた。

「こんなものは、私には役に立たないさ」

銃を机の上に静かに戻した。浅井は、コックしちまうとシリンダーがまわらねえんだ、ぶつぶつつぶやきながら引き金を押えたまま撃鉄を親指で慎重におさめていった。そのあと、無造作に机に置いた。もうその銃からすっかり興味をなくしたように私を見あげる。

「けさ、その拳銃を使ったろう」私はいった。「硝煙のにおいがまだかすかに残っている。それに実弾は六発入るのに、五発しか残っていない。なあ、頼むからほんとうのことを教えてくれないか。でなきゃ、ここであんたと殴りあいをすることになるかもしれない。アル中に勝ち目はうすいが、やれないこともない」

「あんたとの殴りあいには、たしかに興味はあるな。けど、いまはよしとこう。おれたちゃ、もう中年だがフォアマンでもない」

そういったあと浅井は口をつぐみ、無言のまま長いあいだ私を見つめていた。不思議な目のいろだった。しばらくたって彼は、結局、おれは骨の芯《しん》までやくざになりきれなかったのさ、そういった。なんの感情もこもってはいなかった。「先代のオヤジに、おれは世話になった。デカだったおれを可愛がってくれた。だがな、三代目が跡目をついだとき、おれはちょっと微妙な立場になった。年齢もある。おれは、三代目をむかしはボンと呼んでた。やんちゃなボンだったがな。だが、三代目は跡目をつぐといささか変わった。業界の義理だけは知っている。が、考え方が多少合理的になった。世間でいう大人になったんだ。そいつは必ずしも悪いこっちゃないのかもしれん。ただ肌合いがおれとはちがった。結局、それだけのことかもしれん。三代目がそんなふうだから、けっこう功績のあったおれの独立も金でカタがついた。ふつうは跡目が若くても、盃《さかずき》直して子はそのまま組には残るもんだ。おれの場合、異例なんだよ。だがその分、三代目は恩人でもあるわけだ。その恩人に向けて実はけさ、この銃を向けたんだ。ガードの若いのがそばにいたが、そいつは黙らせた。この拳銃使ってな。弾は腕を貫通した程度だから命に別状はない。ただ、おれが恩人に銃を向けた事実にかわりはないんだ。それも成州連合を仕切る老舗《しにせ》中の老舗の代紋にだ。こいつがなにを意味すると思う？　この業界でおれの命は終わりだってこった。業界だけじゃない。実際、寿命もどれだけもつかはわからんよ。まあ、半年もちゃいい方かな」

平然とした表情だった。その表情のまま彼は続けた。

「あんたがいま考えてることをついでにいおうか。ほんとうはおれも、それはたずねたんだ。ヤクのことだ。そのまま引き金引けよ、とだけ三代目はいった。腹がすわっていた。おれだって業界の人間だ。それ以上ねばっても無駄なことくらいはわかる。で、引きあげた」

「しかしなぜ、そんな危ない橋を渡った。なぜ、それを私から隠したかった」

彼は首をかしげていたが、やがてポツンといった。

「そうだな。おれにもよくわからんが、理由はふたつほどあるかな」

「ひとつは想像がつくよ」

彼はニヤリと笑った。「おれにも教えてくれねえか」

「今度の事件の役者のひとりは、望月なんだ。あんたは彼をかばってる」

「ふうん」浅井がつぶやいた。「おれはたしかにやくざだが、望月と盃をかわしてるわけじゃない。一応、組織は株式会社なんだぜ。なんで、おれがそこまで社員をかばう理由がある」

「あるさ」私はいった。「それに先代組長が七一年の事件にもっと深い関心を持つ理由も別にある。あんた、奥さんを亡くしたといったな。名前はいわなかったが、彼女は小夜子というようだ」

浅井は大きな溜め息をついた。肯定の分だけ長く続く。そんな溜め息が届いてきた。

「続けてくれるか」

「結局、彼女も関係者だったんだよ。七一年にクルマの爆発で死んだ巡査は結婚していた。彼が死んだときの奥さんは小夜子という名だった。彼女はあんたと再婚したんだ。だから、望月はあんたの義理の弟になる」

浅井の反応は、まだ酒を飲むか、という質問でかえってきた。飲む、と私はいった。彼は私のグラスにウイスキーをそそぐと静かにたずねた。「どうしてわかった？」

「世間が情報社会だと騒いでいるのも、まるで嘘だというわけでもなさそうだな。いろんな方法で新聞記事が手に入るってのは、あれでなかなか便利なものだ。きっかけは週刊誌の知人に江口組の上層部のことをたずねてみたことだった。私は素人だが、いずれなんとかするつもりでいた。あんたばかりにやっかいをかけるわけにはいかない。結果的にはおそかったようだが……。ただそのとき、若い組長の名前がひっかかった。それで国会図書館まで出かけたんだよ。当時、あの事件の扱いは大きかったから、記事で手島日出男という名はすぐ見つかった。ついでに、全国紙は全部目をとおしたよ。死んだ巡査の公葬があった日までチェックした。その巡査、吉崎章という名前だけは、はっきり覚えている。私がクルマを整備してなかったための犠牲者だ。ところが、その前後に奇妙な名を見つけた。吉崎巡査の係累は少ない。だからマスコミは、奥さん周辺の人物にも目を向けていた。一紙だけ、彼女からひどく年のはなれた当時八歳の弟にまで取材していた。『悔しい』とだけ幼い談話が載っていた。その子の名前は望月幹といった。木の幹の幹だ。ひき逃げされたタツを脅したのは、やはり望月なんだ。タツは三木という姓とまちがえてたんだな。別の一紙には、奥さんの父親の話もでていたよ。望月専太郎という名で、広島の造り酒屋の社長だった。私は番号案内で調べて、その造り酒屋に電話してみた。父親は健在でまだ社長だった。気はとがめたが、吉崎巡査のむかしの友人だと名乗った。その父親は気のいい人だった。電話をかけただけの見知らぬ人間にずいぶん親切に話をしてくれた。娘の小夜子はあの事件後、何年かたって再婚したってな。相手は高校のボクシング部の後輩だったそうだ。浅井志郎という名の警官だ。ついでに聞いたんだが、その浅井が警官になった動機は、吉崎巡査の仇《かたき》を打つことだったそうだ」

浅井は私を見つめていた。無言のその表情からはどんな感情もうかがえない。やがて彼が口を開いた。「そんなら、おれはあんたにとって、やっかいな存在ってことになるんじゃねえのか」

「ならないさ。理由は知らないが、ならない。あんたが復讐心《ふくしゆう》をまだ持っているんなら、いままでにチャンスは何度もあった。私に対してなんでもできた。ところが、きょうは私の世話まで焼いてくれているんだ」

その顔に苦笑に似た笑いが浮んだ。「そういやそうだな」

「なんの目的であんたは私に近づいた」

「最初にあんたの店にいった日な。あのときは、おれはひと言も嘘をついちゃいないんだ。ほんとに知らなかったんだ。あの日、おれがしゃべったとおりの事情だった。これは信じるか」

「信じるよ。でなきゃ、本名の浅井志郎を名乗るわけがない」

「あんたから最初の電話を受けたときも知らなかった。店を閉めろとあんたが忠告したときだ。わかったのは、テレビで七一年の事件との絡みを見たときだ。そいつは、あんたにいったよな。横浜のホテルで会ったときには、もちろん隠していたことはある。だがな、おれのしゃべったことで嘘だけはひとつだってない。ただ、踏みこみすぎたってきらいはあるな。組とヤクの関係はしゃべるつもりはなかった。あんたのなにかがそうさせたのかもしれん。信じる信じないは、あんたの勝手だが」

「信じるよ」もう一度いった。「だが、あんたの関心はどんなかたちにせよ、落し前をつけることにあったはずだ。なぜ、そうしない」

浅井は首をかしげ、時がたちゃ人は変わる、といった。いまは独り言のように自分に向けしゃべっていた。「おれはデカやってたむかしから、先代と関係は深かったんだ。オヤジの気持ちは複雑だった。あの桑野には感謝さえしてたぜ。息子の命の恩人だからな。片っぽで、吉崎さんにも同情してた。おれとの関係もそのせいなんだ。同じ事件で亭主を亡くした女とおれがいっしょになったからさ。おれたちふたり、息子夫婦同然だといってたよ。退職したあと江口組に誘われたのもそのせいだ。だから、あの事件の真相を知りたかった。それにあんたという人物に興味があった。あんなに才能のあったボクサーのその後を知りたかった。だが、それだけなんだ。もうそんな気分になってたんだ。おれはデカんとき、古い資料を引っ張りだして、も一度調べてみたことがある。公式発表とずいぶんちがいがあると思った。だから最初、あんたが人殺しだけはしていないつもりだといったとき、おれは決めたんだ。電話でいったとおり、質問に答えるだけでいいようってな。もちろん、わからんことはいくつかあった。けど、それはあんたの話で全部はっきりわかったよ。

もうじゅうぶんだ。あの桑野も死んじまったしな」

長いあいだ、浅井を眺めていた。くだらないやくざであることを自覚していたいといった彼の言葉を思いうかべた。たしかに時がたてば人は変わる。しかし、そういったこの男にこそ、それはいちばん似つかわしくないように思えた。

私はいった。「それならなぜ、江口組の三代目に歯向かった。私が理由をいおうか。望月も時間がたって人間が変わった。そういうことじゃないのか。いまは彼もクスリを供給する側にまわっている。組と組んだ密売組織にタッチしている。いまのあんたは義理の弟を組織から引っ張りだしたいんだ。組長には、彼のことも聞いたろう」

「………」

「答えなくていいよ。だが、なんであんな芝居を打つ必要があった。私たちを襲ったあのバイクに乗ってたひとりは、望月じゃないのか」

浅井は首をふった。「それはちがうな。おれはあんたのことで幹といっしょになにかをたくらんだということはない。実際、あんたの話を聞いて、なるほどと思ったんだ。やつのサツとの関係も知らなかったんだぜ。あんたが公園で酒を飲む習慣のことをいうまではな。自分がこんなにうかつだとは思ってもみなかったよ」

「すると、からかってたみたいなあの襲撃は、あんたが仕組んだんじゃないというのか」

「芝居かどうかは別にして、おれは関係ないさ。実はそいつも三代目に聞いてみたんだ。

肯定も否定もしなかった。つまり肯定ってことだ。三代目の話を受けた組の若い連中の仕事だよ」

「なるほどな。しかし、望月は私への復讐を考えてはいるようだ」

「ああ、そうかもしれんな。おれの女房、あいつの姉の復讐な。そいつをやつは考えてるかもしれん。実際、ガキんころ幹はそういってた。おれに、いっしょに仇を打とうっていってたよ。けど、もしやつがその思いこみを持ち続けてるんなら、おれは介入できんぜ。この点に関してだけは、おれはどっち側にもつかねえ」

「わかるよ」と私はいった。もちろん、私は浅井になにも要求できる立場にはない。彼は彼らの世界のルールのなかで生きている。

「くりかえすようだが、おれはあいつと七一年のことじゃ、ふたりで相談も計画もなにもしたことはないんだ。おれがやつにあんたの店を探るよう指図したときも、ごく事務的だった。あんたと桑野の名がでてもなぜか、どっちもうむかしの仇の話はもちださなかった。時間がたってんだ。あいつだって一人前の男だ。ひとりで判断することに口だしはできん。ほんとの根性があってまだ復讐を考えてるとしたら、やつは義理の兄貴を軽蔑《けいべつ》してたかもしれんな」

「あんたがそういう気持ちでいることだけはわかってたよ」

「なんでだ」

「あんたが望月の立場にはふれなかったからさ」

「どういうこった」

「あんたの義理のおやじさんが電話口で教えてくれたんだ。彼は息子のことは積極的にしゃべりたがった。自衛隊にいたが、いまは大企業に勤めていることが自慢のようだった。ファルテックという企業だ。おまけに企画部長にまで昇進している。そういった」

驚愕《きょうがく》が浅井の顔をかすめた。「ちょっと待ってくれ。幹がファルテックの企画部長？」

演技では不可能な表情だった。義理の父親との連絡はしばらくとぎれているのかもしれない。

「知らなかったのか」

「そいつはおかしいぜ。企画部長ってのはなにをやるのか知らんが、幹はこの三年、おれと昼間はわりにしょっちゅういっしょに動いてたんだ。株式会社にしてからは一日七時間労働を原則にしたがな。しかし、やつがどっかに正社員として勤めていたことはありえん」

私はしばらく考えていた。「なら、彼はおやじさんに見栄《みえ》を張ってた。そういうことなのか」

「まあ、そのあたりだろう。それくらいしか考えられん」

「ふうん。ところで、あんたはまだ質問に答えてないな」

「なんだ」

「江口組の組長にあんたは銃を向けた。そんな危ない橋を渡ったが、私にそのことを隠した。理由はふたつあるといった。もうひとつの方を聞いてない」

浅井の鼻のそばにあるしわが深くなった。長い静かな溜《た》め息をついた。私は無言のままでいた。しばらくして彼が口を開いた。

「さっきいったが、三代目に銃を向けたおれの寿命はこの先、長くねえんだ。この話を知ったらその人間もおんなじだ。おれの道連れになっちまう。おれはな、いろんな人間を見てきたよ。この業界だ。ほとんどがクズだった。ところが、久しぶりにきちんと背骨を持った男に会ったんだ。そんな男は近ごろめったにみなくなっちまった。そういう男を道連れにはしたかないんだ」

彼の言葉がゆっくり沁《し》みこんでくるのを待った。なんということだ。浅井がかばっていたのは、この私だった。

「ふうん。くたびれたアル中に気を配ってくれる人間がいたとはな」

浅井がなぜか、ニヤリと笑った。

「おれひとりじゃないだろうが。こいつはポーカーじゃない。カードは全部見せっこしよう。あんたにゃ、もうひとり泣く人間がいるんじゃないのか。女の子だ。名前は松下塔子っていうらしい」

彼の顔を見つめていた。やがて、やっと声がでた。

「なぜ、その名を知ってる」

「あきれたぜ。おまえさん、ほんとうに骨董品《こっとう》だな。コードレス電話の盗聴のことは知ってるくせに、メカの基礎にはまるで無知なんだ。電話のリダイアルを知らないのか。ボタンひとつ押しゃ、そのまえかけた番号にかかる。けさ、あんたと電話で話したよな。そのあとちょっとしてから、も一度電話があった。女の子の声が、これは天気予報じゃないわよね、といったよ。ノーテンキな男がかけた電話をいまリダイアルしてるの。そういった。彼女が自己紹介したから、おれもそうした。なかなか気の強い女の子だな。あの奇妙なやくざねっていわれちまった。島村はどうしてるって聞いたら、いまシャワーを浴びさせてる。そういってたよ。しばらく話した」

今度は私の方から溜め息がもれた。たしかに私は塔子の言い分を否定できない。肝心なことがぬけている。ノーテンキにすぎる。

「整理しよう」ようやく私はいった。「あんたの話だと、ファルテックの一部と江口組はクスリでつながっている可能性は依然ある。組長があんたに示した反応から、そう考えるしかない。あんたは私の命が危ないので隠したといった。その理由は、まだあるんじゃないのか。向こうがそんな大がかりな組織をつくっているか、あるいはつくりつつあるからだ」

いいよどんでいたが、なにかを決心したように彼がいった。「どうやら、そういうことらしいな」

「あんたの義理の弟、望月幹はそのなかでなにか役割を持っているようだ。私への復讐《ふくしゅう》は別にしても」

「そうみたいだな」

「しかし、あんたは彼をぬけさせたい」

「そうだ。死んだ女房のたったひとりの弟だ。おれは、幹に命ひとつ貸しがあるといったろう。あれだって嘘じゃない。おれの女房は実際、シャブで死んだ。そのシャブを女房に渡していたのはあいつだった。実の姉にヤクを中継してたんだ。それを知ったとき、おれはほんとうにやつを殺しそうになった。やつの頰の傷ができたのもおれのせいさ。やつはそのとき泣いて、もうヤクと手を切ると約束したんだ。その分、おれはやつに手きびしくなった。やつがおれに嘘をつくことが許されんといったのは、それが理由なんだ。結局、もとの場所へ戻っちまったのかもしれんがな。それでも、できればもう一度くらいチャンスをやりたい」

しばらく沈黙したあと、私は静かにいった。「あんたは結局、根っからのやくざになりきれなかったんだ。自分でそういったが、そのとおりだよ。あんたにはまだ、お巡りの方のにおいが残ってる」

浅井はかすかに笑ったようだった。

「そういや、忘れてたな」

「なにを?」

「おれがきょうやったもうひとつの仕事だ。おれはまだマル暴にルートがあるといったろ。知りあいのあるデカからきょう話を聞いた」

「どんな話だ」

「そいつが奇妙なんだ。別件があってそいつ自身は捜査本部の方には、かりだされちゃいねえ。だから詳しくはわからんが、この話もふたつある。ひとつは日曜の昼一時ころ、タレコミの電話が本部にあった。吾兵衛という店の島村という男が土曜の朝、グレーの旅行鞄《かばん》を持って新宿を歩いてたって目撃談さ。あんたの部屋の手入れも公開捜査も異例に早かったのは、それが理由だ。もちろん匿名だ。いっとくが、これは幹じゃない。その時間、あいつはおれのそばにいた。もうひとつは、おれに会う直前、あわただしい雰囲気が本部にあったそうだ。記者発表を早まったんじゃないかという噂が流れたんだとさ。なんの発表かはわからん。所轄でもいまはトップシークレットらしい。本部のアタマ連中がピリピリしてるといってたぜ」

「ふうん。それだけか」

「それだけだ」

私たちはおたがい黙りこみ、考えていた。最初に沈黙を破ったのは私だった。「ひとつ頼みがあるんだが」

「なんだ」

「背広を貸してくれないか。地味なやつ。ついでにネクタイも」

「そんなことかよ。どうするつもりだ」

「このあたりをさっきの格好でうろつくわけにはいかないだろう。私は傷害犯なんだ」

浅井は笑って、そういや、そうだな。ちょっと待ってくれ。そういうと、隣の部屋に入っていった。私は机の上にあった拳銃《けんじゅう》をとりあげ、コートのポケットにいれた。そのとき、彼のくれた四季報のコピーが手にふれた。それを引きだし眺めていた。

浅井が背広を持ってきた。私は着替えながらたずねた。

「なあ、このファルテックという社名は、比較的新しいものだな」

浅井は怪訝《けげん》な表情を浮かべた。「なんのことだ」

私はコピーを指さした。「これでは、設立が一九五六年になっている。当時、こんなしゃれた名前だったとは思えない。ＣＩか社名変更があったんだろう。以前はどういう名前だったか知らないか」

「ああ、知ってるよ。その会社のことを調べてみてわかったのは、それくらいだ。むかしは堀田産業といった。創業者のオーナーが堀田晴雄という。ファルは晴雄って名前からきてんだろう。テックはテクノロジーだな。それがどうしたんだ」

私は着替えの手をいったんとめ、白いシャツに手を伸ばした。

「なるほどね」と私はいった。

十一時半だった。私が部屋を出ようとしたとき、浅井の視線が机の上を走るのを見た。しかし、彼はなにもいわなかった。かわりに「どこへいくつもりなんだ」といった。

「ガールフレンドのところへ行ってみる」

「泊めてくれるのか」

「泊まるつもりはないが、いれてくれるかどうか自信はないな」

「まあ、だめだったらここへ戻ってくりゃいいさ」

うなずいてドアを閉めようとしたとき、彼が静かな声でいった。

「あんた、おれに無断で借りたものがあるよな。なにを考えているのかは知らんが、おれはいま見て見ぬふりをしてる。しかし、そいつは幹も銃を持ってるからだ。いいか。おれはどっちにつくこともできねえんだ」

「わかるよ」と私はいった。

「あんたにはなにも知らせねえ方がいいと思ってた。だから、やばい部分は黙ってた。けどやっぱ、あんたはそれで満足するような男じゃなかったな。ただ、これだけはいっとく。相手がだれにせよ、殺すなよ。それから、絶対殺されるな」

「そうするよ」ドアを閉じてから、私はつぶやいた。「そう、できればそうしたい」

18

「こんな時間に、なんの用があってやってきたのよ」

ドアのあいだから顔をのぞかせた塔子は、つっけんどんにそういった。機嫌がいいとはいいかねる表情ではある。予想どおりだ。

「話がある。君を襲うためにやってきたわけじゃない」

しかし、冗談の通じるようすはなかった。私をにらみつけたまま、険悪な声で彼女はいった。「かわいい女の子をひとりでほっぽりだしといて、よくそんなのんびりした顔してやってこれるわね」

「同感だ。中年になるとどうも無神経になるらしい」

「無神経どころか、あなたの神経はきっと針金でできてんのよ。もしこの部屋に入りたいんなら、条件がふたつあるわよ」

「いってくれ」

「もう、この部屋はアル中用じゃないの。どんなお酒も残っちゃいないわよ」

「君のキャビネットにはけさ、ウイスキーの瓶があったはずだが」

「あんな瓶はたたき割ったわよ。腹がたったら女の子だってそれくらいしていいと思わない？」

「思う」と私はいった。「じゃあ酒は我慢するよ。もうひとつは？」

「あなたは好意で自分を手助けしてくれる人間のこと、どんなふうに考えてんのよ？　いってみなさいよ」

「私にはいままであまりそういう経験がなかったんだ。人のことは知らない。ただ、君に限っていえば感謝している。おまけに、君はかわいいし魅力的だ。君のようなチャーミングな女の子には会ったことがないから、どうふるまっていいのかわからなかった」

ドアが開いた。呪文《じゅもん》を唱えたアリババのような気分になった。

拳銃の入ったコートをていねいにたたみ、目立たないリビングの片隅に置いた。彼女が腕を腰に当て、私を上から下までじろじろ眺めまわした。そして、あきれかえったように声をあげた。

「そのスーツどうしたのよ。まるで似あわないじゃないの」

「しかたないだろう。借りたものなんだ。それに私はいままで背広を着たことが一度もないんだ」

「なら、事情を聞かせなさいよ。いままであったことすべてよ。隅から隅まで全部。ひとつでも隠しちゃ許さないわよ」

彼女はそんなふうに宣言すると、立ってコーヒーをいれてきた。私はいま、アルコール以外のものを受けつけない体質になっている。だが、我慢して口をつけた。これ以上、彼女の怒りに油をそそぐことはできない。彼女の要求どおり、私は話しはじめた。段ボールハウスやタツのこと、浅井のことを話した。もっとも、いつもの習慣にはしたがった。すべてを話したわけではない。銃の件や一部は隠した。それでも彼女はあきれたような面持ちで聞いていた。浅井と君は連絡をとったんだな。そういったときだけ彼女は、うん、とうなずいた。だって、あなたはネジが一本ぬけているんだもの。私は反論しなかった。匿名の電話が捜査本部に入った話もした。

「あの日は結局、間一髪だったんだ。君が私の店に来てくれていなかったら、私は引っ張られていたかもしれない」

そういったとき、ようやく彼女の表情がやわらいだ。

「それはだれが電話したのかしら」

「わからない。望月ではないと浅井はいった。見当もつかない」

「でも、彼はあなたへの復讐《ふくしゅう》を考えている。今度の事件の背後には彼がいるんじゃないの」

「そうかもしれない。だが、わからないこともある。もしそうなら、だいいちに大量殺人を犯す動機がはっきりしない。それに軍用爆薬の入手方法のこともある。まだ、五里霧中なんだ」

「ふうん。それが話のすべてなのね。それを私に話しにきたのね」

「そうだ」私は嘘をついた。「いろいろ調べてから、君に伝えたかった。しかし聞きたいこともある。君のお父さんのことだ。彼が亡くなった前後のことをできるだけ詳しく話してくれないか」

彼女はおとなしく、私の言い分に従った。記憶をたどるようにしゃべった。私はその話に耳を傾けていた。彼女が話し終えたころ、時計を見た。二時をまわっていた。

「ありがとう」と私はいった。「じゃあ、これで退散するよ」

そのとたん、彼女の表情が変化した。私がこの部屋にやってきたときと同じとがった顔つきに戻っていた。若い女の子の感情の起伏は、やはり私の想像力のおよぶ範囲にはない。

「いったい、どこへいくっていうのよ」

「さあ、まだ考えていないんだ」

「そういうことなら新宿の西口には、いまは戻れないじゃないの。やくざの浅井君のところに戻るにしたって、いまごろタクシーをつかまえたら、顔と行く先を覚えられちゃうじゃないのよ」

「それはそのとおりなんだが……。実は散歩しようかと思ってる」

「バッカねえ。職務質問にあいたいの。いま安全なところはひとつしかないのよ。ここに泊まるしかないじゃないの」

「しかし、ここには若い女の子がひとりで住んでるんだろう？」

「甘くみないでよ。あなた、私に襲いかかったりなんかしたら、ひどい目にあうわよ」

「わかった」私は笑っていった。「君のいうとおりだ。なら、始発が動くまでこの部屋にいさせてもらうことにしよう。君はもう眠った方がいい。私も疲れた」

彼女は微笑した。私がやってきてからはじめてみせた微笑だった。彼女はすぐ身をひるがえすと洗面所に向かった。歯を磨く音が聞こえてきた。それから寝室に入る姿がみえた。ドアを閉めるまえに彼女は、おやすみ、といった。私も、おやすみ、と答えた。

しばらく考えていた。あす、どうすべきか考え続けた。そのうち眠くなってきた。きのうは一睡もしていない。じゅうたんの上に横になった。エアコンがきいて、部屋は温かい。やってくる睡眠の魅力に少しのあいだ抵抗していたが、やがて私はその努力を放棄した。いつのまにか、強力な眠りのなかに引きずりこまれていった。

時間はわからない。頰にエアコンより温かい息を感じた。それは湿ってやわらかく息づいていた。

「眠ってるの」ささやく声が耳元で聞こえた。

「眠ってるよ」目を閉じたまま答えた。

「あなた、なんで私に襲いかかってこないのよ」

「君がいった。ひどい目にはあいたくないんだ」

「目を開けなさい」

「たぶん、これは夢なんだろう。目を開けて夢から醒《さ》めたくない」

長い沈黙があった。風を切る音がした。続いてピシリときれいな音が鳴った。私の頬が音をたてたのだ。彼女の平手打ちはおそろしく強力だった。私のパンチもかなわない迫力だった。

「あなたは私をかわいくて、魅力的で、チャーミングだっていったのよ。あれは嘘だったの」

「嘘じゃないよ。ただ、私の神経は針金でできているらしい」

今度の間隔は短かった。もう一度、私の頬が音高く鳴った。それから、じゅうたんのうえを去っていく足音が聞こえた。ドアをバタンと閉じる大きな音がした。はじめて目を開き、すぐにまた閉じた。頬がひりひり痛んだが、ふたたび眠りが訪れた。それはこれまで経験したことのない、おだやかな眠りだった。

カーテンの隙間に夜明けの気配があった。時計を見た。五時半。いつもとちがい、体内時計の調子が狂っている。塔子の寝室のドアを見た。ドアは固く閉ざされた貝殻のように沈黙していた。あまり期待してはいなかったが、この部屋にやってきた目的のひとつを果たすことはできるかもしれない。起きあがって、私は彼女のパソコンのまえにすわってみた。スイッチをいれた。わけのわからない表示が画面にあらわれた。きのう、塔子が操作した方法を思いだそうとした。そうだ。最初にパスワードだ。ごくろうさん塔子、か。キイボードを指がさまよったあと、彼女の教えてくれたそれをなんとか入力できた。しかし次の画面がでない。無闇にいろんなキイを押したが無駄だった。あきらめていったんスイッチを切り、またいれる。同じことが何度かくりかえされた。腹をたてながら、それでも私は試し続けた。そのうち見覚えのある画面がディスプレイに登場した。新聞を選ぶ。キイワード。指が目的地にたどりつくまで、ひどく時間がかかる。やがて記事があらわれた。またキイを押す。次の新聞記事。それを読みすすむうち、時間はたっていった。やがて、ひとつの単語が目にとまった。しばらく考えていた。彼女の本棚に気づき、その棚を眺めていると辞書が見つかった。長いあいだ手にしたこともない辞書だ。ようやくその単語を探し終えると、パソコンに戻りスイッチを切った。塔子の部屋は沈黙を保ったままだ。すでに七時をすぎている。私が読んだ記事量はたいしたものではない。それにしては時間がかかりすぎたし、疲れもした。私はやはり、この時代のテクノロジーに向いてはいない。コートをつかんだ。靴をはいてそっと部屋を忍びでるとき、テーブルに置かれた歌集が目に入った。それを開くことは、もうないだろう。

八時半に私は東陽医科大付属病院の玄関にいた。外来患者の姿はまだまばらで、病人を見舞う訪問者もない。電話で聞いたところ、面会時間は十時からということだった。

外科病棟の受付のまえに立った。青い事務服の実直そうな中年男が顔をあげた。私と同年齢だが、私とは異なる生活を送ってきた男の顔だ。事務服を若いころから着続け、それが皮膚の一部になった男の顔。そんな考えの浮かんだのは、慣れない背広のためだろう。ネクタイの締め方さえ、浅井に教えてもらったのだ。

その事務員に声をかけた。「こちらに入院している患者の部屋をうかがいたいんですが。宮坂まゆ。六歳。どの病室でしょう」

彼はなぜか緊張した面持ちで私を見た。

「あなた、どちらの方ですか」

「警視庁捜査一課。進藤というものです」

彼の身体から緊張がほどけていった。手帳もたしかめなかった。

「失礼しました。マスコミがよくやってくるもので。警察から絶対教えないようにといわれているんですよ」

「実は私もはじめてきたんですよ。あんな事件で入院したものだからうるさくって」

「実は私もはじめてきたんですが、メモをなくしてね。本庁に電話で聞くのは、ちょっとみっともないからおたずねした」

彼はにこやかな笑いを浮かべた。「C棟の306です」

「新宿署のものは、まだ詰めていますか」

「さあ、どうでしょう。おといまではだれも寄せつけないように、お巡りさんが真夜中までいましたけど、いまはどうですかね。なんならナースステーションに聞いてみましょうか」

「いや、けっこう。これからいきますから。どうもありがとう」


病棟は新しくて広く、清潔な雰囲気が漂っていた。医者や看護婦とすれちがったが、だれも私に目も向けない。300番台の病室が続く廊下の端に立った。警官の姿はなかった。目的の病室と思われるあたりはナースステーションから死角になっている。廊下を歩き、306号室のまえに立った。表示されているのは宮坂まゆの名前だけだった。個室だ。耳をすませたが、病室の内部からはなんのもの音ももれてはこない。

ドアをそっと開いた。だれの姿もない。ベッドの上に小さな身体のふくらみだけがあった。毛布にくるまり横たわっている。その身体は向こう側、窓の方を向いている。点滴装置ははずされていた。私は静かに歩いてベッドの脇に立った。

小さな身体が寝返りをうった。私はそのまま彼女を見おろした。額の傷はよほど小さくなっている。いつかすっかり消えることだろう。彼女は静かに眠っていた。そばにあった折りたたみ椅子をとり寄せてすわった。その音に気づいたのか、彼女の目がうっすら開いた。まばたきし、不思議そうに私を見つめた。

「おはよう」目覚めた少女に向かって静かにいった。

「おじさん？」か細い声を彼女はあげた。ついでその声が大きくなった。「公園で会ったあのおじさん？」

私は指を一本、唇にあてた。「よく覚えていたな。そう。あの酔っ払いのおじさんだよ。まだ朝は早い。静かにしゃべろう」

「きょうもおじさん、お酒を飲んでるの？」

愕然《がくぜん》として気づいた。飲んでいない。昨夜、塔子の部屋に入ってからは一滴も飲んではいない。てのひらに視線がいった。震えてはいなかった。私は力ない笑いを浮かべた。

「いや。きょうは飲むのを忘れたようだ。君は大丈夫か」

「うん」と彼女はいった。その顔に血の気が戻っている。「なんだか頭がぼやっとするけど、平気。全然、平気」

「そりゃよかった」私はいった。「もうすぐ、またバイオリンが弾けるな。君はコンクールで金賞をもらったそうだ」

彼女はコクリとうなずき、はじめて気づいたように小さな声をあげた。「そうだ。しばらく練習するの忘れてた」

「どれくらい忘れてたか、覚えてるかい」

「さあ、わかんない。きょうは何曜日？」

「水曜日だよ」

「じゃあ、土曜日から練習してないんだ、わたし」

「そう。土曜日から君はよく眠っていたようだ。それでちょっと聞きたいんだが、あの日のこと、君は覚えているかい」

「うん。いま、おじさんに会ってやっと思いだした。なんだか、いままでぼやっとしてたけど……。そうだ。お父さん、どこにいるの」

彼女は父親の死を知らされてはいなかった。最初にその役目を果たさなければならない人物には同情するしかない。

「別のところで寝ているよ」嘘をつくときの錆《さび》のような味が舌の上に残る。「ちょっとけがをしてね。だけどすぐ元気になるさ。君はよく、お父さんとあの公園にいったのかい」

「うん。ときどき。でも、おばさんと会ってからは、お父さん、決まった土曜日にいくようになったの」

「おばさん？」

「優子おばさん。きれいな人よ。ねえ、おじさん。お父さんには黙っててくれる？　わたしね、お父さんの秘密、知ってんの」

「黙っとくよ。お父さんの秘密ってなんだい」

「お父さんはね、優子おばさんに恋してたの。だからおしゃれして、その日にはいつもわたしを連れてあの公園にいったの」

「それは月の第三週目の土曜日じゃないか？」

「そう。月のみっつめは特別の土曜日。わたし、公園日って呼んでたの」

「それはいつごろから？」

「んーとね、夏のはじめころから」

「でも、なぜ、お父さんは君を連れてったんだろう」

「だってほら、なんてったっけ。キューピーじゃなくって……。えーと、男の人と女の人をくっつける子のこと」

「キューピッド」

「そう。キューピッド。わたしキューピッドだもん。わたしと優子おばさんが最初に話するようになったの、あの公園で。それで仲よくなったから、お父さんがわたしにくっついて公園にいくようになったの。わたしがいるとそのおかげで、お父さん、優子おばさんと話できるじゃない。ねえ、おじさん、なんで笑ってるの」

「いや。そういうお父さんって愉快じゃないか。じゃあ、優子おばさんの方はどうなんだろう。彼女もお父さんに恋してたのかな」

「あんまり脈なかったみたい。お父さんの片思いよ」

笑いを嚙《か》み殺した。少女の成長は早い。いまはいないこの少女の父親に私は実際、好意を持ちはじめていた。私と同じ世代の人間がプラトニックラブに陥ったのだ。それも警察庁高級官僚のシャイな片思いだ。彼が身につけていたアスコットタイを思いうかべた。

「それで、あの土曜日にも優子おばさんには会ったんだな」

「うん。でも優子おばさんはいつもほかの女の人といっしょなの。お父さんはみんなとしゃべってたけど、ほんとうは優子おばさんだけとしゃべりたかったのよ。わたし、デート申しこんでるの見たことあるもん。うまくいかなかったみたいだけど」

「おばさんたちが集まっていたのは、滝のある広場だろう？」

「そう」

「あの日は、それからどうなった？」

「なんか、おばさんがへんになった」

「へん？」

「優子おばさんがわたしをつきとばしたの」

「なぜ、つきとばしたんだ」

「わかんない。それからのこと、全然覚えてないもん」

「ふうん」と私はいった。「そのまえにどんなことがあったか、君は覚えているか。たしか、君たちがいた滝の近くに大きな鞄《かばん》があったはずなんだが」

「あった」彼女は即座に答えた。「わたしがその鞄に乗って遊んでたらお父さんに叱られたもん。でも、おばさんたちが来るちょっとまえ、わたしがひとりで遊んでるとき、おじいさんにとられちゃった。その鞄の上で居眠りしはじめたの」

「おじいさん？　そのおじいさんはどんな格好をしていた？」

「おじさんとおんなじ格好。ネクタイしてた。でもおじさん、そのネクタイ全然似あわないわね」

「私もそう思う。なんでこんなものが世の中にあるんだろうな。そのおじいさんの顔は覚えてるかい」

「んーとね。そうだ。片っぽの耳をけがしてた」

「ふうん。君は記憶力がいいんだ」

「だって、そのおじいさん、へんだったんだもん。半分眠ってる感じだった。酔っ払ってたのかな。おじさんも酔っ払う？」

「酔っ払うさ。でも昼間っから眠ることはない。でも、そのおじいさんは眠ってて、どうやって歩いてきたんだろう」

「男の人が支えて、やってきたの」

「男の人か。それはどんな人だった？」

「背の低いおじさん。それから、おじいさんを残したままどっかへいっちゃった」

「そのおじさんは、どんな顔をしていたか覚えてはいないかな」

「よく覚えてない。そのおじさんもネクタイしてたけど……。あ、そうだ。サングラスしてた」

そのとき、ドアのばたんと開く音がした。ふりかえると、中年の看護婦がボードを抱えて私をにらんでいた。

「困りますね。事情聴取するときは、私どもにひと言断わっていただく約束でしょう」

「失礼。さっきナースステーションをのぞいたんだが、あなたがいなかったもので」それから私は少女の方を向いた。「きょうのところは、これでひきあげることにしよう」

「もう、帰っちゃうの」

うなずいた。立ちあがったとき、彼女が声をかけてきた。

「ねえ、おじさん」

ふりかえった。「なんだい」

「わたしがもしコンサート開いたら、来てくれる?」

「いくよ。必ずいく」

「じゃあ聞いときたいんだけど、おじさん、どんな曲が好き?」

少し考えてからいった。「グループサウンズ」

「グループサウンズ?　それ、どんな音楽?」

「そうだな。一種の民俗音楽かな。でも大昔に滅びてしまった」

「じゃあ、私、楽譜見つけて練習しとく。また来てくれる?」

「うん。近いうちにまた来るよ」

看護婦の冷たい視線を感じながら、ドアの手前で手をふった。ベッドのうえの少女はにっこりほほえみをかえしてきた。

廊下にでた。そのとき、こちらに歩いてくる制服警官が目に入った。306号からでてきた私を見ていたのだろう。声をかけてきた。「あんた、だれなんだ」

「本庁捜査一課の進藤。参考人に聞きたいことがあった」

新宿署警邏の巡査クラスにもその名は知られているらしい。制服警官は直立不動の姿勢になった。

「失礼しました。申し訳ありません」

「いやいい。ごくろうさま」

それだけいうと、そのまま背を向けゆっくり歩いていった。廊下を曲がってから足早になり、階段にさしかかると私は走りはじめた。

表にでたときには息が切れていた。私はタクシーを拾い、西新橋、といった。いまは浅井ともう一度連絡をとる必要がある。タクシーを降りたら、電話することにしよう。そのとき、ラジオで若い女のアナウンサーが明るい声をあげた。きょうもよく晴れていますねえ。私は窓の外を見た。そうだ。たしかにきょうもよく晴れている。

19

ファルテックのビルは十数階建てでモダンな外観を持っていた。流行《はや》りのインテリジェントビルというのだろう。エントランスを入り、受付のまえに立った。私を見て、ふたりの女の子が立ちあがる。近ごろでは珍しい応対だ。

そのひとりに私はいった。

「カネーラ専務にお会いしたいんですが」

「お約束でございましょうか」

首をふった。彼女は私を上から下まで眺めまわし、「申し訳ございません。あいにく、カネーラはお約束がないと、どちら様にもお会いしない方針にいたしております」いんぎんにそう答えた。

「菊池俊彦という人間が面会にやってきた。そう伝えていただけませんか。カネーラ氏の方針にも例外はあるでしょう。無駄に終わるかもしれないが、連絡をとる手間がそうかかるとも思えない」

私のせりふが気にいらなかったのかもしれない。眉《まゆ》を寄せると彼女は疑わしそうに私を見つめ、それでも内線電話をとりあげた。英語でしゃべりはじめた。私にその内容はわからない。話し終わると意外な面持ちで私を見た。答えがよほど例外に属したのだろう。おどろきを隠した口振りでいった。

「お会いするそうです」

役員室は十階にある、そこの受付にもう一度、声をかけてほしいと彼女はいった。礼をいって、私はエレベーターに向かった。

エレベーターのなかで私はひとりだった。このビルに入る直前に電話で聞いた浅井の話を反芻《はんすう》していた。マル暴から新しい情報が入ったぜ。本部があわててる理由だ。その内容を考えているうちにエレベーターがとまった。降りた正面にまた受付があった。そこにも話はとおっていたらしい。今度は背広を着た男が、目的の部屋は突き当たりの右側だと答えた。私は静かな廊下を歩いていった。

そのドアにはプレートがかかっていた。金いろの地に黒く名前が彫りこんである。アルフォンソ・カネーラ。ノックした。カムイン、プリーズ。低い声の返事があった。重いドアを静かに開いた。

広い部屋だった。内装は私には想像のつかない素材でできている。もっともその価格は、それ以上に想像がつかない。右にドアがひとつある。私の入ったドアに向かいあう側には一面、ガラスがはめこまれていた。たしかにきょうもよく晴れている。輝く陽光が窓いっぱい広がっている。窓際にデスクがあった。その上に置かれているのは、真っ白なコスモスが何本かさしこまれた花瓶だけだ。そしてデスクの向こう、広がる都心の光景を背に立つ男の細い背中がみえた。いかにも高価そうなスーツ。その黒い影。私はのめりこむような深いじゅうたんを踏みデスクに近づいた。

　男がふりかえった。

「二十二年ぶりだね、菊池」桑野は静かにそういった。

　彼は微笑を浮かべた。以前と同じにみえるやわらかな微笑だった。二十二年。すべてを変えるにはじゅうぶんな歳月だ。しかし、人は変質しても同じ微笑を浮かべることはできる。容易にできる。

「そんなに久しぶりでもないようだ」私はいった。「四日まえに会ったばかりじゃないか、どこかの公園で。あいさつはしなかったが」

　彼は目をしばたたかせた。「君はいつかここにやってくると思ってはいた。しかし、想像以上に早かった」

「年をとって気が短くなったんだ。おまえはそうでもないようだな。ずいぶんめんどうな計画をたてる程度には気が短くない」

　彼はしばらく私を見つめていたが、やがて「ああ、そうかもしれないね」おちついた声でいった。

彼の顔つきは、若いころとほとんど変わってはいなかった。ただ、頰が削げおち、わずかに荒涼の気配が漂っている。われわれのすごした時間はわれわれの上を平等にすぎていったのかもしれない。

私はいった。「日本語でしゃべっていいのか。おまえはどこかの国の日系移民の末裔《まつえい》ということになっているんだろう」

「なぜ、知っているんだい」冷静な桑野の口調は変わらない。

「この会社は二年まえ、外資の参加と役員派遣で話題になったと聞いた。パソコンでその年の新聞記事を調べてみたんだよ」

「そうか」桑野の表情にまたかすかな笑いが浮かんだ。「君はいま、パソコンなんかを操作するのか。あまり似あわないように思えるけれど」

「似あわないさ。あんなものに触るのは二度とごめんだ。ところでカネーラ専務はインタビュー嫌いで有名だったようだ。どこの取材依頼も受けつけてはいない。ほとんどが周辺記事で、日系ということくらいしかわからない。しかし、こんな記事もあったぜ。経済紙のニューヨーク特派員がミルナー・アンド・ロス本社を取材したものだ。短くてかんたんな内容だった。有能な投資家であるカネーラ氏は、一部ではブレというニックネームで知られ、英語とスペイン語を話すが寡黙で謎につつまれた人物という。だが、アルフォンソならふつうはアルだろう。それがブレだ。不思議だった。かろうじて、ろくに出席もしなかったむかしの語学の授業を思いだしたよ。この年になって、フランス語の辞書をひくとは思ってもみなかった。おまえの名前じゃないか。VRAI。真実。つまり、誠だ。おおかた、パリあたりでつけられた仇名をひきずってたんだろう。ただ、気づくまで時間はかかった。きっかけになる疑問が浮かんだのは、ここの以前の社名、堀田産業という名を聞いたときだった。そのとき思いだしたんだ。おまえがずっとむかし、主任にまで出世したアパレル企業だってことをな。当時、本社は渋谷にあった」

彼は微笑を浮かべたままいった。「ここのことを教えたのは、あの奇妙なやくざなのかな。たしか浅井といった」

「そのようだ」苦笑がもれた。いつも浅井は、奇妙なやくざという言葉で形容される。この桑野にも。

「でもいま、ここには君しかいない。君がいうとおり、ぼくは英語とスペイン語しかしゃべれないことになっている。レストランでさえ、片言の日本語でしゃべっているんだ」

彼はデスクの向こう側からこちらにまわってきた。私に左手をさしだした。握手を求めるしぐさだった。海外生活を長くおくった人間の自然な習慣だ。だが、私は動かずにいた。彼の右手を見た。自然にたれさがり、その先には白い手袋がはめられている。

「おまえとはいま、握手する気にはならないな」私はいった。「たとえ、そっちのよくできた義手をさしだされたとしてもだ」

　桑野は私が受けずに行方を失った左手を、そのまま静かにもちあげた。右肩に手を置くと「そうか。わかっていたのか」といった。

「わかっているのは私だけじゃない。いま、警察でも中央公園の爆死者の破片をＤＮＡ鑑定にかけてるよ。指紋だけでおまえの一部だと即断しちまった破片をだ。ホルマリンを検出して、ようやく早まった断定かもしれないと気づいたらしい。それともうひとつ、別の破片にちぎれた指もあった。そこから身元不明の別の指紋も発見されたそうだ。鑑定に時間はかかるが、いずれ、連中にもわかるさ。おまえが防腐処理して保存していた片腕を公園に残したってことはな」

　桑野の表情は変わらない。

「肉体の保存ってそんなにうまくできるのかい」

「見本がここにいるじゃないか。専門家がいてメンテナンスに金をかければかんたんらしい。私も専門家に聞いてみた。毛細血管を広げる薬品と血液凝固物を溶かす溶剤がある。それで血液を洗い流す。それから今度はホルマリンを注入するんだ。あとは低温のホルマリンガスのなかに放りこんどけばいい。レーニンを保存したのと同じ方法だ」

「ふうん。そんな専門家がよく見つかったね」

「ホームレスだよ」

「ホームレス？」

「そうだ。路上生活者だって出身はさまざまなんだぜ。私がその話を聞いたのは元大学教授の法医学者だ。ほかにもいろんな人間がいるよ。たとえば、おまえがおまえの死体に見せかけようと身代わりにしたものまでいる。その老人は川原源三といった。現場で働いていたとき、鋼材に耳をそぎおとされたことがある。耳の件は、事件現場にいた目撃者が教えてくれた。おまえは自分の一部だった片腕に彼の血液を再注入した。新鮮な肉片に見せかけるためにだ。おまけになにかの薬品で朦朧《もうろう》となった彼を爆弾の設置場所まで自分で運んだ。そんなホームレスもいる。ひき逃げを装って殺された辰村という若いホームレスもいる。彼らも、私と同じこの時代の空気を吸って生きていたんだ」

彼は微笑を浮かべ続けている。殺人者のそれだと知らなければ、魅力的にみえないこともない微笑を浮かべている。

「そうなのか。でも、その方面は望月君の担当なんだ。あの老人については、彼が身寄りのないお年寄りから選抜したようだ。血液型の一致とか、いろいろリサーチは重ねてくれたらしいけどね」

「私にはそれが疑問なんだ。なんで、あの望月がおまえに協力したのかってな。彼の身内はおまえがつくった爆弾の犠牲者だった」

「ねえ、菊池。いま気がついたんだが、もう君は、おれって一人称を使わないようだ」

「年をとったんだよ。それだけだ。私の方の質問に答えろよ」

「人間にも沸点がある。そういうことだよ。単純さ」

「かんたんに説明してくれないか。私がむずかしい話は苦手だということは、むかしから知っているだろう」

桑野は子どものように首をかしげ、私を見た。「君はいま、バーテンをやっているようだが、年収はどれくらいになる」

「去年は百万に少し届かなかった。それがどうした」

「ぼくはいま、力を持っている」その声には自嘲《じちょう》がにじんでいる。そのようにも思えた。

「金という力を持ってるのさ。平凡だが強力な力だよ。たとえば任意のだれでもいい。現金をみせたとする。君の年収程度なら、この国ではだれもおどろきさえしないだろう。しかしそれをもし十倍、一千万に引きあげたとしたらどうなる？　その現金をまえにした人間は心が動くかもしれないし、動かないかもしれない。動かなければそれでいい。なら今度は、さらに十倍、一億をつんでみようじゃないか。現金で一億。それを目のまえに置いてみよう。そんなときたいがい、人間の理性は欲望に敗北するのさ。つまり人間が変わる。水が百度で気体に変化するようにね。もちろん、それでも足りないときはあるさ。しかし、もっと金をつみあげていけば、どんな人間にもいつか沸点はやってくる。それがこの二十年あまりで、ぼくの学んだたしかな法則なんだ」

「人間がたしかな法則で動くというのは、はじめて聞いたよ」

「そうかもしれない。ただ、ぼくの経験からいえば、例外はゼロだった。君は自分だけは例外だといいたいのかい」

「そんなことは知らないさ。それほど自分に自信はない。私がアル中だということはもう知っているんだろう。アル中にプライドは縁がないんだ。ただ、望月には沸点があった。そういうことだな」

彼はうなずいた。「そう。現金で一億。それで彼は変わった。ぼくは帰国してから七一年に死んだあの警官の関係者にあたってみたんだ。やはり気になっていたのかもしれない。そのうち彼と出会った。それでぼくの学んだ法則を試してみたくなった。彼はいま、私を手伝ってくれている。肩書は企画部長だ。ほとんど出社しないが、専務直属で非常勤なんだ。ぼくはいま、この社内で権限がけっこう幅広い」

「長浜って秘書室長も、同じ手を使って組みこんだのか。平凡なバーテンを襲った質《たち》の悪い連中にくっついて、私に警告した人物だ」

「よくわかったね。そう、彼には退職したかたちをとってもらったが、いま、ぼくには姿を隠して動く人間も必要なんだよ」

「そのやり方が、この二十年以上で学んだことってわけか」

「まあね。でももちろんそれだけじゃない」

「たしかにそれだけじゃないな。ほかにもいろいろあるようだ。たとえば大量殺人の方法。なぜ、優子を殺した。宮坂という公安課長をなぜ殺した。それも大勢の人間を巻き添えになぜ殺した」

桑野はそばにあるソファに向け、首をふった。

「すわらないか。話が長くなるかもしれない」

「すわらない」と私はいった。

私たちふたりは立ったまま、無言でおたがいを見つめあった。

桑野が静かにいった。「そうか。君は変わってはいないんだな。いまもリングにいるつもりなんだ。君は六戦して無敗だった。まだ、その記録を伸ばそうとしている。きっと、そういうことなんだろう。君はいつも立ち続けていたいんだ。闘うときは立っていたいんだ」

私は彼を見つめたまま、身じろぎもせずにいた。そんなことは考えてもみなかった。だが、彼が正しいのかもしれない。無意識のうちに私は桑野がいうとおりに行動しているのかもしれない。それはわからない。桑野は私のことをよく知っている。ひょっとしたら私以上に知っている。わからないまま、浅井の拳銃《けんじゅう》をコートのポケットから引きだした。銃口を桑野に向けた。彼の表情にはどんな変化もあらわれなかった。

「私はいま、こういうものにまで縁ができちまったよ」

「そんなものをどうするつもりなんだい」

「必要なときに使うのさ。なぜ、優子と公安課長を殺した」

桑野が溜《た》め息をついた。「そのまえにぼくが君と別れてから、どんな生活をおくってきたか、話を聞いてくれないか」

「いいさ。話してみろよ。ただ、かんたんにまとめてくれ」

「七一年だ。あれからぼくはパリに渡った。君との約束があったから、いずれ大使館に出頭しようと考えてはいた。しかし不思議なんだ。新しい世界が目のまえに出現した。すると闘争の余熱がまたぶりかえしてきたんだ。もう完全に退廃したつもりだったのにね。君には悪いと思ってはいた。君のことを忘れたことはなかった。だが学生仲間とまた議論なんかをはじめたんだ。その内容から枝が伸びて、パリに支部のあった南米のある組織との接触ができた。インターポールがかぎつけたとき、その関係でぼくは南米に渡ったのさ。七五年の話だよ。国の名はまあ、某国としておこう。小さな国なんだ」

「その組織ってなんなんだ」

「コレーラ・デ・ティエーラという。『大地の怒り』。左翼ゲリラだよ。当時はチェ・ゲバラの正統な継承者を自認していた。知ってるかい」

「知らない」

「そうだろうな。この国ではまるで知られてはいない。どこか遠い国の小さな組織だ。だがまあ、それはどうでもいい。ぼくはその組織で軍事訓練も受けたし、武器の扱いも学んだ。君がいま持っているような単純な武器だけじゃない。そんな日々がすぎて、あるとき気づいてみるとぼくはいつのまにかテロリストになっていた。ぼくも変わったのさ。結局、ぼくにも沸点があったのかもしれない。金とは別の意味でね。政府要人の暗殺にも加わった。そしてある日、軍の急襲を受けた。証拠の必要さえない日常的な予防拘禁だ。ところがそのとき、この国の出先機関が介入したんだ。日本大使館のある一等書記官が目のまえにあらわれた。彼はぼくの引き渡しを要求した」

「それが警察庁の宮坂徹だった」

彼はうっすらした笑いを浮かべた。「よくわかったね」

「警察の動向に敏感になってると、その程度の知識くらいは持つようになるさ。警察庁のキャリアは入庁十年後くらいから在外大使館に出向するケースが多い。肩書はたいてい一等書記官だ。今度の事件が純粋なテロの側面もあると知ったとき、彼も標的のひとりになったとわかった。いまの話からは、接点はそれくらいしか考えられない」

「ふうん。純粋なテロの側面ね。どうしてそれがわかった?」

私が答えずにいると、桑野は、まあいいさ、そういって続けた。

「彼の引き渡し要求は、政治法廷が認めなかったんだ。いまなら別の結果になったかもしれない。この国のODA予算の影響は大きいから。でもあのころは、事情がまるでちがった。小国なりのプライドもあった。で、宮坂は次善の要求に切り換えた。厳罰を望むとね。内政干渉さ。だが、その要求は結局、受入れられた結果にはなった。証拠はなかったが、宮坂が法廷で七一年のこの国の事件を一方的に証言したんだ。ぼくはテロリストと認定された。政治犯収容所に送られた。入り口はあっても出口はないといわれた収容所だ。単純殺人犯も収容されている、まあ、そんなところさ。もちろん、この国ではいっさいそんなことは知られていない。ぼくのこともね。でもそのあと、なかなか興味深い環境で生きる経験をつむことはできた」

桑野はまだ笑いを浮かべていた。それは彫りこんだように彼の顔にとどまっている。その表情のまま、彼がいった。

「ねえ、菊池。電気箱という存在がこの世界にはあるんだよ」

「電気箱？　なんだ、それは」

「看守が囚人を拷問する道具だよ。いいかい、看守だよ。拷問する理由なんてなにもない。彼らは娯楽のためにそれをやるんだ。電気箱というのは左右一メートル弱、高さは身長くらいだ。立ったまま身体がやっと入るくらいの直方体の箱なんだ。一方だけがガラスで外からはみえる。そこにいれられるんだけど、実はその壁には電流が流れている。で、もうひとつの電極がぼくのペニスにつながれてる。だから微動さえできない。しかし、疲れてくると身体がゆれる。どうしても壁にふれる。でもそのとたん、電流が流れる仕組みになってるわけさ。あの痛みの感覚は経験したもの以外、絶対だれにも想像できない。おまけにそんなひどい痛みがあるのに、不思議なことにペニスだけが勃起《ぼっき》してくるんだ。それを見て看守が笑うんだよ。拷問さえ娯楽にすることができる人間の想像力ってつくづくすごいと思ったね、皮肉じゃなくてさ。あんな道具を考えつくんだから。ぼくは三日に一度、十時間その箱にいれられていた」

私は無言のまま、桑野の顔を眺めていた。やわらかな微笑の浮かぶその表情は変わらない。私たちの上を流れた時間は、あるいは平等ではなかったのかもしれない。それぞれに固有の時間が流れたのかもしれない。私はただ、彼の表情を眺めていた。

桑野がいった。「もちろん、それだけじゃない。収容所そのものもジャングルだった。ぼくはひ弱だったから、所内の多くの男どもに犯されたよ。これもきっと、宮坂が与えてくれた恩恵なんだろう」

宮坂と桑野の関係がようやくわかった。私はたずねた。

「で、そこから脱出したわけだな」

「ああ、脱出したよ。ぼくが正気のまま生きのびるタイムリミットはたぶん二年くらいだろうと考えた。それで二年目に入ったとき、所内でいちばん凶暴な男に接近したんだ。公認の恋人どうしの成立というわけさ。ぼくは彼をそそのかした。ふたりで逃亡しようと提案した。結論だけをいうと、彼が看守を何人か殺し脱出は成功した。自由になってから、もちろんその恋人をぼくは射殺したけどね」

「同情するよ」私はいった。「よけいなお世話かもしれないが、同情する。だが、それがおまえのやったことの結果とどういう関係がある？」

「もう少し話を聞いてくれないか」桑野がいった。「ぼくはそれから、その国の首都で日系移民の新しい身分をつくった。かんたんだった。こっちの方はこの国のかつての棄民政策の恩恵だね。しかし、そんな体験のあとだ。平凡に生きていくつもりだった。君には悪いが、もうこの国に帰る気持ちは消えうせていた。ところが、どういうわけか現地の女の子のひとりがぼくに恋をしたんだ。彼女の家族から結婚を申しこまれた。断われなかった。ぼくはその一家の養子に入った。彼女の父親が有力者だったんだ。彼はその国の大統領をしのぐ力を持っていたが、当時の南米でそういう有力者に成りあがる方法は君にも想像がつくだろう」

「コカの栽培と精製、加えて販売の組織化に成功した人物」

「そういうことだよ。バーテンをやっていても、海外情勢にうといというわけでもないようだね」

「どうやら、おまえは私と同じものをなくしちまったようだな」

「なにをなくした？」

「知らない。ただ、むかしのおまえなら、そんな職業差別は決して口にしなかった」

一瞬、彼の表情になにかの影が射したようにも思えた。彼は首をふりいった。「そうかもしれないね」

「コカインについてなら、ほかの国のケースは多少知っている。ここ二、三年、アメリカの麻薬問題がずいぶんニュースになっている。コロンビア関連の記事が新聞で目についた。あの国でふたつめに大きい都市にメデジン・カルテルってのがあるらしいな。そのシンジケートの名は何度も目にした。ボスのエスコバルという人物の名前も目にした。彼の拘置された施設の空爆計画が発覚したという話もあった」

「パブロ・エスコバル・ガビリアだね。そう。メデジンにはほかにも二、三人、大立者がいて、アメリカの連邦麻薬取締局の最大の標的になっている。あの国じゃ第三の都市カリの組織も対抗しているし、空爆を計画したのも彼らだよ。で、そんな連中に他国で唯一対抗できるのが、ぼくの義父だったというわけさ。その国のコカイン産業はコロンビアほどじゃないけど、うまく機能してはいた。それに政府との対抗上、ぼくの属していた左翼ゲリラとも連携していた。一体化していたともいえる。彼らにとっても資金面でのメリットは大きいからね。ぼくはそのファミリーの一員になり、大物になった。いちテロリストから、いつのまにか何千人に命令する側にまわっていたんだ。あるとき、ぼくが小さな対抗組織から狙われて、近くで爆弾が爆発したことがある。命はとりとめたよ。右腕がきれいにちぎれただけでね。意識を失う寸前、ぼくはその腕を保管するよう部下に指示したんだ。

いつか役に立つだろう。無意識のうちにそう考えていたのかもしれないな。今度みたいなかたちで使うことを夢見て」

爆発現場の情景を思い浮かべた。あのとき、骨ののぞくだれかの片腕が、横たわった一本の足の上に冗談のように置かれていた。

私はいった。「実際、その夢は実現したわけだ。ひとりの老人を犠牲者にして。だが、この国に舞い戻ってきた理由はそれだけじゃないな」

「もちろん、理由はいくつかあるさ。君にもわかるだろう」

「ひとつは密売組織づくり。ビジネス上は、当然そうなる」

「そう。この国は世界で最後の処女地なんだ。去年、国内で官憲の押収したコカイン量は知ってるかい。たった三十一キロだよ。アメリカじゃ一度にトン単位で摘発されているというのにね。流通量はその二十倍は超えるが、それでも産業規模でいえば家内制手工業さ。この国の市場魅力は大きい。末端価格はアメリカの四、五倍なんだから」

「そこで江口組が登場するというわけか」

桑野はうなずいた。「組む相手には大手を打診したからね。でも、ぼくもいまの組長があのときの男の子だと知ったときはおどろいた。ただ、おたがいそれがわかってから話は早かった。彼は古典的なやくざの血統を受け継いでいた。恩義を知っていたんだ。おまけに合理的な判断もできた。利害の一致は完璧《かんぺき》だったよ」

浅井に向けて現在の組長が、そのまま引金をひけよといった理由がわかった。もっとも、そんな背景がなくても結果は同じだったのかもしれない。どんな世界にも、頂点に立つものの規範はある。

私は溜《た》め息をついた。「ビジネスだけでも、ほかにもっと理由はあるだろう」

「あるさ。マネーロンダリングという目的がね。この国はまだ、その点でも幼児に等しい。ここの配当性向は非常にいいから、利益の一部がきれいな金になって還流していく。ぼくはここで本業以外の投資関係の仕事を専門にやっている。成果もあげている」

「なるほどな。だが、それだけじゃ説明がつかないこともある。なぜ、ここに目をつけた」

「むかしここにいたから、内情に詳しかった。それに一部上場ほど目立たない。それが最大の理由だが、ほかにもある。ここにいたとき、ぼくは欲求不満になっていた。経営陣がまるで無能だったからさ。あらためて内部調査をやったよ。当時のぼくを覚えているものはいなかったし、相変わらずここの経営陣は本質的に無能だった。結局、ここが伸びた理由はひとつしかない。バブルに連動した不動産投機の幸運にあったんだ。だが、そういう組織の方が復讐《ふくしゅう》の出発点としては手がけやすい」

「復讐？　なんに対してだ。むかし無能者に使われたことにか」

「いや、そうじゃない。ここをベースにぼくはこの国全体に復讐したかったんだよ。ぼくをこんなにしたこの国にね。この国はクズだ。経済では肥大しきっているが、クズだ。この国はクズを拡大再生産しているにすぎない。電気箱に入っているとき、ようやくそれがわかった。ぼくはこの国を内部から腐らせたい。そう思った。たまたま、ぼくは適切な道具を持っている。アメリカを見てごらんよ。あの国の標榜《ひょうぼう》する麻薬戦争には、少なくとも冷戦終結後の正しい時代認識はあるんだ。いま、この世界を動かすパラメータのいちばん大きなものは麻薬なんだ。ひとつの国を内部から腐らせ、崩壊させる最高の戦略兵器なのさ」

私はしばらく彼を見つめていた。世界の悪意といっていた彼の憎悪の対象は、いま国家のレベルにまでなりさがっている。やがて意識しないつぶやきがもれた。

「変わったな、おまえ。ずいぶん変わっちまった」

桑野は抑揚のない声で答えた。「たぶんね。いろんな経験がぼくのどこかを歪《ゆが》ませたんだろう。それに時間も流れた」

そうだ。時間は流れた。同じ思いは私にもある。私はそのまま黙ってふりむき、部屋をでていくことができた。そうすることもできた。だが、終了のゴングはまだ鳴ってはいない。

私はいった。「しかし、おまえは帰国するまでにも犯罪を犯している。南米のことをいうつもりはないさ。ニューヨークのことだ。優子の結婚相手はおまえに殺された。なぜ、

「どうしてそう思うんだい」

「彼が交通事故にあった原因はクルマのブレーキの故障だった。七一年の再現だ。悪い冗談じゃないか」

「…………」

「それに優子は短歌を書いていた。それが盗まれた。理由はひとつしか考えられない。私が読んでなにかがわかる内容がそこに書かれている可能性があった。そのことを隠すためだ。優子の娘の電話を盗聴して、彼女の短歌を盗んだ人間はかんたんにわかるさ。彼女にニューヨークで会ったことがあるんだな」

はじめて彼の表情がかすかに動いた。

「どこかで彼女の歌を見つけたのかい」

「ああ、見つけたよ」

「どういう歌があった？」

私は歌集にあったその歌を口にした。

〈殺《あや》むるときもかくなすらむかテロリスト蒼《あお》きパラソルくるくる回すよ〉

「ふうん」桑野が首をかしげた。「なぜ、その歌なんだい」

「これはいくつかあるニューヨーク叙景詩のなかのひとつだ。そのなかでこの歌だけが異質だった。きのう、たまたま読んだ朝刊にテロリストという言葉があった。今度の事件で使用されたのは、どうやら軍用爆薬らしいという記事にあった。その爆薬は海外から搬入されたもののようだともあった。私は想像力が貧困なんだ。どう考えても、優子と事件の接点はここにしかない。それにこの歌を読むかぎり、優子の周囲にテロリストと呼ばれるような人物がいたということになる。海外で一般市民の生活をおくる女性のまわりにそんな人物が登場する可能性はひとつしかない。私が知るかぎり、そんな影を感じさせる過去を持つ人間はひとりしかいない。実際、おまえ自身がそういったじゃないか。この歌にあるのは、まだ現役のテロリストだ。今度の事件がテロの部分を持つと考えたのもこの歌を読んだときだった。ついでにいえば、優子とおまえはそんな過去まで話しあう関係にあったんだ」

彼は長いあいだ私を眺めていたが、やがてつぶやいた。「そうか。そんな歌があったのか」

私は桑野を見つめた。もう、その表情から微笑は消えている。遠くを見る目つきがあった。長い沈黙のあと、彼は静かに口を開いた。「君のいうとおりだよ。ぼくはニューヨークにいた。渡米したそのときから、ぼくはカネーラだった。もとのファミリーの名は当局に目立ちすぎるからね。目的は資金を洗う投資会社の設立にあった。でも世界は神秘的だ。あれは五番街だった。彼女と偶然すれちがうことになるなんて思ってもみなかった。それから、ぼくたちはあの街でたびたび会うようになった。デートしたんだ。その歌の背景になった日のことはよく覚えているよ。暑い夏の日だった。あまり陽射しが暑いから、五番街の店で日傘を買ったんだ。彼女はアイスクリームを舐《な》めていて手がべとべとだった。だから、ぼくが日傘を持った。握りが木でできていて、ぼくはむかしの竹とんぼみたいにクルクル回して日傘を飛ばしながら通りを歩いた。平和な一日だった。彼女はそれを見て笑っていた。彼女はきれいだった」

桑野はそれから、視線をおとした。

「そう。ぼくは彼女の結婚相手を殺した。理由は単純さ。彼女を独占したくなった。それだけ。ぼくは人殺しについては、いまはプロなんだ。もうなにも感じない。かんたんだった。君のいったとおりのことをやったんだ。彼のクルマのブレーキを細工した。そのクルマのそばを妨害しながら走って、事故に追いやるのもかんたんだった。ブロンクス・リバー・パークウェイは二車線でくねくねしている。事故は起きやすい。市警はろくに調べもしなかったよ」

桑野の視線がいったん私を見つめ、すぐにそれた。彼は窓まで歩いていった。そのまま、よく晴れた明るい外の光景を眺めた。小柄な黒い背中があった。両腕もふくめ、その姿に不自然なところはまるでない。たしかに彼の義手はよくできている。

その背中に声をかけた。「彼女はそのことを知っていたのか」

「知っていたかもしれない。いや、口にはださなかったが、きっと気づいてはいたろう。さっきの歌の内容からは当然そうなるんだろうね」

「その優子をなぜ、おまえは殺した」

桑野の背中が静かに答えた。

「もちろん理由は、君にあるんじゃないか」


「ほんとうのことをいおうか」彼がふりむいた。いまその顔はあふれる陽射しを背景に黒い影になっている。ちょうど優子の歌の前段と後段が明暗の落差を持つように。「ぼくが彼女に魅かれたのは、ニューヨークで再会してからじゃない。それ以前、ぼくらが闘争を闘っていたころから、あの八本に籠城《ろうじょう》していたころからそうだった。しかし彼女の気持ちはもうそのとき、君の上にあった。ぼくはあの闘争のさなかに気づいたんだ。ぼくは嫉妬《しっと》した。もちろん彼女のこともある。だが、それだけじゃない。君がいろんな意味でぼくを圧倒していたからだ。君はのんきだった。ほんとうにのんきだった。鈍感さとはちがう。春の野原に一本だけ立つ樫《かし》の木みたいな自由なのんきさだよ。うまくいえないが、そんなふうにぼくは感じていた。だれも、なにも勝てやしないんだ。それを知る人間は少なかった。だけど彼女もそのひとりだった。彼女だって、君のそんなところに魅かれたんだ。君はぼくを圧倒した。そんなことを思っているなんて君は気づきさえしなかったろう。だが、君ずっとそうだったんだ。君がボクシングをはじめたときもそうだった。あんなことはとうてい、ぼくにはまねができない。肉体的な能力のことをいってるんじゃない。あの闘争が終わってなお、君が充実していたからだ。ぼくは嫉妬した。君が闘うたびに気が狂うほど嫉妬した。もっと悪いことにぼくはそれを恥じていた。もっと恥知らずになれたらと、どれほど考えたかわからない。あるとき、一度だけ、ぼくは成功したよ。ほんとうの恥知らずになることに成功した。君の部屋を訪れたとき、たまたま君がいなくて彼女だけいたことがある。そのとき、ぼくは卑劣な人間になれた。彼女は最初抵抗したが、あとは死人のように横たわっているだけだった。あのときほど自己嫌悪を感じたことはない。彼女の名誉のためにいっておく。彼女は君の部屋をでていった。あれはそのことが原因なんだ。彼女は潔《いさぎよ》い女の子だった。もう二度と君に会わないと彼女が決心したのもそのためなんだ。彼女は、君のなかにある友人の肖像を壊したくなかったんだよ」

私は無言で立ちつくしていた。思考が一瞬停止し、それからいちどきにすべての光景が甦《よみがえ》ってきた。闘争の日々。私たち三人がすごした日々。その光景。それはなにかの痛みに似ていた。目を射る光のような痛みであり、懐かしい痛みのようでもあった。歳月は水のように流れた。私の無知をたどり、二十年以上を流れたのだ。

「ひょっとしたら……」私の声が喉《のど》にからんだ。「ひょっとしたら、おまえがあの時代に爆弾をつくった理由は、その私に対抗するため、ただそのためだったというのか。そういうことなのか」

「実はぼくにもよくわからないんだ、なぜ、ああいうことをしたのか。でもきっと、そういうことだったんだと思う。もっとも危険なものを制作し所有することで、君に対抗できるかもしれない。そう考えたんだと思う。こういう言い方は無責任にすぎるかもしれない。でも、たぶんそうなんだろう。ぼくは結局、弱い人間だった。破壊だけを目的とする道具は弱者のためにある。そういう考え方もある」

沈黙が訪れた。私はその静寂に耳をかたむけていた。

ふたたび彼の声が届いてきた。「そう。彼女の娘の電話を盗聴していたのはぼくだよ。短歌を盗んだのもぼくだ。でも、それは君から隠したかったためじゃない。ぼく自身が読みたかったからなんだ。さっきの歌はあの原稿用紙にはなかったが、ぼくが読んだ歌の多くは君への恋歌だったよ。話をニューヨークへ戻そう。そのぼくと彼女が海外の都市で出会ったとき、また彼女に魅かれる気持ちが甦った。彼女の方はといえば、時間が彼女を癒《いや》したのかもしれない。あるいは、異邦という背景の影響があったのかもしれない。ぼくとの再会は少なくとも不快ではないようにみえた。ぼくたちはたびたび会うようになった。でも彼女のなかにあったのは単にノスタルジアだったんだ。彼女は結局、君のことを忘れられなかったんだ。ぼくと彼女の会話は、いつも六〇年代の末に戻っていった。どんなときも最後は君の話になった。そのとき、はじめて気がついたんだ。自分が絶望していることに。絶望ってどういうときにやってくるか知ってるかい。この世界で動かしがたい事実のあることを知るときだよ。まだあの電気箱のなかの方が希望はあった。いつかはそこからでられるという希望があった。だが、こちらの方はそんな救いさえない。気づかないふりをしていたが、彼女もたぶん、それは知っていた。それでぼくに、さよならをいったんだ。彼女の結婚相手が死んだとき、いや、ぼくが殺したときにさ。それまでは、彼女が帰国するなんてうかつにも考えてもみなかったんだよ。ぼくは笑われていいさ。それから時間がたった。ずいぶんたった。一昨年、ぼくはこの国に戻ってきた。かつてのぼくとは別の人間として。ぼくはいま、カネーラという名のパスポートを持った別の人間なんだ。帰国してから、ぼくの最初にやったことは、君も想像がつくだろう」

私は長いあいだ、桑野の顔を眺めていた。それはまぶしい陽光を背に、まだ黒い影のままでいた。ようやく私は口を開いた。

「想像はつくさ。この二十年あまりをひっくりかえしたんだ。おもちゃ箱みたいに時間をひっくりかえした。そのために、いろんな人間の行方を追った。優子の行方を追った。宮坂徹の行方も追った。たぶん、私の行方も追った。そういうことだろう」

影になった頭がうなずいた。私は硬い声でたずねた。

「しかし、優子を殺す理由はどこにあるんだ」

「まだ、わからないのかい。もう決してとり戻せないものは、破壊する。そういうことさ。

そんな人間になってしまったんだよ、ぼくは。そんなふうに変質してしまっているんだ」

私は表情さえさだかでない桑野を見つめていた。この男にはもう、そんな出口しか用意されていなかった。そういうことか。

彼が続けた。「もちろん、宮坂への復讐《ふくしゅう》は考えていた。だから、そのふたりが月に一度、偶然同じ場所にいるのを知ったときはほんとうにおどろいたよ。破壊と復讐の対象が同じポイントにある。それを知ったとき、天啓みたいに計画がひらめいたんだ。ぼくの義父は大物だといったろう。いま、国では内務省長官をつとめている。だから、ぼくもこの国の大使館には顔がきくんだ。軍の爆薬を手にいれるのはかんたんだった。外交行嚢《こうのう》を使えたからね」

「その爆薬を使った経験は優子に話したことがあるんだな」

「そう。ニューヨークでそんな話をしていると、彼女は興味津々といったようすでぼくの説明を聞いていた。遠い世界の物語を聞くように。きっと現実感がなかったんだろう。電気箱のことも、宮坂の話もひと通り話したことがある。七一年のことも。ぼくはその打ち明け話で、彼女の興味をぼくに向けさせたかっただけなのかもしれない。結局、無意味だったけどね。でも、そのおかげで彼女は気づいたんだ。あの公園で宮坂といっしょにいたとき、ぼくはあえて彼女にぼくの姿をみせた。そのとき彼女はそばにあった旅行鞄《かばん》に目をやるとすぐ、ぼくの意図を悟ったようだ。宮坂の娘を植込みの陰に突きとばした。その瞬間、ぼくはリモコンのスイッチを押していた。あの広場はすり鉢状になっている。安全な遠隔操作だった」

「だが、誤算はあった」

「そう。ふたつね。ひとつはあの西尾という男だ。君がさっき現場の目撃者といったのは、宮坂の娘のことだろう。彼は彼女を殺すべきだったんだ。少なくとも、あの場所から連れ去るべきだった。それが想像以上の光景をまえに失神してしまった。まあ、ぼくはクズを使っていたわけだ。もうひとつは、君にホームレスの知人がいたことさ。あの老人の身元がわかるなんて思ってもみなかったよ。しかし君のことだ。そのあたりは、きっと官憲より詳しく知っているんだろう。だけど、皮肉なもんだね。あの宮坂が彼女に魅かれていたんだから。だれかと同じようにさ」

「その爆弾で大勢の人間を巻き添えにした。それも皮肉なのか」

桑野の口元から笑いがもれた。最初はかすかに。そしてだんだん高くなり、やがてそれはヒステリックな響きを帯びはじめた。

「あれは単に南米方式なんだよ。ぼくらのやり方では、特別なものじゃない。八九年にアビアンカ航空のボーイングが爆破されて墜落したのは、知ってるかい。なぜ、爆破されたと思う？　あれはメデジンの連中が乗客のなかにいた密告者を抹殺するためだった。百人以上が巻き添えにはなった。でも、それは南米では一般的な方法なんだ。われわれにとって、ごくふつうのやり方にすぎないんだよ」

「われわれじゃないだろう。それが、おまえのやり方なんだ。結局、おまえは本物のテロリストにさえなれなかった。単に哀れな人殺しになっちまっただけなんだ」

桑野のヒステリックな笑いがさらに高くなった。「だけでもないさ。そのふたりのそばに、もうひとりだれかがいたじゃないか」

「私のことか」

「そう。ゲームをはじめるのに用意されていたもうひとつの偶然」

「ゲーム？」

「さっきいったろう。君はむかし、ぼくを打ちまかした。圧倒していた。だから、君があそこで酒を飲む習慣を持っていることを知ったときはうれしかったよ。これでようやく対等のゲームができるかもしれない。そう思ったのさ」

いい終えたあと、彼のひきつるような笑い声が突然やんだ。静寂がやってきた。おそろしく静かだった。私は身じろぎもせずに立っていた。冷えていく身体の震えだけを感じていた。

「いままでやってきたのは、全部ゲームだったというのか。おまえは川原源三という老人を身代わりにして殺した。自分の片腕を現場に残した。西尾にあの公園でわざわざ私に声をかけさせた。当局に密告の電話もいれた。私はあの夜、江口組の連中に襲われた。私と浅井の乗るクルマがバイクの襲撃を受けた。脅すようでもあったし、からかうようでもあった。そんな方法で私を混乱させもした。あれは全部、ゲームの一手だったというのか。そういうことなのか」

彼が頭をそらせた。いまは、その顔がうすぼんやりとみえる。だがその顔面からは、いっさいの表情が消えていた。

「そうさ。そのとおりだ。しかし、どうやらまたぼくは負けたらしいね。ぼくは密告電話で官憲まで利用したのに、君はあれをのんびりすりぬけた。君は脅しに屈しなかったし、どんな圧力をかけてもむかしと同様、のんきなままでいた。そして、自分の向かうべき方向を知っていた。二十年以上の時間も君を変えることはなかった。君がここへやってきたという連絡を受けたとき、そのことをすっかり理解した。結局、ぼくは永遠に君に勝てない運命にあるってね」

私のなかで突然なにかが沸きたった。拳銃《けんじゅう》を持つ腕があがった。

「なら、それをもっとはっきりさせようじゃないか」

銃を握る私の腕が桑野を向いた。まっすぐ伸びたその手は震えてはいない。撃鉄を起こした。銃口は彼の黒い影をとらえている。彼の表情は変わらない。無表情という表情は変わらない。沸点か、と思った。私にも変質するなにかの契機はあるのか。引き金を絞るだけの契機。そのことを考えながら、銃をかまえながら、私は同じ姿勢でいた。そのままじっとしていた。どれくらいの時間が流れたのかはわからない。やがて銃口が震えはじめた。

そのとき彼がいった。

「君にぼくを撃つことはできないさ」

その言葉がはじめて私を動かした。左手で右の手首をつかみ、ふるえる拳銃を固定した。指に力が入る。引き金をひき絞るようにゆっくり力を加えた。

銃の発射音が響きわたり、尾をひいた。

20

デスクにある花瓶が砕け散った。コスモスの白い花弁がゆっくり宙を舞っていた。私と桑野は銃声の聞こえた方向を同時に見た。部屋の右にあるドアが開いていた。そこに男が立っていた。その手に銃が握られている。浅井だった。

「じゃまして悪かったな。けど、おまえさんに殺人は似あわないんだよ」

浅井はそういったあと、私の視線がその手にそそがれているのに気づくと、ニヤリと笑いを浮かべた。

「これか。おれが持ってる銃はひとつしかないとはいわなかったぜ」

私が口を開いた。「どうして私がここにいるのがわかった」

「けさ早くに、あんたのガールフレンドから電話があった。あんたが行方不明だってな。ただ、彼女のパソコンにはバックアップシステムってのがあるそうだ。使った最後の画面が再現するんだとさ。そのなかにここの社名があったそうだ。それにあんた、おれからその背広を借りてったが、そんなものを着ていくところは限られてるじゃねえか。きのうの話の続きだってことは、こどもにもわかるさ。おれはすぐここへとんできたよ。あんた、このビルのまえの公衆電話からおれに電話したろう。あのとき、おれは道路の向かい側にいたんだ。あんたの姿を見ながら携帯電話で話してたんだぜ」

溜《た》め息がもれた。私の銃を持つ腕は、すでに力なくたれさがっている。

桑野がこの状況を楽しんでいるような口調でいった。

「君が浅井というやくざなのかい」

「そうだ」浅井が彼の方を向いた。「悪いがあんたたちの話は全部、聞かせてもらった。おれは証人になれる。それに、もうひとりいるようだ。あんたの片腕だよ。といっても、こっちの方は比喩《ひゆ》だがな。望月のこった。けさからこのビルのまえにずっと立っていた副産物だ。島村、いや、菊池がここへ来る二時間まえに玄関のまえでとっつかまえた。やつには、ビルの陰で全部吐かせたよ。もっともこれはおれの個人的な問題でもある。ケジメをつける必要があったんだ」

それから彼は私を見た。

「あんたがいってた辰村って男のことも吐いた。あの男を殺したのはやはり、やつだった。ひき逃げを装ったこともしゃべった。脅すだけじゃ不安になったんだとさ。結局、気の弱い男だった。むかし復讐《ふくしゅう》相手といってた人間に、金でしっぽをふるような男だったんだ。やつにもう一度チャンスをやろうなんて、おれも無駄な努力をしたもんだ」

桑野がたずねた。「どうやって、その部屋へ入ったんだい」

「こっちの部屋には企画部長室のプレートがかかってたぜ。案内してもらったのさ、コートのポケットの拳銃つきつけて。陳腐なやり方だけどな。やつはいまここにいるよ。もっとも、いまは床に転がってて動けんが。おれのパンチ力もまだ捨てたもんじゃない」

桑野が私を見た。その表情にまた、さきほどの微笑が生まれた。

「君はなかなかユニークな友人を持っているようだね」

「そのようだ」

「人のことを批評するのはかまわんが、ミスタ・カネーラ。あんた、自分の身の上をもう少し心配した方がいいんじゃないか。ここには、もうすぐお巡りがやってくる」

浅井はそういったあと、私の方を向いた。

「もう帰ろうぜ。こんな男の後始末はサツにまかせればいい」

「警察は、あんたが呼んだのか」

「いや、あんたのガールフレンドだ。あんたがここに入る直前、また携帯に電話が入った。混乱していた。あんたがトラブルに会うのを心配してた。で、一時間たったらサツを呼ぶように、おれはアドバイスしたんだ。それからちょうど一時間たってる」

私は桑野を見た。いまはその顔におだやかな微笑が浮かんでいる。そしてそこには、なぜか深い安堵《あんど》さえ漂っていた。

「ねえ、菊池」彼が呼びかけた。「いまとなって、こういうことは心苦しいんだが、ひとつだけ頼みがあるんだ」

「なんだ」

「その銃を貸してくれないか」

「どうするつもりだ」

「いつか君がいったことがある。ゲームセットってね。そのリプレイだよ。だけど、今度はほんとうのゲームセットさ。ぼくはもう、この国の官憲とは接触したくないんだ」

浅井がなにかいいかけたが、それを制した。

「それはできない」私はいった。「これは私のものじゃない」

「それなら、ひとつ話をしよう。ぼくは君がここへやってきたとき、敗北を知った。敗北を肯定したんだ。それですべてを話す気になった。だが、ひとつだけいい忘れていたことはある」

「どんな話だ」

「なぜ、ぼくが松下塔子の電話を盗聴していたかってことさ」

「なぜなんだ」

「塔子はぼくの娘なんだ」

私は無言で彼の顔を見かえした。桑野が静かな声でいった。

「七一年。ぼくが電話で君にドライブを提案した日、彼女に会った。それが再会まえに彼女に会った最後の日だった。彼女が結婚したのは、それからすぐあとだったことは知っているだろう。事実、ぼくはニューヨークで彼女自身から聞いたことがある。信じるかい」

私は彼の表情を長いあいだ見つめていた。その目に不思議な光が宿っていた。すべてを放棄し、すべてを受けいれたようなその目のいろ。長いあいだ、見つめていた。そして理解した。彼はこの結末を待ち望んでいたのだ。ゲームといいつつ、彼はこの場所へ私を誘導したのだ。でなければ、この緻密《ちみつ》な頭脳を持った男が、軍用爆薬を使うわけがない。出所を過激派に粉飾する爆薬を使ったはずだ。それに川原源三の指紋を除去する手立ても講じないはずがない。江口組を使い、ああいう雑な襲撃をしかけることもない。むかし勤めていたこの会社に舞い戻ってくることもない。彼が待ち望んでいた目的地はこの結末にあったのだ。

「信じないさ」私はいった。「だが、私も年をとった。忘れ物をしても、叱られることはないかもしれない」

浅井の視線を感じながら、私は銃をデスクの上に静かに置いた。浅井はなにもいわなかった。桑野の顔にふたたび微笑が浮かんだ。深い静謐《せいひつ》をたたえた微笑だった。

「ありがとう。最後に君に会えてよかった」

「私は会いたくなかった。変わっちまったおまえには会いたくなかった。人でなしには会いたくなかった」

「これが宿命なんだよ、きっと。これがあの闘争を闘ったぼくらの世代の宿命だったんだ」

「私たちは世代で生きてきたんじゃない。個人で生きてきたんだ。それはおまえの方がよく知っているだろう」

そのまま背を向けた。無言の浅井が私に続いた。

廊下に立ち、重いドアを背中で静かに閉めた。すぐにひとつの音が届いてきた。短く渇いたその音は反響さえ残さなかった。

黙ったまま浅井と歩いた。エレベーターが動きはじめたとき、彼がつぶやくようにいった。

「電気箱か」

「ああ」

「気の毒な男だった、あいつも」

「…………」

「あんなかたちの無理心中があるとは……」

私は彼をさえぎった。「ひとつだけ、あんたに頼みがある」

「わかってるさ。黙ってなきゃいけないことくらいは知ってる」

一階のドアが開いた。目のまえに塔子の顔があった。いきなり彼女は、「このバカ」と叫んだ。みるみるうちにその目に涙の粒がふくらんでいった。なにかの重い液体のように、それは頰を流れおちていった。私は彼女を眺めていた。優子に似た面立ち。そしてだれかの影を思わせる彼女の表情を眺めていた。

「どうして、私に黙って部屋をでてったのよ」

「君はぐっすり眠っていた。起こすのは悪いと思ったんだ」

「私、眠ってなんかいなかったわよ。あなたがパソコンをぶきっちょにいじってるのは知ってたわよ。なのにいつのまにか、どろぼう猫みたいにこっそりでていったんじゃないの」

浅井が口をはさんだ。「この男は気がきかねえんだよ。ご婦人に朝のあいさつすることを知らないんだ」

「あなたは罪に問われるようなことはしなかったんでしょ」

私が答えようとしたとき、ビルのなかに駆けこんでくる警官の一群がみえた。だが浅井の拳銃に気づいたのか、一瞬、全員がその場に凍りついた。遠巻きになり、ためらいの気配が漂った。短い時間をおいて、だれかの命令する声があがった。いっせいに腰に手をやる彼らの姿がみえた。浅井は苦笑しながら拳銃を放り投げた。床にゴロンと音たて、それが転がったとき、浅井が私を見た。

「さて、いくか」

「ああ」

「どこへいくっていうのよ」

「心配しなくていいよ、お嬢さん。この男は起訴はされない」

「さあ、どうかな」

私と浅井は並んで警官たちに向かい歩きはじめた。

背中で声がした。

「私、待ってるわよ。なぜ母があなたに恋してたのか、いま、私にはとてもよくわかるのよ」

浅井が私を見てニヤリと笑った。

「なあ、ひとつ忠告していいか」

「どうぞ」

「若い女の子の気持ちにゃ、もう少しデリカシーを持った方がいい」

答える時間はなかった。直後に私たちは警官たちとその怒号の渦のなかにいた。手首に手錠がくいこんできた。浅井の声が聞こえた。「短銃は全部、おれが持ってたもんだ。それを忘れんなよな」

そのとき警官を割って近づく五十年配の男に気づいた。彼は私に声をかけてきた。天候の話でもするような口調だった。

「いろいろ、やっかいをかけたようだな、菊池」

「そうでもないさ。あんたは？」

「本庁捜査一課の進藤。だいたいの話は、クルマのなかであの娘さんの電話で聞いたよ。西尾は逮捕した。江口組にはガサをいれてる最中だが、根こそぎ引っ張る。実はきのうから準備してはいたんだ」

「で、私の容疑は？」

「傷害、銃刀法違反、それに官名詐称かな。私の名を使うなんていい度胸してる。あとはここの状況次第だ。われわれもそれほど事情にうといわけじゃない。西尾は泳がせてはいた。狙いはもちろん望月の確保だが、やつに今度のヤマをこなせる器量はない。その上にあった。タレこんだ男のことさ。あんたの部屋のガサ入れからは当然、あのタレコミには疑問が残る。犯行声明のあった場合を考えて、あれは録音してたんだ。現場でちょっとした薬品が検出されてから、学生時代のあんたたちの仲間に声を聞かせた。それで、およその察しはついた」

「それを知ってて、私の指名手配を続けたってわけか。ずいぶんきれいな手を使うじゃないか」

「まあ、そういうな。手のこんだやり口だったんだ。だが、あんたのおかげで、どうやらやっとたどりついたようだ。やはり、やつは生きてたんだな」

「その男ならもう一度、死んだよ。私の容疑に、自殺幇助《ほうじょ》をつけ加えれば満点にはなるさ」

「そうか」

警官のひとりが私に近づいた。進藤がけわしい声をあげた。

「腰縄なんかいらん。手錠だけでいい」


パトカーが十台近くビルのまえにとまっていた。私と浅井は前後の二台に別れた。後部座席におしこまれ、若い刑事ふたりが私の両脇にすわるとパトカーは動きはじめた。彼らはなにもしゃべらなかった。私は、桑野がさっき話したことのひとつひとつを思いだしていた。それをすっかり整理するまで、時間はかかる。だが今度は、二十年を超えることはないだろう。電気箱かと思った。私は頭をふり、その言葉の響きを払いのけた。優子を思った。あの日の優子。あの公園で、彼女はあのとき私がすぐそばにいることを知っていたのだろうか。わからない。もう永遠にわかることはないだろう。優子のつくった短歌を思いうかべた。ニューヨーク。陽盛りの大通り。桑野と優子のふたりが、平和な夏の通りを歩いていく。暑い陽射しを浴びながら、桑野が子どものように日傘をくるくる回している。

その光景のなかで彼が笑っている。

「なにを考えているんだ」ひとりの刑事が私に声をかけてきた。

しばらく黙っていた。それからつぶやきのようにもれる自分の声を聞いた。

「きょう、友だちをひとりなくした」

窓の外に一瞬、コスモスの白い花がみえた気がした。だが、それはすぐに視界から去って消えた。

解説

郷原　宏

藤原伊織氏の『テロリストのパラソル』は、平成七年（一九九五）に第四十一回江戸川乱歩賞を受賞し、翌平成八年（一九九六）に第百十四回直木賞を受賞した。同じ作品で乱歩賞と直木賞をダブル受賞したのはこれが最初で、今のところ最後のケースである。

私事にわたって恐縮だが、私は当時、乱歩賞の予選委員をしていた。三百編ほどの応募作品を手分けして読んで数編の候補作品を選び出す仕事である。短期間に大量の生原稿を読まなければならないこの仕事は、決して楽しいものではない。毎日何編もへたくそなミステリーを読みつづけていると、おれは何が悲しくてこんなことをしているのだろうと思うことがある。

だが、たまに、ごくたまに、仕事を忘れて読みふけることがある。新しい才能にめぐり会えたよろこびに心がふるえることがある。そういう僥倖《ぎょうこう》があるので、この仕事はなかなかやめられないのかもしれない。

この作品の場合がまさにそうだった。たまたま順番でこの作品に当たった私は、冒頭の十枚ほどを読んだところで受賞を確信した。そして予選会の席上で「これは乱歩賞だけでなく直木賞もとりますよ」と予言して、他の委員たちに笑われた。前述のように、新人賞受賞作品がいきなり直木賞を受賞した例は過去に一度もなかったからである。しかし、結果は私の予想どおりになった。

私はここで自分の先見の明を誇りたいわけではない。何十年も小説を読みつづけていれば、誰でもそれぐらいの見当はつくようになる。そうではなくて、この作品がそれだけ傑出していたこと、ミステリーという枠を超えた同時代の全小説作品のなかでもひときわ鮮やかな光彩を放っていたことを知ってもらいたいのである。乱歩賞史上最高の作品は何かと問われたら、私は今でもこの作品をあげることをためらわない。

私たちの業界には「キャラが立っている」という業界用語がある。登場人物のキャラクター（性格）が新鮮で、ストーリーをうまく盛り上げているというほどの意味である。キャラクターがありきたりだと、ストーリーもありきたりなものになりやすい。その意味でキャラクターづくりは小説作法の基本だといっていいのだが、この基本ができている新人作家はめったにいない。

ところが、藤原伊織氏は最初からキャラクターづくりの名手で、全登場人物のキャラが立っていた。昭和六十二年（一九八七）に『ダックスフントのワープ』で第九回すばる文学賞を受賞した実績があるとはいえ、ミステリーを書いたのは受賞作が初めてだというのだから、これはもう天才としかいいようがない。

　主人公の島村は四十代半ば。新宿で小さなバーを開いている。客に呑《の》ませる前に自分が酔っぱらってしまうことが多い。晴れた日には公園で最初の一杯をやるのを日課にしている。酒が切れると手がふるえる。ひとことでいえば、身も心もくたびれた中年のアル中男。青春小説の主人公には絶対になれない男である。

　この男には他人にいえない過去がある。一九六〇年代末に全国の大学で吹き荒れた全共闘運動が終熄《しゅうそく》に向かったころ、かつての闘争仲間を乗せてポンコツ車を運転中に、知らずに積んでいた爆弾が破裂して通行人を死傷させ、国外に逃亡したその仲間とともに殺人罪および爆発物取締罰則違反容疑で指名手配されたのである。

　それから二十二年、彼は本名の菊池俊彦から島村圭介に名前を変え、東大出身の有望な新鋭ボクサーという経歴を捨て、ホームレスの青年以外に友人を持たず、酒瓶だけを友にひっそりと世を忍んで生きてきた。

　彼は自分の車に爆弾が積まれていることを知らなかったのだから、もし事故の直後に自首していれば、おそらく執行猶予つきの過失致死ですんだだろう。そうできるのにそうしなかったのは、闘争からは脱落しても仲間だけは裏切れないという、いささか古風な男の美学のためである。そしてその美学のゆえに、この作品は私立探偵小説でもないのに国産ハードボイルドの新しい里程標と目されることになった。

よく晴れた十月の土曜日の午前、例によって新宿中央公園の芝生で最初の一杯をやっていると、眼前で爆弾テロが起きて多数の死傷者が出る。脛《すね》に傷持つ彼は早々に現場から逃げ出したが、その夜店にあらわれた二人組のやくざから生命を大切にするよう忠告される。そして閉店後に正体不明の男たちに襲撃されて重傷を負う。

長編ミステリーの成否は書き出しの三十枚にあるといわれるが、開巻劈頭《へきとう》から読者の心をつかんで離さないこのオープニングの見事さは、同じように誇り高いアル中男が登場するレイモンド・チャンドラーの『長いお別れ』の冒頭シーンにひけをとらない。なによりも際立っているのは会話のうまさである。たとえば、店にやってきた奇妙なやくざ（浅井志郎）と島村との会話。

「ただ、ちょっとちがうかもな」

「なにが」

「最初見たとき、あんたはケチなアル中かと思った。けど、そうでもないかもしれんってことさ。なあ、おれたちの商売わかるか」

「デパートにお勤めですか」

彼はかすかに笑った。はじめてみせた笑いだった。

「冗談が好きなんだな、おまえさん。この店のオーナーか」

「いや、やとわれもんでね。店の名義は私じゃない」
「デパートじゃないけどな。おれたちもまあ、一種の客商売といっていい。少なくとも第三次産業のひとつにはちがいない」

ひと目でそれとわかる客に向かって「デパートにお勤めですか」といえるバーテンが現実にいるとは思えない。また、それに対してこんなふうに気の利いたセリフを吐けるやくざが現実にいるとは思えない。少なくとも私の交友範囲にはいない。にもかかわらず、あるいはむしろそれゆえに、彼らは類型としてではなくひとつの典型として、まちがいなくそこに存在している。そしてどんな本物よりも本物らしく感じられる。それがすなわちこの作家のキャラクターづくりのうまさであり、したがって同じことだが、ストーリーテリングのうまさなのである。

その翌日、かつての東大全共闘のメンバーで島村の恋人でもあった松下優子の娘塔子が店にあらわれ、母がテロの犠牲になったことを告げる。犠牲者のなかには、かつて島村とともに指名手配された桑野誠の名前も含まれていた。これは単なる偶然なのか。それとも「世界の悪意」の産物なのか。ここへきて物語はにわかに思想的な色彩を帯びる。

二十数年前、彼らが対立セクトに占拠された学館の上階に立て籠《こ》もって闘っていた真の敵は、アメリカ帝国主義でもなければ講壇アカデミズムでもなかった。メンバー中随一の理論家桑野によれば、それは「この世界の悪意」だった。「この世界が存在するための必要成分でさえある悪意。空気みたいにね。その得体の知れないものは、ぼくらが何をやろうと無傷で生き残っている」。その得体の知れない悪意が二十数年ぶりによみがえったのである。

行き場を失って塔子の部屋を訪れた島村は、彼女に過去の一切を告白し、自分たちを窮地に陥れた「世界の悪意」と対決することを決意する。さえないアル中男がハードボイルド・ヒーローに変身する瞬間である。こうして物語はいよいよ佳境に入っていくのだが、ここでこれ以上内容に立ち入るのは、ミステリー読者の「知らされない権利」を侵害することになるだろう。

キャラが立つといえば、この塔子という女性の性格設定がすばらしい。彼女はかつて母親が愛した男の正体を知るために島村に近づくのだが、ノーテンキで危なっかしい彼の生き方を見ているうちに母性本能（？）を刺激され、次第に彼に惹《ひ》かれていく。ただし、藤原伊織ファンなら先刻ご承知のように、この恋が性愛に発展することはない。

同じことは浅井と島村の関係についてもいえる。彼らは出会った翌日から杯《さかずき》をかわした義兄弟のような熱い信頼で結ばれ、手を携えて見えない敵に立ち向かっていくのだが、この共闘によって得られる成果は友情以外に何もない。そしてこのことは、ハードボイルドの「やせ我慢の美学」と日本古来のやくざの「仁義」がどこかで通底していることを示している。その意味で、この作品はハードボイルドと武士道を共鳴させた山本周五郎の『樅ノ木は残った』と並ぶ画期的なハードボイルドだといえる。

この作品が講談社から刊行されて三十万部を超えるベストセラーになったころ、これは全共闘世代の「白鳥の歌」だという、いかにもそれらしい世代論がはやったことがある。たしかに作者は全共闘世代の一人で、作中にも「これが宿命なんだよ、きっと。これがあの闘争を闘ったぼくらの世代の宿命だったんだ」と語る人物が出てくるが、それに対して主人公はきっぱりと、「私たちは世代で生きてきたんじゃない。個人で生きてきたんだ」と答える。

個人で生きてきた男の孤立無援の闘いを描いたこの作品が、彼らのいうように甘ったるい世代論的感傷小説であるはずはない。もしどうしても世代という言葉を使いたければ、これはすぐれて反世代的な「孤高の戦士《ワンマン・アーミー》」小説だというべきだろう。ワンマン・アーミーとはいうまでもなく正統派冒険小説の主人公の異称である。

この作品を読まずに藤原伊織を語ることはできない。藤原伊織を読まずに現代日本の小説を語ることは許されない。この作家と同じ時代に生まれ合わせたことは、私たち読者にとってまぎれもない僥倖《ぎょうこう》のひとつである。

本書『テロリストのパラソル』は、一九九五年に第四一回江戸川乱歩賞を受賞、翌一九九六年に第一一四回直木賞を受賞しました。

本書は、一九九八年七月に講談社文庫として刊行されました。

テロリストのパラソル

藤原伊織《ふじわらいおり》

平成19年 5月25日　初版発行
令和6年 11月15日　21版発行

発行者●山下直久

発行●株式会社KADOKAWA
〒102-8177　東京都千代田区富士見2-13-3
電話　0570-002-301(ナビダイヤル)

角川文庫 14693

印刷所●株式会社暁印刷
製本所●本間製本株式会社

表紙画●和田三造

ISBN978-4-04-384701-3　C0193

◇◇◇

角川文庫発刊に際して

角川源義

第二次世界大戦の敗北は、軍事力の敗北であった以上に、私たちの若い文化力の敗退であった。私たちの文化が戦争に対して如何に無力であり、単なるあだ花に過ぎなかったかを、私たちは身を以て体験し痛感した。西洋近代文化の摂取にとって、明治以後八十年の歳月は決して短かすぎたとは言えない。にもかかわらず、近代文化の伝統を確立し、自由な批判と柔軟な良識に富む文化層として自らを形成することに私たちは失敗して来た。そしてこれは、各層への文化の普及滲透を任務とする出版人の責任でもあった。

一九四五年以来、私たちは再び振出しに戻り、第一歩から踏み出すことを余儀なくされた。これは大きな不幸ではあるが、反面、これまでの混沌・未熟・歪曲の中にあった我が国の文化に秩序と確たる基礎を齎らすためには絶好の機会でもある。角川書店は、このような祖国の文化的危機にあたり、微力をも顧みず再建の礎石たるべき抱負と決意とをもって出発したが、ここに創立以来の念願を果すべく角川文庫を発刊する。これまで刊行されたあらゆる全集叢書文庫類の長所と短所とを検討し、古今東西の不朽の典籍を、良心的編集のもとに、廉価に、そして書架にふさわしい美本として、多くのひとびとに提供しようとする。しかし私たちは徒らに百科全書的な知識のジレッタントを作ることを目的とせず、あくまで祖国の文化に秩序と再建への道を示し、この文庫を角川書店の栄ある事業として、今後永久に継続発展せしめ、学芸と教養との殿堂として大成せんことを期したい。多くの読書子の愛情ある忠言と支持とによって、この希望と抱負とを完遂せしめられんことを願う。

一九四九年五月三日